LA GUILLOTINE
ET L'IMAGINAIRE
DE LA TERREUR

DANIEL ARASSE

LA GUILLOTINE ET L'IMAGINAIRE DE LA TERREUR

ISBN 2-08-211530-5

A René Démoris, qui, le premier,
m'y a poussé.

« Mon cœur se déchire ; mon sang se glace ; ma main se refuse à continuer le récit de ces hideux assassinats ; ah ! combien je plains l'historien qui se dévouera à les révéler à nos neveux ! »

Galart de Montjoie, *Histoire de la conspiration de Robespierre*.

« Il nous arrive de tous les coins une colonne d'apôtres révolutionnaires, de solides sans-culottes ; sainte Guillotine est dans la plus brillante activité, et la bienfaisante terreur produit ici, d'une manière miraculeuse, ce qu'on ne devait espérer d'un siècle au moins, par la raison et la philosophie. »

Citoyen Gateau, administrateur des subsistances militaires, 27 brumaire an II.

INTRODUCTION

> « La guillotine est la concrétion de la loi [...].
> Elle n'est pas neutre et ne vous permet pas de
> rester neutre. Qui l'aperçoit frissonne du plus
> mystérieux des frissons. Toutes les questions
> sociales dressent autour de ce couperet leur
> point d'interrogation. »
>
> Victor Hugo, *Les Misérables*, I, i, 4.

A traditionnellement parler, ce n'est pas ici un livre
d'Histoire. Ce serait plutôt un livre d'histoires, nourri de
celles que l'on se racontait au pied de l'échafaud, avant
d'y monter ou en revenant du spectacle. En un mot, c'est
un livre sur les commentaires qu'a suscités la « grande
machine », comme l'appelle au détour d'une lettre son
artisan-fabricant. Réactions d'horreur ou d'enthousiasme,
ces commentaires ont été pour la plupart déjà publiés,
mais ils n'ont guère été utilisés par les historiens professionnels de la Révolution, occupés à des débats apparemment plus graves ; ils fournissent pourtant, ici, les
véritables documents sur lesquels se fonde l'interprétation.
Plus que certifier des faits, je voudrais déchiffrer les
projections dont la machine à décapiter a été, dès ses
origines, le lieu de condensation.

Ce livre en effet est né du désir de répondre à cette
question, d'apparence simple : pourquoi la guillotine fait-
elle peur ? En quoi est-elle abominable ? Et de quoi au
juste a-t-on horreur ? Pour répondre, il m'a paru fructueux
d'interroger cette peur à sa source même, au moment où,
à peine mise au point, la machine est plantée au cœur
d'une mise en scène, d'une exploitation spectaculaire de
ses pouvoirs d'épouvante : la Terreur.

Inspirée par un colloque sur *La machine dans l'imaginaire* (université de Lille III, 1981), ma réflexion envisage
la guillotine comme *objet imaginaire,* comme un objet où
se sont concentrées des « valeurs » qui, tout en étant
suscitées par la fonction de la machine, l'ont largement
dépassée. Au fur et à mesure que mon travail de

déchiffrement avançait, j'ai vu ma simple question initiale – pourquoi a-t-on peur de la guillotine ? – se démultiplier en une quantité de questions portant sur des domaines nullement secondaires : touchant aussi bien au théâtre qu'à la médecine, à la politique qu'à la métaphysique, la guillotine s'est révélée un véritable « objet de civilisation [1] »...

En portant l'attention sur les années 1789-1794, je voudrais mettre au jour, dans leur origine conjointe, la *répulsion* qu'inspire la machine et la *réputation* qu'elle s'est gagnée, rendre compte en quelque sorte de son *abject prestige* et souligner ainsi un double archaïsme : le nôtre d'abord puisque nous avons continué d'utiliser une machine vieille de presque deux siècles, la seule de notre arsenal destructeur à n'avoir guère été modernisée, quitte à devenir pour l'étranger un de nos symboles nationaux, et l'archaïsme de cette fin de XVIIIe siècle où la société « philosophique » a conçu cette « simple mécanique » pour mieux faire « voler les têtes ».

Guillotine / corps mutilé

Instrument permettant une décapitation mécanique, la machine a très vite paru *barbare* parce qu'elle associait deux caractéristiques très éloignées, exclusives presque l'une de l'autre : une froide modernité technique et la violence sauvage d'une mutilation physique.

A la hache ou à l'épée, c'était personnellement que le bourreau décapitait sa victime – avec tout ce que cette situation pouvait comporter et comportait effectivement d'impondérables ; au contraire, la guillotine met simplement en œuvre des lois mécaniques simples. Réussite fonctionnelle des arts mécaniques appliqués, excluant tout rapport humain dans l'exécution elle-même, elle lave certes le bourreau du sang de ses semblables, mais elle mutile toujours le corps en son articulation symbolique la plus forte, tout en privant le condamné d'un ultime face à face, de son dernier corps à corps. C'est au prix d'une hideuse boucherie qu'elle met abstraitement à mort et elle est ainsi le lieu d'une tension extrême entre la rationalité de sa technologie et la sauvagerie sanglante de sa fin.

Machine perverse donc, mais non sans raison car la rationalité médicale elle-même y met en scène une de ses

perversions les plus remarquables. De Guillotin à Louis
et même à Cabanis, c'est la médecine toujours qui propose,
conçoit et, finalement, absout l'instrument à décapiter.
Dans ce beau travail où la science médicale des Lumières
élabore un de ses produits les mieux finis, la médecine
s'affiche très décidément comme un art de la mort.

Mais, il ne faut pas l'oublier, c'est par humanité que
la médecine a inventé la machine. On reconnaît là, à
l'état primitif, la démarche qui conduit aujourd'hui le
même art de la mort à la chaise électrique puis à
l'intraveineuse létale... La guillotine n'est pas monstrueuse
en soi, elle l'est devenue relativement à la société où
s'est exercé son mécanisme.

Guillotine / corps médical

A l'article « Anatomie » de l'Encyclopédie, le bon
Diderot justifie la pratique de la dissection et il remarque
à ce propos toute la différence d'un cadavre à un corps
sain et vivant ; en bonne logique philosophique, il pré-
conise, fort de certains exemples antiques, l'anatomie
médicale du vivant plutôt que du mort et, suivant la
« raison de [son] raisonnement », il propose au nom du
progrès médical que le supplice des criminels se fasse par
vivisection. Au reproche éventuel d'inhumanité que l'on
pourrait lui faire, il répond très explicitement, en une
page qu'il faut lire pour percevoir selon quelles modalités
pouvait être pensé le concept d'humanité dans le dernier
tiers du Siècle des lumières :

« Qu'est-ce que l'humanité, sinon une disposition habi-
tuelle de cœur à employer nos facultés à l'avantage du
genre humain ? Cela supposé, qu'a d'inhumain la dissection
d'un méchant ? Puisque vous donnez le nom d'inhumain
au méchant qu'on dissèque, parce qu'il a tourné contre
ses semblables des facultés qu'il devait employer à leur
avantage, comment appellerez-vous l'Erasistrate, qui, sur-
montant sa répugnance en faveur du genre humain, cherche
dans les entrailles du criminel des lumières utiles ? [...]
Je souhaiterais que ce fût l'usage parmi nous d'abandonner
à ceux de cette profession [chirurgiens et anatomistes] les
criminels à disséquer, et qu'ils en eussent le courage. De
quelque manière qu'on considère la mort d'un méchant,
elle serait bien autant utile à la société au milieu d'un

amphithéâtre que sur un échafaud ; et ce supplice serait tout au moins aussi redoutable qu'un autre [...]. L'Anatomie, la Médecine et la Chirurgie ne trouveraient-elles pas aussi leur avantage dans cette condition ? Quant aux criminels, il n'y en a guère qui ne préférassent une opération douloureuse à une mort certaine [2] ; et qui, plutôt que d'être exécutés, ne se soumissent, soit à l'injection de liqueurs dans le sang, soit à la transfusion de ce fluide, et ne se laissassent ou amputer la cuisse dans l'articulation, ou extirper la rate, ou enlever quelque portion du cerveau, ou lier les artères mammaires et épigastriques, ou scier une portion de deux ou trois côtes, ou couper un intestin dont on insinuerait la partie supérieure dans l'inférieure, ou ouvrir l'œsophage, ou lier les vaisseaux spermatiques, sans y comprendre le nerf, ou essayer quelque autre opération sur quelque autre viscère.

« Les avantages de ces essais suffiront pour ceux qui savent se contenter de raison [...]. »

Le raffinement de ces suggestions chirurgicales et leur accélération presque jubilatoire rappellent que l'époque connaissait les horreurs de la roue ou du bûcher, guère moins épouvantables que cette vivisection scientifiquement conduite... C'est un fait cependant que, loin de songer à l'abolition du supplice ou à un adoucissement des peines, Diderot philosophe voudrait surtout rentabiliser le supplice ; on conçoit comment l'instantanéité mécanique et indolore de la machine à décapiter pouvait passer, dans ce contexte, pour un remarquable progrès de la raison philanthropique...

On le conçoit d'autant mieux si l'on sait que, dans un mémoire qu'il écrit en 1775-1776 sur le traitement de la rage, Guillotin en personne reprend l'idée du philosophe et propose de faire subir aux condamnés « toutes les expériences [...] tentées sur les animaux », en y voyant même la chance d'une éventuelle réinsertion sociale [3]. Certes, « cette espèce d'expérience paraîtra peut-être injuste, cruelle, terrible ou dénaturée, mais elle n'est qu'effrayante » ; la justification que Guillotin avance pour son point de vue semble frappée au sceau du bon sens puisqu'il rappelle utilement combien l'exécution était, jusqu'à l'abolition du supplice, l'occasion d'épouvantables souffrances : « Une légère morsure, les symptômes douloureux de la maladie peuvent-ils être comparés avec les tourments affreux qu'endure un homme à qui on brise les os et que l'on force d'expirer dans les angoisses du désespoir ? »

La machine constitue indéniablement un progrès et elle annonce une véritable mutation : de 1776 à 1789, Guillotin rejette toute rentabilisation du supplice et il ne peut plus envisager que de le supprimer par la guillotine, machine humanitaire...

Guillotine / corps politique

Qu'on le veuille ou non – et ce sont bien sûr les adversaires de la Révolution qui y tiennent le plus –, la guillotine est une des images majeures où s'est représentée la Révolution française ; avec les mots de liberté, d'égalité et de fraternité, elle est un de ses stéréotypes les plus largement diffusés. Victor Hugo le note dès 1820 : « Pour nos pères, la Révolution, c'est la plus grande chose qu'ait pu faire le génie d'une Assemblée [...]. Pour nos mères, la Révolution, c'est une guillotine[4]. »

Indissociablement attachée aux figures de Robespierre et de Saint-Just, la phase la plus révolutionnaire de la Révolution, son comble, la Terreur, est en effet représentée, dans la mémoire collective, par un instrument devenu, comme le dit Cabanis dès 1795, son « étendard ». Aujourd'hui que la République, en abolissant la peine de mort, a interdit l'usage de sa machine à décapiter, il est sans doute temps de se demander en quoi et pourquoi la guillotine a pu contribuer à constituer la République elle-même, dans son archaïsme originel.

Les textes et la succession des faits semblent bien l'indiquer : entre le mois d'août 1792 et les grandes fournées terroristes de l'été 1794, l'emploi politique de la guillotine suit une ligne très cohérente que l'on a tort de vouloir « excuser » en la rapportant trop rapidement à l'ambition d'un groupe d'hommes, à l'emballement irrésistible d'un mécanisme de gouvernement ou encore, selon une formule quelque peu sentimentale de Mathiez, à un « désespoir ». L'emploi terroriste de la guillotine ne mérite pas d'excuses et il n'en a pas besoin : les textes contemporains concernant l'emploi systématique de la guillotine comme *machine à gouvernement* indiquent que le grand théâtre macabre organisé autour de l'échafaud vise en particulier à forger une *conscience publique* (Saint-Just)

en la régénérant révolutionnairement après les siècles
d'avilissement qu'a connus le peuple sous le règne de la
tyrannie. Le 21 janvier 1793, la mort de Louis XVI
constitue une inauguration mais elle est surtout comme la
première Cène où l'on sacrifie un corps, moins monstrueux
à cause des crimes personnels du roi que par le privilège
exorbitant que la théorie du pouvoir monarchique lui
accorde : celui d'incarner, en son corps singulier, le corps
de la nation tout entière. En immolant ce corps sacré
dans la théorie du droit divin, la Révolution opère comme
une inversion du sacrifice eucharistique et, du même coup,
elle fonde et consacre la République, c'est-à-dire, en
l'occurrence, une nouvelle idée de la représentation nationale ; les grandes fournées de la Terreur installent dès
lors la Révolution « dans l'état civil » (Saint-Just).

Il existe en effet une « logique de la guillotine » qui,
sur la place publique et avec une force démonstrative
inégalable, donne à voir et confirme ce qu'annoncent les
discours de l'Assemblée.

Que l'on ne s'y méprenne pas : il ne s'agit pas de
tenter une réhabilitation de la guillotine jacobine ; il s'agit
de préciser comment cette machine a pu devenir une
image de la Révolution française dans sa phase la plus
radicale, celle qui la distingue précisément de la douce
révolution réformiste américaine ; il s'agit de percevoir
comment, par-delà les assimilations simplificatrices du type
Montagnards / fanatiques, Terreur / erreur, la guillotine a
pu, par ses caractéristiques techniques et visuelles, entretenir avec la Révolution jacobine un rapport qui pourrait
bien être celui d'une *ressemblance iconique,* comment ainsi
la guillotine révolutionnaire a pu figurer un idéal de la
Révolution, comment, enfin, cette ressemblance même
pourrait expliquer l'enthousiasme religieux avec lequel on
a pu, pendant quelques mois, acclamer les exploits ren-
tables d'une machine surnommée par certains de ses
admirateurs *sainte Guillotine...*

I

NAISSANCE DE LA MACHINE

> « Tant il est vrai qu'il est difficile de faire du bien aux hommes, sans qu'il en résulte pour soi quelques désagréments. »
>
> Docteur Bourru, *Oraison funèbre du docteur Guillotin*, 28 mars 1814.

Le Romain
Guillotin
Qui s'apprête
Consulte gens du métier,
Barnave et Chapelier,
Même le coupe-tête.
Et sa main
Fait soudain
La machine
Qui, simplement, nous tuera,
Et que l'on nommera
Guillotine.

En trouvant ce mot de la fin, cette chute inattendue pour sa chanson satirique, le chevalier de Champcenetz, membre de l'Académie française, passé à l'échafaud le 23 juillet 1794, inventait un immortel néologisme. Avant même de voir le jour, la future machine à décapiter portait le nom de son père : Guillotin, Joseph Ignace, né à Saintes le 28 mai 1738, de Joseph Alexandre Guillotin et de demoiselle Catherine Agathe Martin. La légende familiale voudra d'ailleurs que les conditions de cette naissance aient été décisives pour la renommée postérieure de la famille : se promenant à Saintes, Mme Guillotin aurait eu les oreilles frappées des hurlements d'un homme que l'on rouait ; ce choc aurait accéléré la venue au monde de Joseph Ignace, qui aurait eu ainsi « le bourreau pour sage-femme ». La fable est belle qui prédestine un Guillotin prématuré à vouloir la fin des supplices en en précipitant l'issue.

L'histoire cependant est plus simple : a posteriori, la carrière médicale et sociale de Guillotin semble le conduire tout droit à cette proposition du 1er décembre 1789 par laquelle il léguera, malgré lui, son nom à l'Histoire.

Membre de la Compagnie de Jésus depuis 1756, il quitte les pères en 1763 pour étudier la médecine du corps après celle de l'âme et il est, en 1770, nommé docteur à Paris. En 1789, personne n'est surpris de le voir élu député du tiers état ; c'est déjà un personnage important de la capitale, l'homme qui, à la fin de l'année

1788, à cinquante ans, a proposé au roi la *Pétition des citoyens domiciliés à Paris* dans laquelle il réclame, pour le Tiers, le droit d'avoir un nombre de députés au moins égal à celui des deux autres ordres. Cité à comparaître par le Parlement de Paris à la suite de ce scandale, il est triomphalement acquitté et il participe très logiquement à la rédaction des cahiers de doléances avec Marmontel et Lacretelle ; il se fait ensuite remarquer plusieurs fois aux Etats généraux et on peut penser que, le 30 novembre, la proposition qu'il s'apprêtait à faire le lendemain devait, à ses yeux, lui assurer une gloire autre que lexicale...

Des préoccupations humanitaires l'inspirent et il ne fait qu'abonder dans le sens de ses contemporains les plus éclairés qui réclament, en général, sinon l'abolition de la peine de mort, du moins l'adoucissement des peines et la fin des supplices. L'idée simple de Guillotin était que l'on modernisât techniquement un instrument bien connu pour avoir été utilisé, avec de légères variantes, en Italie, en Allemagne, en Angleterre et même en France. L'art même en indiquait le modèle... [5].

Guillotin ne participera d'ailleurs en rien à la construction de la machine et le véritable concepteur du mécanisme sera le docteur Louis, secrétaire perpétuel de l'Académie de chirurgie. Impitoyablement cependant, la machine portera son nom, irrésistiblement enfanté par l'assonance qui, à la rime, accorde au féminin machine et Guillotin.

La machine n'est construite qu'au printemps 1792. Or, au long de cette lente gestation et en chacune de ses trois phases – proposition, fabrication, inauguration –, on constate une série de *déceptions* ; un décalage se fait jour entre l'idée qui porte le projet et son actualisation concrète. Cette situation inattendue marque l'intensité des investissements imaginaires dont cette simple mécanique est, dès son origine, l'objet ; le 28 mars 1814, prononçant l'oraison funèbre du docteur Guillotin, son confrère le docteur Bourru tire la morale édifiante de l'histoire :

« Malheureusement pour notre confrère, sa motion philanthropique, qui fut accueillie et a donné lieu à un instrument auquel le vulgaire a appliqué son nom, lui a attiré beaucoup d'ennemis ; tant il est vrai qu'il est difficile de faire du bien aux hommes, sans qu'il en résulte pour soi quelques désagréments. »

C'est qu'il n'avait pas compté avec ce que l'on pourrait appeler un piège redoutable de la raison philanthropique...

1

1789 : LA PROPOSITION
DE GUILLOTIN

> « Il y a des hommes malheureux. Christophe
> Colomb ne peut attacher son nom à sa décou-
> verte ; Guillotin ne peut détacher le sien de son
> invention. »
>
> Victor Hugo, *Littérature et philosophie mêlées.*

On a perdu le discours par lequel Guillotin proposait
à l'Assemblée constituante de réformer le système pénal
de l'Ancien Régime. Il n'en reste, de sûr, que le projet
de loi en 6 articles :

« *Article 1.* Les délits du même genre seront punis par
les mêmes genres de peines, quels que soient le rang et
l'état du coupable.

Article 2. Les délits et les crimes étant personnels, le
supplice d'un coupable et les condamnations infamantes
quelconques n'impriment aucune flétrissure à sa famille.
L'honneur de ceux qui lui appartiennent n'est nullement
entaché et tous continueront à être admissibles à toutes
sortes de professions, d'emplois ou de dignités.

Article 3. Les confiscations des biens des condamnés ne
pourront jamais être ordonnées, en aucun cas.

Article 4. Le corps du supplicié sera délivré à sa famille
si elle le demande. Dans tous les cas, il sera admis à la
sépulture ordinaire et il ne sera fait sur le registre aucune
mention du genre de mort.

Article 5. Nul ne pourra reprocher à un citoyen le
supplice ni les condamnations infamantes quelconques d'un
de ses parents. Celui qui osera le faire sera réprimandé
par le juge.

Article 6. Dans tous les cas où la loi prononcera la
peine de mort contre un accusé, le supplice sera le même,

quelle que soit la nature du délit dont il se sera rendu coupable. Le criminel sera décapité ; il le sera par l'effet d'une simple mécanique. »

Ces six articles bouleversent un système auquel le roi ne voulait toucher qu'avec la plus grande prudence et Guillotin a parlé en médecin éclairé, œuvrant à l'humanisation « philosophique » de la justice. On peut, de fait, reconstituer assez facilement son argumentation perdue car il y reprenait sans doute des thèmes abondamment débattus depuis plusieurs années et la *simple mécanique* qu'il proposait ne faisait aussi que reprendre, pour les moderniser sans doute, des instruments bien connus dans l'Europe du XVIIIe siècle.

Une machine humanitaire

Guillotin ne va pas jusqu'à proposer l'abolition de la peine de mort. Il ne faut pas s'en étonner. Certes, le *Traité des délits et des peines* de l'Italien Beccaria est désormais célèbre ; il a été au centre de virulents débats qui opposent depuis une vingtaine d'années philosophes et jurisconsultes ; mais l'abolition de la peine de mort n'est pas encore à l'ordre du jour en France. A preuve, l'attitude de Robespierre ; en 1791, il défendra avec passion l'abolition mais, en 1783, au concours organisé par l'Académie de Metz contre les peines infamantes, il ne propose que l'égalité devant les peines : « La roue, le gibet [...] déshonorent la famille de ceux qui périssent par ce genre de peine, mais le fer qui tranche une tête coupable n'avilit point les parents du criminel ; peu s'en faut même qu'il ne devienne un titre de noblesse pour la postérité. Serait-il impossible de profiter de cette disposition d'esprit, d'étendre à toutes les classes des citoyens cette dernière forme de punir les crimes ? Effaçons une distinction injurieuse [...]. A la place d'une peine qui, à la honte inséparable du supplice, joint encore un caractère d'infamie qui lui est propre, établissons une autre espèce de peine à laquelle l'imagination est accoutumée d'attacher une sorte d'éclat, et dont elle sépare l'idée du déshonneur des familles [...] [6]. » Robespierre obtient alors le deuxième prix, derrière Lacretelle... En 1777, Marat avait adopté une position plus proche encore de celle de Guillotin. Répondant au concours organisé par la Société des citoyens de Neuchâtel, il propose son *Plan de législation criminelle* dont un des thèmes majeurs vise « à concilier la douceur avec la certitude des châtiments » ; en ce qui concerne la peine de mort, Marat est clair : « Les peines doivent être rarement capitales [...]. La vie est le seul bien de ce monde qui n'ait point d'équivalent ; ainsi la justice veut que la peine de meurtre soit capitale. Mais le supplice ne doit jamais être cruel, il doit être recherché du côté de l'ignominie. Même dans les cas les plus graves (liberticide, parricide, fratricide, assassinat d'un ami ou d'un bienfaiteur), on rendra affreux l'appareil du supplice, mais que la mort soit douce [7]. »

Appareil affreux / mort douce ; Guillotin pouvait penser que sa proposition allait dans le sens des aspirations du milieu intellectuel et « philosophique » du moment : adoucir les peines, tout en maintenant la valeur d'exemple du châtiment suprême.

On accorde aujourd'hui une place souvent exceptionnelle au supplice de Damiens, en 1757 : ayant blessé légèrement Louis XV d'un coup de couteau, il fut condamné à l'écartèlement, peine prévue pour le régicide. Comme on sait, la chose tourna à la catastrophe : Damiens ne meurt pas, les chevaux ne parviennent pas à le démembrer et le bourreau doit finalement le découper au couteau. Cette horreur, il est vrai, était due en partie à l'inexpérience presque excusable du maître bourreau Charles Jean-Baptiste Sanson, de son fils Charles Henri et des aides qu'ils avaient appelés nombreux pour un cas aussi exceptionnel : l'écartèlement n'avait plus été pratiqué à Paris depuis Ravaillac et la technique n'avait donc pas pu se transmettre... L'affaire cependant fit scandale, au point qu'à l'automne 1758 l'huissier des requêtes de l'Hôtel du roi, Mauriceau de La Motte, fut pendu et ses biens confisqués pour avoir, à ce propos, parlé « contre le gouvernement même, contre le Roi et les ministres » et préparé des placards sur l'exécution de Damiens.

En 1789, l'affaire demeurait pourtant exceptionnelle, peu significative finalement. Charles Jean-Baptiste Sanson n'avait-il pas d'ailleurs été puni du cachot pour son incapacité ? Ce qui était certainement plus choquant à l'aube de la Révolution, c'était l'existence encore du bûcher ou de la roue : à Paris même, en 1783, un homosexuel ; en 1785, un voleur incendiaire et un mari criminel ; en 1787, un parricide... Les temps étaient mûrs pour une machine dont la devise aurait pu être : Humanité, Egalité, Rationalité.

Car, à l'origine, l'humanité constitue bien le mérite principal de la proposition de Guillotin. Humanité d'abord à l'égard de la victime dont elle est censée annuler la douleur en la ramenant, selon l'expression de Michel Foucault, à une sorte de « degré zéro du supplice [8] ». Humanité également à l'égard des spectateurs, dans la mesure où la machine ne les fait plus participer à l'horreur des supplices anciens : elle réduit le spectacle inhumain de la mort publique à une brutale effusion de sang. Humanité surtout, si l'on peut dire, à l'égard du bourreau. Délivré de son corps à corps monstrueux avec le supplicié, le bourreau n'a plus qu'à être le déclencheur d'un processus mécanique, un « horloger méticuleux » (M. Foucault) dont le rapport au corps de la victime est médiatisé, neutralisé par l'impersonnalité de la machine. Une telle retombée est particulièrement bienvenue, comme l'indique le commentaire du discours tenu par Guillotin dans le *Journal des Etats généraux* : « M. Guillotin s'est appesanti sur les supplices qui mettent l'humanité au-dessous de la bête féroce ; les tenaillements, etc., je les passe sous silence. Il serait à souhaiter qu'on en oubliât bientôt jusqu'au nom. Il a décrit l'horreur qu'inspirent ces êtres connus sous le nom de bourreaux. Pénétré des mêmes sentiments [...], ce qui a surtout surmonté mon imagination, c'est qu'il y ait eu des êtres capables de déshonorer l'homme jusqu'au point de tremper leurs mains, de sang-froid, dans le sang de leurs semblables, pour obéir. » Ce texte est net : outre ses effets adoucissants pour le condamné et le public, la machine a l'immense mérite de rendre *imaginable* un être *inimaginable*, de transformer enfin le bourreau en « exécuteur ». En un mot, la guillotine justifie aussi qu'avec les comédiens et les juifs, le bourreau, seul singulier de cette série, devienne éligible en 1790, par décret de l'Assemblée : imaginable en représentant même...

Les ancêtres de la guillotine

En proposant de faire agir « l'effet d'une simple mécanique », Guillotin ne s'aventurait guère. Contrairement à ce que l'on croit d'ordinaire, la machine à décapiter existe bien avant 1789 et elle est largement connue. Il s'agit seulement de l'importer en France sous sa version la plus moderne, la plus sûre.

La description la plus circonstanciée d'un tel mécanisme se trouve dans le *Voyage en Espagne et en Italie* publié à Paris en 1730 par le dominicain Labat :

« C'est avec la *mannaia* qu'on coupe la tête. Cette machine est très sûre et ne fait point languir un patient que le peu d'adresse d'un exécuteur expose quelquefois à recevoir plusieurs coups avant d'avoir la tête séparée du tronc. Ce supplice est pour les gentilshommes et les ecclésiastiques. Quelques crimes qu'ils aient commis, il est rare qu'on les fasse mourir en public. On les exécute dans la cour de la prison, les portes fermées et en présence de très peu de personnes.

« L'instrument, appelé *mannaia*, est un châssis de 4 à 5 pieds de hauteur, d'environ 15 pouces de largeur *dans œuvre*. Il est composé de deux montants d'environ 3 pouces en carré, avec des rainures en dedans pour donner passage à une traverse en coulisse. Les deux montants sont joints l'un à l'autre par 3 traverses à tenons et à mortaises, une à chaque extrémité, et une environ à 15 pouces au-dessus de celle qui ferme le châssis. C'est sur cette traverse que le patient à genoux pose son cou. Au-dessus de cette traverse est la traverse mobile en coulisse qui se meut dans les rainures des montants. Sa partie inférieure est garnie d'un large couperet de 9 à 10 pouces de longueur et de 6 pouces de largeur, bien tranchant et bien aiguisé. La partie supérieure est chargée d'un poids de plomb de 60 à 80 livres fortement attaché à la traverse. On lève cette traverse meurtrière jusqu'à 1 pouce ou 2 près de la traverse d'en haut à laquelle on l'attache avec une petite corde. Lorsque le barigel fait signe à l'exécuteur, il ne fait que couper cette petite corde et la coulisse tombant à plomb sur le cou du patient le lui coupe tout net et sans danger de manquer son coup. »

Le père Labat est précis comme un menuisier. Est-il interdit de voir dans la technicité inélégante de son texte comme un descriptif destiné à un éventuel constructeur ?

La valorisation de l'instrument, humanitaire et aristocratique, suggère en effet que cette longue page n'est pas gratuite : elle constitue peut-être une recommandation pour celui qui, en France, aurait le pouvoir d'adoucir le supplice des élites. On verra, en tout état de cause, que le docteur Louis connaissait le passage et qu'il s'en est probablement inspiré.

Etrange fascination des ecclésiastiques pour la machine à décapiter : dans son *Voyageur français*, l'abbé de La Porte offre une description (plus vague) d'une machine équivalente, utilisée en Ecosse : « La noblesse est décapitée d'une manière particulière à ce pays. L'instrument dont on se sert est une pièce de fer carrée, large d'un pied, dont le tranchant est extrêmement affilé. A la partie opposée est un morceau de plomb d'une pesanteur si considérable qu'il faut une très grande force pour le remuer. Au moment de l'exécution, on l'enlève au haut d'un cadre de bois de dix pieds d'élévation et, dès que le signal est donné et que le criminel a le col sur le billot, l'exécuteur laisse librement tomber la pièce de fer qui ne manque jamais du premier coup de séparer la tête du col [9]. »

Les historiens de la guillotine ont relevé l'existence de versions plus archaïques du dispositif dès les xve et xvie siècles en Italie (*mannaia*), en Angleterre (*Halifax gibet*) ou en Ecosse (*maiden*), et même dès les xiie-xiiie siècles à Naples, en Hollande ou en Allemagne [10]. La littérature des Mémoires et des chroniques révèle que l'Europe connaissait ce type d'instruments bien avant le Siècle des lumières, et que mis à part la *maiden,* leur utilisation était le fait d'un privilège aristocratique extraordinaire, permettant d'éviter à la victime le contact des mains impures du bourreau tout en garantissant à l'exécution une inégalable efficacité machinale [11].

Manifestement, la « simple mécanique » de Guillotin trouve son origine dans ce type d'instruments et, en particulier, dans la version anglaise à laquelle fait référence le docteur Louis en mars 1792 dans son *Avis motivé sur le mode de décollation* : « [...] C'est le parti qu'on a pris en Angleterre. Le corps du criminel est couché sur le ventre entre deux poteaux barrés par le haut par une traverse, d'où l'on fait tomber sur le col la hache convexe au moyen d'une déclique. »

Les réticences de l'Assemblée. Guillotin ridicule

Le prestige dont jouit à l'époque la justice anglaise aurait dû garantir l'adoption rapide de la proposition. Or il n'en est rien, bien au contraire. Le premier article est accepté, mais la suite donne lieu à un débat nourri. Les articles 2, 3 et 4 sont adoptés peu de temps après (le 21 janvier 1790) ; quant à l'article 6, celui qui fait mention de la « simple mécanique », l'innovation la plus éclairée de l'ensemble, il ne reviendra à l'ordre du jour qu'en mars 1792...

Cet ajournement mérite qu'on s'y arrête car ce refus de discussion signale, d'emblée, combien la machine – dans l'emploi qu'en propose Guillotin – bouleverse l'image que ses contemporains se font de l'exécution capitale.

Les anciennes machines n'étaient utilisées que pour des condamnés d'exception ; elles redoublaient le privilège aristocratique de la décapitation par le prestige d'un dispositif dont la rareté manifestait la classe du condamné. En proposant un emploi égalitaire de la machine, Guillotin annule ce privilège, mais il heurte aussi le principe ancien selon lequel, même en cas de condamnation suprême, le supplice variait selon les circonstances du crime ou la qualité du criminel [12].

Guillotin justifie par ailleurs la machine à décapiter par la douceur de son procédé. Mais il existait une autre mort douce pour l'époque : la pendaison. On pouvait donc, tel Verninac de Saint-Maur, proposer une autre uniformisation de l'exécution capitale : « Cette peine [la décollation], réservée chez nous à la haute noblesse, a pris un certain air de qualité et un dehors de bonne compagnie qui la rend presque honorable. Au lieu d'élever la roture à l'orgueil du billot, il faut faire descendre la noblesse à la modestie de la potence » (*Le Moniteur*, décembre 1789).

La première désillusion de Guillotin fut sans doute de constater qu'il ne suffisait pas d'être médecin et philosophe pour être législateur. Il connut pis ; l'effet le plus cruel de cette première apparition de la guillotine fut une catastrophe inattendue : le rire, et le ridicule qui frappa immédiatement son promoteur, brocardé par quantité d'épigrammes et de chansons [13].

Les Goncourt évoquent à ce propos un texte qu'ils

appellent « roman satirique », parodie du discours de
Guillotin devant l'Assemblée :

« Mes chers frères en patrie, il m'est mort tant de
patients entre les mains que je puis me vanter d'être un
des hommes les plus experts sur les moyens de partir de
ce monde [...]. Je suis parvenu à inventer, avec mon
machiniste, la ravissante machine que vous voyez [...].
Sous l'estrade est un jeu de serinette monté pour des airs
fort joyeux, comme celui-ci : *Ma commère quand je danse* ;
ou cet autre : *Adieu donc dame française* ; ou bien celui-
là : *Bonsoir la compagnie, bonsoir, bonsoir la compagnie.*
Arrivé ici, l'acteur se placera entre les deux colonnes, on
le priera d'appuyer l'oreille sur ce stylobate sous le prétexte
qu'il entendra beaucoup mieux les sons ravissants que
rendra le jeu de serinette ; et la tête sera si subtilement
tranchée qu'elle-même, encore longtemps après avoir été
séparée, doutera qu'elle le soit. Il faudra pour l'en
convaincre les applaudissements dont retentira nécessairement la place publique [14]. »

La satire ne s'y est pas trompée en prenant pour cible
le moment de son discours où Guillotin vantait la rapidité
extrême de son mécanisme. Dès le lendemain, le *Journal
des Etats généraux* notait en effet : « M. Guillotin a fait
la description de la mécanique ; je ne le suivrai pas dans
ses détails ; pour en peindre l'effet, il a oublié un instant
qu'il était législateur pour dire en orateur : " La mécanique
tombe comme la foudre, la tête vole, le sang jaillit,
l'homme n'est plus. " Ce n'est pas dans le code pénal
que de pareils morceaux sont permis. »

Et, en effet, ce sommet de l'éloquence guillotine est
immédiatement détourné par l'ironie. Deux semaines plus
tard, dans son numéro du 18 décembre, *Le Moniteur* écrit
que l'Assemblée salue d'un immense éclat de rire la
péroraison de Guillotin, devenue : « Messieurs, avec ma
machine, je vous fais sauter la tête en un clin d'œil et
sans que vous en éprouviez la moindre douleur. » Et ce
morceau de bravoure devient ailleurs : « Le supplice que
j'ai inventé est si doux qu'on ne saurait que dire si l'on
ne s'attendait pas à mourir et qu'on croirait n'avoir senti
sur le cou qu'une légère fraîcheur. »

Il n'est pas indifférent que la satire se soit concentrée
sur l'instantanéité mécanique de la mort. La matière prête
sans doute au rire, pourvu seulement d'accepter ici avec
Bergson que la cause majeure du comique réside dans le

sentiment d'une « mécanique plaquée sur du vivant [15] ».
Mais ce rire de 1789 signe surtout un refus : la guillotine
transforme trop brutalement l'image de la mort, tant
sociale qu'intime. L'ajournement du débat ne permet pas
d'expliciter immédiatement les raisons profondes de ce
rejet ; mais, dès 1793, la pratique révolutionnaire de la
machine met en pleine lumière ces données implicites et
celles-ci définiront dès lors les enjeux imaginaires dont
l'emploi de la guillotine est l'objet.

2

1792 : LA FABRICATION
DE LOUISETTE

« Avez-vous des notions exactes, au point de
vue chirurgical, sur la guillotine ?...
– Non, monsieur.
– J'ai scrupuleusement étudié l'appareil aujour-
d'hui même, continua, sans s'émouvoir, le docteur Velpeau : c'est, je l'atteste, un instrument
parfait. »
Villiers de L'Isle-Adam, *Le Secret de l'échafaud.*

La machine n'est fabriquée et utilisée qu'en 1792 et les
lenteurs bureaucratiques, les rappels au règlement, les
contestations budgétaires font de cette lente naissance le
fruit d'une très ordinaire procédure administrative ; d'emblée, la machine semble perdre sa portée philosophique
– à moins que cette banalité même ne lui donne sa
véritable dimension.

Les articles 2, 3 et 4 proposés par Guillotin étant
adoptés le 21 janvier 1790, la réforme est déjà considérable
puisque, outre l'égalité devant cette peine, la loi fixe à
la fois la personnalisation de la peine, l'abolition de la
confiscation des biens et le droit de la famille au corps
du supplicié ; l'« humanité » reconnaît le droit du coupable
et celui de ses proches.

Demeure la question de la peine de mort, envisagée à
l'article 6, lequel ne fait d'ailleurs que réaffirmer, dans ce
cas extrême, la règle égalitaire fixée à l'article 1. Or, si
la France était le pays où le traité de Beccaria avait
rencontré l'écho le plus fort et le plus argumenté dans
les milieux intellectuels, aucune mesure concrète n'avait
été prise ; la France des Lumières se trouve ainsi en
retard aussi bien par rapport à la Russie (1754) et à
l'Autriche (1787) qu'en face du grand-duc Léopold de
Toscane (1786)... [16].

Le débat a finalement lieu avec plus d'un an de retard, le 30 mai 1791. Ce long délai suffit à marquer le peu d'enthousiasme manifesté par les membres de l'Assemblée à l'idée d'aborder la question. La discussion est surtout marquée par le vibrant discours abolitionniste de Robespierre qui démontre le caractère à la fois injuste et non dissuasif de la peine capitale. Réfutant l'intervention de l'obscur Prugnon et appuyé par celles de Pétion et de Duport-Dutertre, son discours est particulièrement admiré pour sa « sensibilité » et sa « philosophie » [17]. Il n'emporte pourtant pas l'adhésion ; ce n'est, et loin de là, pas encore l'heure [18]. Le 1ᵉʳ juin, l'Assemblée ne se laisse pas fléchir par le trop sensible Robespierre, elle refuse d'abroger la peine de mort et, le 3 juin, sur rapport de Lepeletier de Saint-Fargeau, elle décide que « tout condamné à mort aura la tête tranchée ». Ce choix de la décapitation recommandée en 1789 par Guillotin est inspiré sans doute par le fait que la pendaison, autre mort douce possible, est traditionnellement infamante pour la famille du condamné ; ce choix par ailleurs ne porte pas atteinte à ce que l'on pourrait appeler « l'avantage acquis » de la noblesse ; il l'étend au contraire à l'ensemble des citoyens qu'il fait égalitairement accéder à « l'orgueil du billot ».

Quatre mois s'écoulent avant que soit formulé, le 25 septembre, le décret d'application. On consulte alors le fonctionnaire chargé d'exécuter la loi, le bourreau reconnu depuis peu dans son droit à l'éligibilité. Son avis est essentiel car, avec ses remarques de professionnel, on passe du stade théorique à l'ordre pratique : l'idée humanitaire est désormais confrontée aux conditions concrètes de son actualisation.

Cinq mois passent encore et, en mars 1792, Charles Henri Sanson indique que la nouvelle loi soulève deux difficultés. La première est technique : la qualité de l'épée doit être excellente pour que son effet soit immédiat, l'instrument coûtera donc cher. La seconde est humaine : pour que l'exécution respecte la lettre et l'esprit de la loi, il faut que l'exécuteur et sa victime soient à la hauteur de leurs tâches ; or rien ne garantit que le roturier sera aussi ferme que le noble et le bourreau lui-même risque d'être ému, ce qui, dans ce type de supplice, menace d'engendrer des effets désastreux, tant pour lui-même que pour la victime et, surtout, pour le public... Charles Henri connaissait certainement son sujet puisque, non content d'être excessivement maladroit en matière de pendaison, il était particulièrement fébrile pour les décapitations : en 1766, il est incapable d'achever le malheureux Lally-Tollendal ; c'est son père Charles Jean-Baptiste qui doit s'en charger. On sait la façon dont Voltaire exploita l'ensemble de l'affaire et on verra le cas qu'en fait le docteur Louis.

Le rapport de Sanson [19] montre combien, en uniformisant le mode d'application de l'exécution capitale, on bouleversait la conscience que l'on en prenait. L'augmentation inévitable du nombre des condamnés à la décapitation change radicalement les conditions de ce châtiment et presque sa nature. Auparavant, l'exécution était toujours singulière ; elle mettait en jeu, chaque fois, un supplice et un individu particuliers, et le cérémonial s'organisait autour de la mise en scène de cette rencontre, au cours de laquelle le bourreau pouvait faire montre d'un brio plus ou moins grand, selon le type de supplice qu'il convenait d'appliquer. Désormais, l'exécution devient répétitive ; or l'« agent humain » et le type d'outil utilisé, l'épée, ne garantissent pas qu'une telle répétition sera toujours identique à elle-même. A ce stade, le fond du problème est là : égale pour tous en théorie, la décapitation risque fort, si l'on ne prend pas les mesures appropriées, de devenir l'occasion de scènes terriblement singulières et épouvantables. En l'état, la loi est inapplicable.

La démonstration du spécialiste était peu contestable. Le 3 mars 1792, le ministre de la Justice Duport-Dutertre la transmet à l'Assemblée avec avis favorable [20]. Il revient à Rœderer, procureur général syndic, de prendre les mesures permettant de répondre aux préoccupations de l'Assemblée. Il se retourne donc vers Guillotin et lui demande par lettre d'« adoucir une peine dont l'intention de la loi n'a pas été de faire un supplice cruel ». Mais Guillotin ne fournit pas d'explications assez circonstanciées – son échec ridicule de 1789 l'a peut-être conduit à prendre ses distances par rapport à la machine... Rœderer fait donc appel à la personne la plus qualifiée pour la conception de la machine, le docteur Louis, secrétaire perpétuel de l'Académie de chirurgie.

Dès le 17 mars 1792, Louis répond avec son célèbre *Avis motivé sur le mode de décollation* [21]. A aucun moment le médecin n'envisage l'effet imaginaire éventuel de sa

machine. Les seules « motivations » qu'il donne à son
Avis sont historiques, géographiques ou chirurgicales ; le
seul effet qu'il évoque est « immanquable » (l'instantanéité
assurée de la décapitation) ; la seule fonction de la machine
est d'obéir au « vœu formel de la loi ». Si la machine à
décapiter est, pour lui, l'instrument le mieux adapté à
l'exécution capitale, c'est aussi qu'il considère le corps
presque exclusivement comme un emboîtement technique
de parties et, de ce point de vue, le tranchant convexe
constitue effectivement, surtout sous sa forme oblique,
améliorée après expérience, la réponse techniquement
satisfaisante au problème posé par les *enchevauchures* des
vertèbres cervicales. Le docteur Louis insiste sur le caractère spectaculaire (traditionnel) de l'exécution publique,
mais il ne prend nulle part en compte les affects éventuellement mis en jeu par l'effet propre à la machine et
à son fonctionnement : trancher machinalement et abstraitement dans du vivant... Tout se passe comme si le
concept de « privation de la vie » suffisait à garantir la
neutralité du processus. En cela, le docteur Louis ne fait,
une fois encore, qu'être un adepte de la médecine
éclairée ; l'auteur de l'article « Mort » de l'Encyclopédie
n'affirmait-il pas déjà que la mort n'est pas « une chose
aussi formidable que nous nous l'imaginons » ? Et que ce
qui tend à nous effrayer, ce sont en particulier « les
convulsions de la machine qui se dissout » ? Il est vrai
que cet auteur ne pouvait pas imaginer non plus le
spectacle de la guillotine quand il écrivait : « Quand la
faux de la Parque est levée pour trancher nos jours, on
ne la voit point, on n'en sent point le coup ; la faux, ai-
je dit ? Chimère poétique ! La mort n'est point armée
d'un instrument tranchant, rien de violent ne l'accompagne,
on finit de vivre par des nuances imperceptibles. » On
verra plus loin à quel point, précisément, l'aspect même
de l'« instrument tranchant » a fait image, surtout dès lors
qu'il semblait prouver que l'on peut ne pas mourir par
« nuances imperceptibles ». Une chose est sûre : l'alliance
de la médecine et de la technologie pense exclure la
« frayeur de la mort » en en renouvelant les conditions.
    L'*Avis motivé* de Louis fait autorité et, le 20 mars
1792, l'Assemblée décrète l'urgence [22]. Aux thèmes humanitaires déjà rencontrés, le texte du décret ajoute une
considération proprement politique dont l'importance est
considérable : il faut éviter les « mouvements factieux »

rendus possibles par l'absence de toute législation claire concernant l'exécution capitale et la raison d'être finale de la machine à décapiter est l'uniformité nationale des pratiques civiles ou politiques.

La gestation de la guillotine entre alors dans sa dernière phase : financière. Malgré l'urgence, elle dure encore un mois, cet ultime délai étant dû à l'intervention du rouage nécessaire à la construction de l'objet : son fabricant qui, loin de toute philosophie, entend profiter d'une telle affaire.

Le 25 mars, Louis remet au charpentier ordinaire du Domaine, Guidon, un descriptif technique très détaillé dont plusieurs particularités évoquent le texte du père Labat concernant la *mannaia* bolonaise[23]. Profitant du caractère sensationnel de cette commande, Guidon gonfle excessivement son devis pour lui faire atteindre la somme de 5 660 livres, comprenant il est vrai du bois de chêne de la meilleure qualité pour la machine et l'échafaud (1 500 livres), un escalier de douze marches (200 livres), des rainures en cuivre de fonte (300 livres), trois tranchoirs (300 livres), la main-d'œuvre (1 200 livres) et, pour 1 200 livres, un « modèle en petit, servant à la démonstration, afin d'éviter, autant qu'il sera possible, les événements, les prévenir pour la grande machine et prouver l'évidence[24] ».

Rœderer transmet ce devis au ministre des Contributions publiques en notant : « Un des motifs sur lesquels le sieur Guidon fonde ses demandes est la difficulté de trouver des ouvriers pour des travaux dont le préjugé les choque. Ce préjugé existe en effet ; mais il s'est présenté des ouvriers qui ont offert d'exécuter la machine à un prix bien inférieur au sien, en demandant seulement de n'être pas connus du public [...]. Il serait convenable que vous voulussiez bien autoriser le Directoire à traiter lui-même avec quelque autre artiste [...][25]. »

L'autre artiste sera un Allemand : le 10 avril, le facteur de pianos Tobias Schmidt propose un devis de 960 livres, accepté, on s'en doute, le jour même.

Il était temps. L'« humanité » exigeait en effet que la machine fût construite au plus vite : depuis deux mois, un condamné à mort attend l'exécution de sa sentence et, comme s'en inquiète le juge Moreau dans une lettre à Rœderer, « chaque instant qui prolonge sa malheureuse existence doit être une mort pour lui » ; il convient « au

nom de la justice et de la loi, au nom de l'humanité »
de « faire cesser l'effet des causes de ce retard qui nuit
à la loi, à la sûreté publique, aux juges et aux coupables
eux-mêmes [...] [26] ». Rœderer peut, cette fois, le rassurer :
le rythme est trouvé. La fabrication prend moins d'une
semaine et, le 17 avril, on fait dans une petite cour de
l'hôpital général de Bicêtre, sur des cadavres humains,
« l'expérience d'une machine que l'humanité ne voit qu'en
frémissant, mais que la justice et le bien de la société
rendent nécessaire [27] ».

Cette phrase du docteur Cullerier donne la raison
principale de l'étonnante lenteur avec laquelle la machine
a été construite : le bien de la société et la justice d'une
part, l'humanité de l'autre se contredisent. Mieux encore,
l'humanité elle-même se contredit devant cette machine :
l'humanité a imaginé la guillotine, mais elle ne peut la
voir « qu'en frémissant ». C'est donc contrainte et forcée
par ses propres décisions que l'Assemblée doit engager le
gouvernement à faire construire la machine. Comme le
dit explicitement Rœderer dans une lettre au docteur
Louis, le gouvernement est « malheureusement dans le cas
de déterminer le mode de décapitation [28] ». L'enthousiasme
est loin, qui avait permis à Prudhomme de penser qu'« on
ne saurait imaginer un instrument de mort qui concilie
mieux ce qu'on doit à l'humanité et ce qu'exige la loi,
du moins tant que la peine capitale ne sera pas abolie [29] ».

Cette ultime restriction est décisive. Dès lors que la loi
maintient la peine capitale, la pensée humanitaire est prise
au piège : faire appliquer avec humanité un châtiment qui
répugne à l'humanité. Le 20 mars 1792, par suite de
« l'incertitude sur le mode d'exécution de l'article 3 du
titre 1er du Code pénal », l'Assemblée avait dû suspendre
les exécutions capitales décidées par les tribunaux : posée
par la loi, la peine de mort se trouvait suspendue par sa
propre réglementation ; seul le respect du règlement oblige
à construire une « grande machine » dont la grandeur
n'est plus que celle de ses dimensions.

Cette dévalorisation de la machine est illustrée par le
fait que la guillotine est une *fille naturelle* des Lumières :
aucun père officiel n'est là pour la reconnaître ; ceux
qu'on lui prête se refusent à lui donner leur nom ; on
en refuse la paternité à celui qui la réclame...

Guillotin fut accablé du nom donné à la machine [30] et
il pratiqua la « philanthropie » jusqu'à fournir des pastilles

de son invention à ses amis pour leur permettre le suicide au cas où ils risqueraient la guillotine [31]. Terrible indice du sentiment que « sa » machine avait échappé à son intention humanitaire et qu'il existait, finalement, une mort plus douce que l'échafaud philosophique. Usurpant à Guillotin son nom et lui donnant ainsi une funeste immortalité, la machine s'approprie une filiation abusive mais irréversible que ses contemporains ont très vite ressentie comme un châtiment du destin : « Par quelle fatalité l'homme qui n'avait ni talents ni réputation a-t-il donné l'immortalité la plus affreuse à son nom [32] ? »

Le docteur Louis, véritable concepteur de la machine, fut plus heureux. Le nom de *Louison* ou *Louisette* fut également donné à l'instrument, mais il ne put l'emporter sur celui de guillotine. Le secrétaire de l'Académie de chirurgie n'en fut pas moins affecté du risque qu'il avait couru : « J'ai regardé la guillotine comme un acte d'humanité et je me suis borné à corriger la forme du couperet et à la rendre oblique pour qu'il pût couper net et atteindre le but. Mes ennemis ont alors essayé, et par la voie de la presse la plus licencieuse, de faire donner à la fatale machine le nom de Petite-Louison, qu'ils ne sont cependant pas parvenus à substituer à celui de guillotine. J'ai eu la faiblesse de me chagriner outre mesure de cette atrocité, car c'en est une, quoiqu'on ait voulu la faire passer pour une plaisanterie de bon goût [...] [33]. »

Débarrassé manifestement des « préjugés absurdes » qu'évoquait Guidon pour gonfler son devis, Tobias Schmidt ne se contente pas d'enlever le premier contrat ; dès lors qu'il faut fournir une guillotine à chaque département, il tente d'obtenir l'exclusivité, en application de la loi votée le 7 janvier 1791 qui créait un brevet pour sauvegarder les droits des auteurs de découvertes et inventions utiles. L'affaire en vaut en effet la peine puisqu'elle porte sur quatre-vingt-trois machines ; la concurrence est d'ailleurs sévère, un autre menuisier parisien ayant proposé un devis de 500 livres alors que Schmidt se refuse à descendre au-dessous de 824 livres. Il l'emporte finalement : il avait déjà démontré sa capacité pour le prototype et on connaît la répugnance de l'administration à changer de fournisseurs... Mais le brevet lui est refusé ; le 24 juillet 1792, le ministre de l'Intérieur répond à sa demande par une note fort éclairante : « Il répugne à l'humanité d'accorder un brevet d'invention pour une découverte de cette espèce ; nous n'en sommes pas encore à un tel excès de barbarie. Si M. Schmidt a fait une invention utile dans le genre funeste, comme elle ne peut servir que pour l'exécution des jugements, c'est au gouvernement qu'il doit le proposer [34]. »

On voit ici bouclée la boucle du renversement catastrophique dont la guillotine est l'objet entre la proposition de Guillotin et son apparition dans les pratiques sociales de la République. Une fois qu'il est fabriqué, cet instrument aux intentions humanitaires devient une découverte dont l'espèce ne mérite plus d'être qualifiée que par un démonstratif (« cette espèce ») très clairement dépréciatif, puisque ses connotations sont la *barbarie* et le *genre funeste*. On ne peut imaginer inversion plus complète de la valeur morale accordée à l'instrument de mort.

Pourtant, irréfutablement, la machine demeure porteuse de valeur : tout en n'en soulignant que l'aspect négatif, la note du ministre pose très précisément les repères à partir desquels un autre renversement s'opérera, moins d'un an plus tard. En suggérant d'en proposer le brevet au gouvernement, le ministre indique qu'il s'agit d'une *machine gouvernementale* ; or, on verra plus loin comment, sous la Terreur, la guillotine sera revalorisée – non plus cette fois au nom de l'humanité, mais en vertu des principes d'un gouvernement révolutionnaire qui vise à fonder la République et à instaurer la Liberté.

3

25 AVRIL 1792 : L'INAUGURATION DE SANSON

« Aujourd'hui, doit être mise en usage la machine inventée pour trancher la tête aux criminels condamnés à mort. Cette machine aura, sur les supplices usités jusqu'à présent, plusieurs avantages : la forme en sera moins révoltante ; la main d'un homme ne se souillera point par le meurtre de son semblable et le condamné n'aura à supporter d'autre supplice que l'appréhension de la mort, appréhension plus pénible pour le patient que le coup qui l'arrache à la vie.

« Le criminel qui doit aujourd'hui éprouver le premier l'effet de cette machine nouvelle est Nicolas Jacques Pelletier, déjà repris de justice, déclaré par jugement rendu en dernier ressort, le 24 janvier dernier au troisième tribunal criminel provisoire, dûment atteint et convaincu d'avoir de complicité avec un inconnu, le 14 octobre 1791, vers minuit, attaqué, dans la rue Bourbon-Villeneuve, un particulier auquel ils ont donné plusieurs coups de bâton, de lui avoir volé un portefeuille dans lequel était la somme de 800 livres en assignats.

« Pour réparation, le tribunal l'a condamné à être conduit place de Grève revêtu d'une chemise rouge, et à y avoir la tête tranchée, conformément aux dispositions du Code pénal[35]. »

L'événement est évidemment sensationnel car, à la curiosité naturelle devant toute nouveauté, s'ajoute que la Révolution met ici fin, d'un coup, à des habitudes et à des pratiques séculaires. L'exécution de Nicolas Jacques Pelletier manifeste publiquement et indubitablement la volonté qu'a l'Assemblée de mettre un terme à l'« Ancien

Régime » ; cette invention nouvelle suit de peu en effet une double suppression, hautement significative : le 5 avril, la Sorbonne a été supprimée et, le 6 avril, c'est au tour de toutes les congrégations religieuses. Le 22 mars, l'abbé Chappe avait fait don à l'Assemblée de son invention du télégraphe ; dans ce contexte, la nouvelle machine à décapiter fait partie des mesures contribuant à démontrer les progrès sociaux et intellectuels que réalise la Révolution. En touchant l'exécution capitale, l'action de l'Assemblée quitte par ailleurs le domaine parlementaire, son action se donne à voir directement au peuple, témoin privilégié des bienfaits qu'autorise un régime éclairé.

Les autorités sont conscientes de l'importance de l'événement. Incertaines cependant des réactions populaires devant cette innovation, elles tiennent à l'entourer de précautions extraordinaires, précisément fixées par Rœderer à La Fayette, commandant général de la Garde nationale : « Le nouveau mode d'exécution, monsieur, du supplice de la tête tranchée attirera certainement une foule considérable à la Grève et il est important de prendre des mesures pour qu'il ne se commette aucune dégradation à la machine. Je crois en conséquence nécessaire que vous ordonniez aux gendarmes qui seront présents à l'exécution de rester après qu'elle aura eu lieu, en nombre suffisant sur la place et dans les issues pour faciliter l'enlèvement de la machine et de l'échafaud [36]. »

La violence et l'archaïsme des réactions populaires peuvent donc être encore très éloignés de l'approche éclairée qui a inspiré cette invention et le gouvernement est conscient de bouleverser une pratique sociale dont les enjeux échappent à la seule raison. Mais il y a plus : c'est la machine qu'il s'agit de protéger et non plus le bourreau. On comprend le souci de Rœderer si l'on pense aux difficultés rencontrées pour sa fabrication et à son coût ; mais nul doute qu'il s'agit aussi de maintenir en état de marche l'instrument de travail pour en assurer la rentabilité. D'entrée de jeu, il est suggéré que la guillotine est contemporaine d'une conscience préindustrielle qui tient à assurer la sécurité de ses outils ; c'est en toute logique donc que l'on constatera, au plus fort de la Terreur, un souci de la cadence de fonctionnement qui fera à la fois admirer le rythme de l'ouvrier (le bourreau) et souhaiter parfois une amélioration des performances de son outil. Fille des Lumières, la guillotine est aussi une des premières machines à propos de laquelle s'articule une conception économique de la rentabilité de la production en fonction du temps de travail.

Cette inauguration est une grande première et les commentaires de la presse laissent perplexe quant aux réactions qu'elle a entraînées, car les journaux soulignent la *déception* du peuple qui semble « invoquer le retour de M. Sanson à l'Ancien Régime, et lui dire : Rends-moi ma potence en bois, Rends-moi ma potence [...] [37] ».

Certes ces journaux ne sont sans doute pas impartiaux puisqu'ils suggèrent un retour à l'Ancien Régime... Mais une chose est sûre : au printemps 1792, la guillotine, qui ne respecte pas l'ancien rituel des supplices, n'a pas encore instauré le sien propre, lequel sera tout aussi soigneusement réglé et signifiant. L'inauguration apporte pourtant avec elle deux innovations fondamentales :

– La machine est extraordinairement nouvelle, elle est comme l'emblème des principes philosophiques qui inspirent la justice de la Révolution ; or elle est inaugurée sur un criminel ordinaire, dont le nom n'est resté dans l'histoire que par l'honneur que lui fait la machine en se déflorant avec lui. La machine est ainsi, d'entrée, *banalisée* ; simple glaive d'une justice égale pour tous, elle est effectivement ce que la loi veut qu'elle soit. Mais, du même coup, la machine banalise la décapitation elle-même. La chose est passée inaperçue, mais la journée du 25 avril 1792 répond presque à la nuit du 4 août 1789 où, dans l'enthousiasme, s'abolissaient les privilèges et le système féodal ; la mort de Pelletier a une signification lourde d'avenir, comme le confirme a contrario la rhétorique qui entoure la première guillotinade politique, celle de Louis David Collenot d'Angremont, condamné par le tribunal créé pour juger les crimes du 10 août et décapité le 21 août 1792. La guillotine quitte la place de Grève pour être montée sur la place du Carrousel car « cette place, étant le théâtre du crime, devait être le lieu de l'expiation [38] ». Théâtre et expiation : la cause politique resacralise le supplice. Il y a plus ; l'échafaud n'est pas démonté après la cérémonie et, le 23 août, la Commune décrète qu'il y restera en permanence jusqu'à nouvel ordre : la politique instaure le théâtre permanent de la guillotine. La Terreur saura exploiter cette double ressource : prestige d'un cérémonial et banalité répétitive du spectacle.

– Les comptes rendus de l'inauguration n'évoquent ni la personnalité du condamné ni la personne de l'exécuteur : l'accent s'est déplacé vers la machine elle-même. Une redistribution des rôles est en cours, qui modifie profondément la situation du bourreau : il doit passer inaperçu et, s'il lui arrive d'attirer l'attention, ce ne peut être qu'au prix d'un incident imprévu [39]. La machine transforme l'ancien maître ès arts en simple exécutant : un exécuteur des hautes œuvres, le pur et simple « représentant du pouvoir exécutif » – pour reprendre un mot attribué à Camille Desmoulins.

Un texte suffit à montrer l'ampleur de cette transformation. Publiées à Paris en 1789, les *Plaintes de l'exécuteur de la Haute Justice contre ceux qui ont exercé sa profession sans être reçus maîtres* font allusion aux conditions dans lesquelles ont été massacrés, en juillet 1789, le gouverneur de la Bastille de Launay et trois représentants du pouvoir royal : le 14 juillet, Jacques de Flesselles, prévôt des marchands ; le 22 juillet, Joseph François Foullon, contrôleur général des Finances, et son gendre Louis Bénigne Bertier de Sauvigny, intendant de Paris [40]. Le choc causé par ce triple massacre est assez fort pour que Camille Desmoulins s'en fasse l'écho dans son *Discours de la Lanterne aux Parisiens* et condamne cette justice populaire trop expéditive qui déborde les intentions des révolutionnaires « éclairés ».

D'inspiration sans doute royaliste, les *Plaintes de l'exécuteur de la Haute Justice...* condamnent également à l'avance une nation qui « s'expose à passer dans l'Europe pour un peuple de bourreaux ». L'intérêt de ce pamphlet tient par ailleurs à ce que, sur le mode satirique, son éloquence grand-guignolesque y fixe, aux premiers jours de la Révolution, l'image du bourreau-tortionnaire, dont la barbarie inhumaine ne fait que répondre à une demande supposée du peuple, et on conçoit mieux, à cette lecture, ce que cache la litote par laquelle Chateaubriand conclut son propre témoignage sur ces journées de juillet 1789 : « J'eus horreur de ces festins de cannibales [41] ».

A tout cela, précisément, la guillotine met fin : en transformant le bourreau, elle rend aussi sa dignité au peuple car elle lui épargne d'être « cannibale » et on verra qu'elle réussit à faire participer la victime elle-même de cette dignité retrouvée en lui offrant un rôle digne d'elle sur le théâtre de l'échafaud.

Une chose est acquise : l'efficacité de la machine ; sa mise en route est réussie, son lancement est techniquement impeccable[42]. Trop même, peut-être. Un phénomène décisif se fait jour immédiatement, qui aura une importance considérable par la suite ; l'extrême rapidité du processus, souhaitée par l'humanité de la loi, entraîne un relatif manque de visibilité : un « clin d'œil » ne donne rien (ou presque) à voir. D'emblée, la guillotine raisonnable trouble le rapport du *voir* au supplice ; ce sera l'un des reproches qui lui seront faits au plus fort de la Terreur, et certains raffinements d'emploi seront imaginés pour améliorer, dans des cas exceptionnels, la durée de son spectacle.

Par ailleurs, tout en obéissant au vœu de Guillotin (« la tête vole, l'homme n'est plus... »), la rapidité de la machine suscite une terrible conséquence. Le supplice traditionnel était comme une supplique adressée à Dieu, permettant de racheter la faute par l'horreur de la souffrance ; le supplice pouvait être perçu comme un appel lancé à la miséricorde divine[43]. Au contraire, la guillotine annule, avec la souffrance, toute possibilité de rachat par le corps ; foudroyante, elle interdit tout *appel,* elle est une *réponse :* la réponse laïque de la Loi au Crime.

Cette laïcisation de la mort publique suscite une série de questions qu'il convient de saisir à leur naissance, avant de les retrouver en plein travail en 1793.

Pour beaucoup, la mort personnelle demeure un rapport *sacré* entre le mourant et son âme, entre cette âme et Dieu. Si la rapidité assure indirectement cette invisibilité qui protège le sacré, elle n'en constitue pas moins une atteinte à ce même sacré, car elle prétend réduire à un instant le moment du passage de la vie à la mort, cette *hora mortis* au long de laquelle le mourant peut encore obtenir son salut. En supprimant même la notion de *mourant,* puisque c'est un vivant qui se retrouve instantanément mort, la machine ouvre une interrogation d'une profondeur et d'une complexité suffisantes pour que de multiples débats s'engagent à ce propos.

On les enregistrera plus loin. Notons, ici, à l'origine même, combien ce qui était imaginé pouvait être éloigné de ce que produisait concrètement la machine.

Dès avant 1792, une image est gravée, destinée à publier l'intéressante innovation proposée par Guillotin. Donnant à voir ce qui n'existe pas encore, cette gravure constitue un document remarquable, une fiction hautement révélatrice, attestant ce que l'on avait cru que serait la machine et, surtout, son mode d'emploi. L'image est en effet accompagnée d'un texte descriptif précisant l'usage de l'instrument : « Les exécutions se feront hors de la Ville, dans un endroit destiné à cet effet ; la Machine sera environnée de Barrières pour empêcher le Peuple d'approcher ; l'intérieur de ces Barrières sera gardé par des Soldats portant les armes basses, et le Signal de la mort sera donné au Bourreau par le Confesseur dans l'instant de l'Absolution : le Bourreau détournant les yeux coupera d'un coup de sabre la corde après laquelle sera suspendu un mouton armé d'une hache [44]. » Un tel dispositif vise manifestement à préserver l'intimité (sacrée) d'une mort qui demeure individualisée, singulière : le seul confesseur doit décider de son instant et permettre la contemporanéité parfaite de la dissolution physique et de l'absolution religieuse, seule garantie du salut [45].

Il est certain que l'inauguration de 1792 a dû décevoir, choquer même ceux qui avaient conçu un tel cérémonial. Immédiatement, un décalage considérable se fait jour entre ce qui avait été imaginé et ce qui est vu, montré, pratiqué : la machine (à décapiter) emporte avec elle une « banalité laïque » aux conséquences imprévisibles. Pourtant, quand la machine traitera d'un corps unique, privilégié car inviolable et sacré, le 21 janvier 1793, pour la mort du roi, cette banalité mécanique redoublera alors la valeur symbolique de cette mise à mort. Ou plutôt, elle la dédoublera, produisant son effet propre, spécifiquement *politique*.

II

LES EFFETS MACHINAUX

« Une semblable machine a servi au supplice de Titus Manlius, Romain. »

Cette note accompagne la gravure évoquée plus haut ; elle n'a bien sûr aucune valeur historique. Le supplice de Titus Manlius est raconté par Tite-Live au livre VIII de *l'Histoire romaine* ; décapité sur l'ordre de son père pour avoir combattu hors des rangs de l'armée, Titus Manlius est exécuté à la hache. Pourtant la fantaisie de cette référence n'est pas si gratuite qu'on le croirait d'abord.

Les auteurs de la gravure illustrant la proposition de Guillotin avaient en effet avec eux la tradition figurée. Car il existe deux versions (allemandes), bien connues au XVIIIe siècle, du supplice de Titus Manlius, où le jeune Romain est décapité à l'aide d'une machine très proche du mécanisme imaginé en 1789 ; elle lui a même très probablement servi de modèle. Ces deux gravures ont été réalisées au XVIe siècle par Pencz et Aldegrever, et la raison de leur étrange invention réside sans doute dans le prestige dont jouit alors cette machine. La Renaissance tend en effet à faire remonter l'origine de la machine à décapiter à l'Antiquité elle-même ; dans son traité des *Emblemata* publié en 1551, Achille Bocchius se sert de la machine pour illustrer la magnanimité des Spartiates qui vont à la mort en souriant : « *Dignissimum Sparta virum !* »... De Titus Manlius au Spartiate, ce sont donc des hommes au courage exceptionnel qui méritent la gloire de la machine à décapiter. Le prestige imaginaire du militaire renforce encore le privilège aristocratique de la décapitation et la machine redouble le caractère glorieux d'un mode de mise à mort qui devient presque celui d'une caste, l'adjonction d'un confesseur devant lui garantir, de surcroît, son caractère sacré.

Il n'était donc guère possible, en avril 1792, d'imaginer que cette machine, dont l'humanité et la raison introduisaient enfin l'usage en France, allait devenir en quelques mois « l'horrible guillotine, ce jeu atroce, ce passe-temps abominable des bourreaux et de la populace » (docteur Soemmering), un « glaive dégouttant de carnage », un « exécrable instrument de tant de cruautés » (Sédillot le

Jeune), qu'elle ferait du condamné « un objet dégoûtant » et que son appareil, c'est-à-dire ici l'ensemble des opérations entourant son exercice, « avilit l'homme avant de le frapper, [...] le prostitue aux yeux de la populace » (Œlsner).

L'épisode de la Terreur joue un rôle décisif dans cette catastrophe imaginaire survenue entre 1789 et 1795 : pendant deux ans, la Révolution opère un emploi mécanique, très précisément machinal, de la machine ; elle en fait une utilisation politique qui dépasse certainement les intentions de ses premiers artisans. Selon une formule de Cabanis, qui avait pourtant assisté aux essais de Bicêtre et qui n'était pas médicalement hostile à la machine à décapiter, la guillotine est devenue « l'étendard de la tyrannie [46] ». La guillotine devient même responsable de la Terreur dont les jugements, selon Chateaubriand, n'auraient pas pu s'exécuter sans « la mécanique sépulcrale », et son invention ne peut être due, selon lui, qu'à une intervention – tout de même paradoxale – de la Providence : « L'invention de la machine à meurtre, au moment où elle était même nécessaire au crime, est une preuve mémorable de cette intelligence des faits coordonnés les uns aux autres, ou plutôt une preuve de l'action cachée de la Providence quand elle veut changer la face des Empires [47]. »

Cependant, on ne peut pour autant assimiler le rejet du « monstre » à la seule réaction thermidorienne. Des textes sont là pour indiquer que les enjeux de ce débat sont politiques sans doute, mais aussi philosophiques.

Un grand nombre de ces textes sont écrits par des médecins. On ne doit pas s'en étonner. La machine avait été inventée par la médecine, et la science médicale en est arrivée, dans sa fréquentation de la mort, à se croire le lieu privilégié d'un savoir sur la mort elle-même, sur ses signes et, donc, sur les rapports qu'entretiennent le corps et la conscience, le corps et le sentiment du moi, le corps et l'âme elle-même. Le docteur Louis avait été l'auteur, en 1752, de *Lettres sur la certitude des signes de la mort où l'on rassure les citoyens de la crainte d'être enterrés vivants, avec des observations et des expériences sur les noyés*. La question de la *mort apparente* est très débattue au XVIII⁰ siècle et il y a quelque cohérence à voir le docteur Louis mettre au point un instrument produisant une mort incontestable – quoique l'imagination ait réclamé son dû en affirmant que cette mort peut n'être point immédiate, qu'il est possible de déchiffrer des signes affirmant que la tête coupée n'est pas morte, mais *mourante...* Et de nouveau des médecins seront les spécialistes reconnus de ce déchiffrement des signes.

Il y a plus. Un personnage comme Cabanis, médecin, mais aussi philosophe et surtout Idéologue, membre du Conseil des Cinq-Cents, suffit à montrer toute l'importance qu'il faut accorder à la métaphore du *corps politique* et de sa représentation en corps élus et constitués. Dans la crise politique et sociale que constitue la Révolution, le médecin est le porte-parole autorisé d'un savoir qui touche les aspects les plus fondamentaux des mutations en cours.

Très précisément située à l'articulation du corps individuel et du corps politique, la guillotine condense, en sa chute même, de multiples pensées, se déplaçant du registre proprement médical au domaine politique ou au royaume de la métaphysique.

1

L'INSTANT, LA SÉRIE, LE CORPS

L'instant terrible

« Puisqu'on a fait le parallèle du supplice de la potence et de celui de la guillotine, ajoutons-y un mot. Quoiqu'on puisse peindre les convulsions des pendus avec des traits vraiment hideux, il est cependant vrai de dire que la pendaison a l'avantage de ne point offrir à la vue des flots de sang, de ne pas donner au supplice une rapidité si redoutable [48]. »

Cette délicate comparaison semble frappée au sceau du bon sens. Pourtant on ne comprend pas immédiatement en quoi la rapidité de la guillotine, sa première qualité, est devenue « si redoutable ». Grâce à l'instantanéité immanquable de la décapitation, un raccourcissement temporel radical devait se substituer à l'épouvantable durée des supplices et l'« instant de la guillotine » était censé apporter un double bienfait : annuler la douleur pour le condamné, l'horreur pour le spectateur. Comment cet instant a-t-il pu devenir terrible ?

La première raison de ce renversement semble liée à l'invisibilité paradoxale qui caractérise la chute du couperet. Alors même en effet qu'il intervient au cœur d'un « appareil » impressionnant, l'acte de la guillotine se réduit à un « clin d'œil » ; la guillotine « tranche les têtes avec la vitesse du regard [49] », mais qui peut voir la « vitesse du regard » ? Le théâtre de la guillotine culmine en un instant d'invisibilité [50].

Pour Cabanis, cette extrême rapidité affaiblit même la valeur exemplaire du châtiment suprême : « Les spectateurs ne voient rien ; il n'y a pas de tragédie pour eux ; ils n'ont pas le temps d'être émus [51]. » Cette invisibilité, pourtant, est loin d'être neutre, indifférente...

La « fenêtre » (terme du métier) de la guillotine en
acte peut presque être considérée comme le *point aveugle*
en fonction duquel se structure une terrible visibilité. A
la fin de ses *Réflexions historiques et physiologiques sur
le supplice de la guillotine*, le docteur Sédillot trace une
« esquisse déchirante des crimes inouïs » commis sous la
Terreur ; au cœur de sa description, en son point culminant, celui-là même où tombe le couteau, Sédillot ne
donne à voir qu'un blanc, il ne donne à lire qu'un point,
« . », signe typographique minimal, laconisme extrême,
illisible rupture de la phrase coïncidant précisément avec
le *punctum temporis* de la chute et manifestant le caractère
indescriptible de l'« instant de la guillotine », celui autour
duquel s'organise l'ensemble de la « tragédie de la
guillotine [52] ». Il faudra le génie littéraire de Chateaubriand
pour réussir à décrire cet instant en substituant les
notations sonores à l'impossible visibilité : « Il se fait un
grand silence [...]. " Fils de saint Louis ! vous montez
aux cieux ", s'écrie le pieux ecclésiastique en se penchant
à l'oreille du monarque. On entend le bruit du coutelas
qui se précipite [53]. »
Pourtant la guillotine met quelque chose devant les
yeux ; mais ce qu'elle donne à voir est autre chose que
son fonctionnement et cette différence suscite des effets
imprévus, inimaginables, terribles. A travers le portique
où le coutelas se précipite, quelque chose se passe en
effet, qui est insupportable ; car ce qui se glisse dans
cette instantanéité aveuglante, entre l'ultime palpitation et
l'immédiat et mortel « après » de la séparation, il n'est
ni possible ni permis de le voir ou de se le représenter :
c'est un inconnu, mieux : un interdit.
Dans l'instantanéité de son acte, la guillotine donne en
effet très exactement à voir l'invisible de la mort en son
instant même, précis et indécidable. On observera plus
loin comment cette mise au regard public de l'instant
sacré où chacun meurt sera perçu comme une monstrueuse
obscénité, une prostitution imposée au moment le plus
intime de la vie de chaque individu, celui de sa propre
mort ; il importe encore ici de remarquer que cette
caractéristique de la guillotine contribue aussi à expliquer
le caractère « redoutable » de son aspect au repos.
Comme le note Gastellier, la « précipitation accélérée »
de la hache n'est pas moins grande que la « vélocité de
l'éclair », elle est telle que « du premier point de contact

au dernier, il n'y a point de distance : c'est un point indivisible, la hache tombe, et le patient n'est plus [54] ». Le paradoxe effrayant de la guillotine est là : cette « distance zéro » définissant le point indivisible *dans le temps* de l'« instant de la guillotine » mesure, *dans l'espace*, quatorze pieds de hauteur. Installé en haut de ses montants, le tranchoir construit un espace qui donne figure à l'instant, qui est comme une *figure spatiale de l'instant*. Seule peut-être de toutes les machines, la guillotine fait voir en toute évidence la potentialité essentiellement destructrice, déchirante, écartelante de tout instant [55]. Et cette configuration redoutable fait retrouver l'étymologie du mot instant : *instans*, ce qui se tient au-dessus, ce qui menace. L'image de la machine est d'autant plus redoutable que, par sa fiabilité même, elle ne suggère qu'une instance possible du temps, celle de la mort et de son coup immanquable, version mécanisée et « performante » de l'antique faux saturnienne.

La tête pensante

Ce n'est pas tout. De manière monstrueuse, l'instant de la guillotine inaugure une abominable durée : « Plusieurs observateurs français et étrangers sont convaincus comme moi que le supplice de la guillotine est un des plus affreux, et par sa violence et par sa durée [56]. »

Contrairement aux apparences, ce n'est pas le goût du paradoxe qui conduit le chirurgien Sue à avancer cette opinion ; il prend au contraire très sérieusement parti dans un débat qui agite violemment le monde médical après 1794 et qui avait été ouvert par l'Allemand Soemmering, vite soutenu par le Français Œlsner ; la question centrale en est : la mort coïncide-t-elle absolument avec la décapitation immédiate ? La tête coupée perd-elle immédiatement toute conscience ?

Cette question aura la vie aussi longue que la guillotine elle-même. Au XVIIIᵉ siècle, elle est d'autant plus actuelle que l'une des craintes répandues alors était, on l'a dit, la confusion entre mort apparente et mort réelle. L'Encyclopédie distingue soigneusement deux types de mort, la *mort imparfaite* et la *mort absolue* – la différence entre les deux ne pouvant se faire que par une lecture adéquate des « signes de la mort ». Cette distinction autorise cependant une conclusion à première vue surprenante : « C'est un axiome généralement adopté qu'à la mort il n'y a point de remède ; nous osons cependant assurer [...] qu'on peut guérir la mort [57]. » Certes l'auteur de l'article « Mort » estime qu'« il serait très absurde de vouloir rappeler à la vie un homme à qui on aurait tranché la tête » ; mais tous ses contemporains n'en étaient pas aussi convaincus. Le sieur Auberive, auteur d'un livret intitulé *Anecdotes sur les décapités,* publié à Paris en l'an V, rapporte de nombreux cas où des têtes coupées auraient parlé. Il rejette certes ces « brillants mensonges de la poésie », mais il rapporte longuement une expérience réalisée au début du XVIIIe siècle et qui aurait permis de « rappeler à la vie » un décapité ; à l'appui de cette observation, il cite l'anecdote célèbre de Marie Stuart dont la tête décapitée aurait semblé parler [58].

Ainsi, un esprit prétendument « éclairé » peut admettre que la vie et la conscience se maintiennent quelque temps dans la tête coupée. La question devient tragiquement d'actualité avec la guillotine, et il existe au moins un cas où certains ont cru constater ce maintien de la conscience : giflée par l'aide du bourreau qui la montre au peuple, la tête de Charlotte Corday aurait rougi d'indignation sous cette insulte ; le scandale était grave en effet et cette gifle suscite la colère du public avant d'entraîner des réactions au plus haut niveau ; il en allait de l'humanité et du respect dus à la victime, mais il est vrai aussi que cette tête rougissante portait un coup terrible à la confiance dans l'efficacité humanitaire de la machine.

Le thème fantastique de la tête décapitée mais mourante inspirera l'imagination romanesque du siècle suivant et l'écho le plus brillant en est le célèbre *Secret de l'échafaud* de Villiers de L'Isle-Adam : le bon docteur Velpeau demande l'aide de son collègue de La Pommerais, sur le point d'être guillotiné, pour « savoir si quelque lueur de mémoire, de réflexion, de sensibilité *réelle* persiste dans le cerveau de l'homme après la section de la tête ». L'expérience qu'il lui propose est fort simple : immédiatement après la décapitation, le docteur Velpeau prendra la tête de son collègue dans ses mains et lui demandera « très distinctement » de répondre en clignant trois fois de l'œil droit tout « en maintenant l'autre œil tout grand ouvert [59] ». La réponse, bien sûr, sera incertaine et le signe mal déchiffrable...

Villiers de L'Isle-Adam met en scène deux médecins ; c'est qu'il s'appuie explicitement sur les travaux médicaux concernant la guillotine écrits durant la Révolution[60]. Les partisans de la thèse de la « survie » – qui seuls nous intéressent ici pour l'instant – fondent leur opinion sur la distinction entre la durée objective d'un événement et le sentiment interne de cette durée chez son acteur[61]. L'instantanéité de la guillotine peut donc n'être que relative si la « connaissance » est conservée par le guillotiné et, s'appuyant sur la double conviction « 1° que le siège du sentiment et de son aperception est dans le cerveau ; 2° que les opérations de cette conscience des sentiments peuvent se faire, quoique la circulation du sang par le cerveau soit suspendue ou faible, ou partielle », Soemmering conclut que, « dans la tête séparée du corps par ce supplice, le *sentiment*, la *personnalité*, le moi reste vivant pendant quelque temps, et ressent l'arrière-douleur dont le col est affecté[62] ».

Le chirurgien Sue renchérit tout en opérant un léger glissement de terme, lourd de conséquences ; l'*arrière-douleur* devient *arrière-pensée* et l'horreur éclate : « Quelle situation plus horrible que celle d'avoir la perception de son exécution, et à la suite l'arrière-pensée de son supplice[63] ? » L'horreur tient à ce que la « syncope temporelle » propre à l'instant de la guillotine instaure une rupture irrémédiable et immédiate dans l'unité du corps physique tout en autorisant le maintien d'une durée propre à la conscience, et celle-ci suffit à réfuter l'efficacité mortelle de la ponctualité temporelle qui définit la chute du couteau. L'instantanéité de la guillotine est donc, en premier lieu, philosophiquement monstrueuse, exorbitante : en obligeant à distinguer le temps (achevé) du corps en son unité et le temps (continué) de l'unité de la conscience, l'instant de la guillotine produit une véritable divergence temporelle où éclate l'unité du sujet.

Cet effet machinal de la mécanique n'est que le premier d'une série, proprement catastrophique :

1. Par son processus mécanique même, la guillotine rend possible un impossible, mieux : elle transgresse un interdit. Car, dans cette arrière-pensée, le sujet connaît sa propre mort, l'inconnaissable même. S'il ne peut communiquer cette « étonnante conception » (Sue), c'est naturellement pour des raisons physiologiques – l'air des poumons ne parvenant plus au larynx. Mais il est frappant

que, en s'en expliquant, Soemmering en arrive à une image exploitée ensuite dans la littérature fantastique : « Je suis convaincu que si l'air circulait encore régulièrement par les organes de la voix qui n'auraient pas été détruits, ces têtes parleraient [64]. »

Remarquable impact de l'imaginaire sur l'approche médicale et scientifique : deux conditionnels, deux irréels assurent la « conviction »... Mais ce dont il s'agit ici est manifestement d'un autre ordre que la simple physiologie et touche à l'interdit, au sacré : ce que *ferait* surgir la guillotine dans l'ordre du discours, ce serait l'impossible « Je suis mort », informulable autrement que par métaphore. De manière inimaginable, la guillotine produit ce monstre : une tête coupée qui possède en acte et non en fiction l'inconcevable conscience de sa propre mort. La durée du supplice traditionnel constituait l'*hora mortis* du « patient » ; avec la guillotine au contraire, s'il est vrai, selon Soemmering, que « le supplicié a le sentiment de son existence aussi longtemps que le cerveau conserve sa force vitale », ce sentiment ne peut être que celui de sa mort *déjà passée*...

L'instant de la guillotine crée donc ce monstre : une tête dépourvue de corps et qui pense, mais qui ne peut penser qu'à une chose – on le suppose : « Je pense, mais je ne suis plus. » La guillotine scandalise le rassurant *cogito* cartésien et cette « manufacture de morts » (Gastellier) produit, pour le guillotiné, le *cogito* impensable de la mort comme *sa* mort.

2. Par cette tête pensante, la guillotine transforme le guillotiné en *mourant*. La machine restaure partiellement – pour une part seulement, tronquée, du sujet, et pour un temps relativement bref – la durée du supplice. Paradoxe insupportable : l'instantanéité mécanique produit cela même qu'elle vise à abolir.

Un texte au moins atteste la présence horrible et poignante de cette image dans l'esprit de celui qui va mourir. L'admirable lettre que Camille Desmoulins écrit à sa femme Lucile au petit matin de son exécution revient comme un leitmotiv sur l'idée qu'il est déjà un mort vivant – mais c'est à travers l'image du cachot-cercueil où il est enfermé et tenu au secret ; dans les dernières lignes, en une très belle variation prémonitoire de la fin du *Rouge et le Noir*, Camille Desmoulins ressuscite ce présent du mourant et de son ultime « passage », en un souhait

d'autant plus déchirant qu'il ne peut être que fictif, la
beauté de l'écriture ayant aussi pour fonction de nier
l'irréparable séparation : « Adieu Loulou, adieu ma vie,
mon âme, ma divinité sur la terre ! [...] Je sens fuir
devant moi le rivage de la vie. Je vois encore Lucile, je
la vois, ma bien-aimée ! ma Lucile ! Mes mains liées
t'embrassent, et ma tête séparée repose encore sur toi
ses yeux mourants [65]. »

3. La médecine a estimé la durée de cette « survie » :
« A en juger d'après les expériences faites sur des membres
amputés d'hommes vivants [...], il est vraisemblable que
la sensibilité peut durer un quart d'heure, vu que la tête,
à cause de son épaisseur et de sa forme ronde, ne perd
pas sitôt sa chaleur [...]. Les mourants voient et entendent
longtemps après avoir perdu la faculté de mouvoir les
muscles [66]. »

Le style médical de Soemmering est moins émouvant
que l'écriture de Desmoulins ; ils n'en soulignent pas
moins tous deux la même angoisse, repoussée avec horreur
par le médecin, souhaitée avec horreur par le condamné :
la survie d'une conscience dans une tête « déjà morte ».

En une question qu'il laisse sans réponse, Soemmering
indique le domaine effrayant que la guillotine ouvre à la
pensée : « Il restera toujours la question de savoir si la
courte durée peut compenser l'intensité horrible de la
souffrance. A quoi aboutiraient donc ces affreux tourments
qu'on fait éprouver aux malheureux, pour ainsi dire après
leur mort [67] ? » L'absence de réponse n'empêche pas de
distinguer à quoi la guillotine oblige ici à faire référence :
que peuvent être en effet ces « affreux tourments » subis
« après la mort » sinon, très précisément dans l'imaginaire
occidental, les tourments de l'enfer ? Ceux-là mêmes que
la philosophie des Lumières et l'atmosphère du temps
tendent à rejeter comme une invention de l'obscurantisme
médiéval et religieux...

De manière « immanquable » et scientifique, la machine
philosophique produit mécaniquement de l'enfer ; elle est
bien « infernale » au sens plein du terme : au point
invisible de sa merveilleuse instantanéité, la guillotine
engendre un laps de temps qui fait accéder l'enfer à
l'être, une durée où s'annule toute lumière et où triomphe
l'obscur.

La conscience machine

L'enjeu du débat ouvert par Soemmering, Œlsner et Sue est ainsi plus philosophique que proprement scientifique ; les Lumières doivent très vite lui porter réponse et la « philosophie » doit être restaurée, au prix même d'une condamnation de la guillotine. Pourtant, alors qu'elle vise à restaurer la Raison, la médecine éclairée aboutit à un autre scandale théorique, lourd d'avenir : la mécanique de la guillotine affronte irrémédiablement le discours médical à une contradiction insurmontable[68].

L'idée de la survie n'est qu'une idée « bizarre » dont les sources sont peu scientifiques et il convient de réfuter une « idée purement métaphysique » qui « n'est que le fruit de l'imagination[69] ». Rejetant donc la valeur expressive supposée des mouvements observés sur les têtes de décapités, les médecins philosophes y reconnaissent la manifestation non pas d'une sensibilité, mais d'une irritabilité mécanique, de réflexes machinaux. Ces « convulsions » ne sont qu'« un reste de mécanisme sans ombre de perception » (Gastellier). En assimilant ces mouvements à un travail de la *machine du corps*, la philosophie sauve de l'opprobre le travail de la machine à décapiter et garde intact le prestige du concept de mécanisme.

Cette position a le mérite d'annuler l'impact de l'anecdote terrible de la gifle donnée à Charlotte Corday[70] et, à l'appui de cette thèse, Gastellier donne un exemple remarquable, celui de l'homme qui a reçu un coup d'épée au centre nerveux du diaphragme ; son visage est pris de convulsions qu'on appelle « rire *sardonique* ou *sardonien* » : « Il meurt en riant, ou plutôt avec l'apparence du rire, et cependant on sait qu'il n'est rien moins que gai. C'est une convulsion purement machinale, et assurément le malade périt sans avoir conscience de ce qui se passe chez lui, quoique le cerveau soit parfaitement intact[71]. »

Cette dernière remarque est troublante. Non seulement l'emploi du mot « malade » dans ce contexte indique une mainmise excessive de la phraséologie médicale sur le compte rendu de la mort, mais son affirmation finale est particulièrement fragile ; car si le rire sardonique du mourant ne signifie sans doute pas la gaieté, on ne peut pas en déduire pour autant qu'il n'a pas conscience de mourir. L'assurance dont fait preuve Gastellier semble surtout destinée à convaincre le lecteur et ce tour de

passe-passe indique qu'il ne saurait être question, pour la
médecine philosophique, que le cerveau, même « intact »,
puisse être le siège d'un sentiment quelconque séparément
du corps, à plus forte raison quand il en est séparé.

L'enjeu est ici considérable. Dépassant la question de
l'« arrière-pensée », il s'agit de savoir si la conscience a,
dans le corps, un siège qui lui serait spécifiquement
assignable. Dans son irrésistible syncope, la guillotine
oblige à la question : « Quel est le siège de l'âme ? »
(Sédillot.) Question capitale puisque, de l'avis commun,
Descartes l'avait placée dans la glande pinéale, justement
là où est censé frapper le couteau de la guillotine. Que
la mécanique de mort rencontre, sur ce point, la conception mécaniste du corps ne doit pas surprendre, mais
l'efficacité de la machine à décapiter sort des limites qui
lui étaient assignées et elle atteint de nouveau le sacré :
la présence du confesseur au plus près de la tête du
condamné serait alors pleinement justifiée, mais la guillotine ressusciterait du même coup des conceptions plus
dignes de l'imagerie médiévale tardive que du Siècle des
lumières...

Sue avait d'ailleurs estimé que l'homme était le seul
« être organique » doué de trois espèces de vie : morale,
intellectuelle et animale, chacune des trois ayant son siège
particulier où elle se manifesterait « de préférence »[72].
Pour Cabanis au contraire, le principe vital « n'a pas de
siège particulier exclusif », et pour Sédillot le siège de
l'âme n'a pas de place assignée. La conscience du sujet
s'explique par la coordination de l'ensemble de ses parties
corporelles[73] et, loin que le cerveau soit le centre du
sentiment, le *moi* n'existe que « dans la vie générale »
pour laquelle la moelle épinière constitue un organe de
liaison essentiel[74].

Séparé du corps donc – et en particulier de la moelle
épinière –, le cerveau n'est plus complet ; « il n'a plus
de communication avec la moelle allongée » (Sédillot) et
cette interruption s'opère sur ce qui assure l'unité même
de la conscience du sujet dans son corps. N'assignant plus
de siège spécifique à la vie mentale, se refusant à faire
de la « métaphysique », comme le souligne Cabanis dans
la préface de ses *Rapports du physique et du moral de
l'homme*, cette médecine ne voit plus dans le cerveau
« cet atelier de la pensée » qu'exalte encore Sue ; il n'est
plus qu'un viscère, c'est dans le « tronc entier » que « se

trouve placé le laboratoire de la vie ». La conclusion (rassurante) s'impose dès lors : « La théorie et l'expérience semblent prouver suffisamment 1. que le cerveau ne conserve plus sa force vitale dès l'instant qu'il est séparé du tronc ; 2. qu'il ne ressent pas l'arrière-douleur dont le col est affecté ; 3. que le *sentiment*, la *personnalité*, le *moi* n'existent plus dans ce viscère[75]. »

C'est au prix de cette dévalorisation du cerveau qu'est évitée l'horreur de la « tête mourante » et un des mérites de la guillotine est certainement d'avoir forcé à ce débat où se dessine très clairement un clivage entre une conception traditionnelle de la médecine, encore fondée sur une lecture analogique du corps et de ses signes, et une conception moderne qui pense la notion d'organisme selon un modèle théorique très différent. On constatera plus loin combien ce modèle et cette description du système nerveux s'accordent avec l'image nouvelle que la République dessine du corps politique ; il suffit ici d'observer que le travail de la guillotine a contribué à faire émerger ou à confirmer une nouvelle configuration du corps sensible, une nouvelle conception des rapports du physique et du mental : il est certainement significatif qu'un des ouvrages majeurs de Cabanis, les *Rapports du physique et du moral de l'homme*, constitue une esquisse remarquable de ce que la médecine contemporaine appellerait une approche « somatique » des maladies et du psychisme.

Le moi sériel

En répartissant dans l'ensemble du corps ses « fonctions vitales », la médecine philosophique peut aboutir à une conclusion inattendue mais qui est, très logiquement, une conséquence, une exploitation à rebours de l'instant de la guillotine : le guillotiné est tué avant même d'être décapité ; il l'est « déjà à l'instant incalculable peut-être où le couteau en tombant frappe, comme corps contondant, la moelle allongée avant de la couper [...][76] ».

Il fallait parcourir l'ensemble de l'argumentation médicale pour apprécier la logique interne d'une telle conclusion et le paradoxe final auquel peut mener la volonté de repousser l'horreur qu'inspire l'hypothèse adverse.

Car le moi a la vie dure. Singulièrement dure.

« Le moment précis qui unit les deux substances et le

moment qui les sépare nous sont également inconnus [...]. Peut-être un habile anatomiste pourra [...] me démontrer l'impossibilité des mouvements volontaires ; et il aura réfuté tous les faits que j'ai cités, celui même de Marie Stuart : mais il ne m'aura pas pour cela démontré que la pensée n'existe plus ; il ne m'aura pas démontré que le sentiment est anéanti ; il ne m'aura pas démontré que le même coup qui divise les parties rompt aussitôt l'incompréhensible nœud qui unit les deux substances [77]. » Certes le sieur Auberive ne pourrait guère passer pour un philosophe éclairé [78], mais son obstination à ne pas être convaincu par les démonstrations de l'anatomie signifie plus qu'une simple réaction spiritualiste contre le matérialisme parfois explicite de la physiologie fin de siècle ; elle atteste, plus profondément, une réaction, une réclamation de la subjectivité et du sentiment de sa singularité contre les affirmations nivelantes de la science. Les déductions éclairées sur les effets de la machine n'ont pas chassé la séduction effrayante de l'« arrière-pensée » ; un siècle plus tard, « respectée par le passage du couteau », une conscience continue de hanter la tête coupée : le *secret de l'échafaud* reste de savoir « si c'est, ou non, le *moi* de cet homme qui, après la cessation de l'hématome, impressionna les muscles de la tête exsangue [79] ». Le docteur Velpeau répond, avec Cabanis, que « le moi n'est que dans l'ensemble », mais le ressort même de la nouvelle de Villiers de L'Isle-Adam tient précisément à ce que l'hypothèse émise par la médecine des Lumières demeure à jamais invérifiable. Et il ne s'agit pas seulement ici d'une licence poétique que s'autoriserait un romancier ; Cabanis en personne reconnaissait déjà que « nous n'avons à cet égard qu'une certitude d'analogie et de raisonnement, et non point une certitude d'expérience [...]. Aucun homme décapité n'a pu venir rendre compte de ce qu'il a senti [80] ». En effet...

Pourtant, alors que la « certitude » ne peut être que fondée sur la raison et le « raisonnement », le débat est virulent ; c'est évidemment que la dispute médicale de l'an IV a un autre enjeu que purement scientifique ; le *moi* dont elle traite n'y est pas conçu en fonction seulement de sa définition nerveuse, mais aussi de l'*image du moi* qui s'exalte dans le dernier quart de siècle et à laquelle la pratique de la guillotine vient apporter au moins deux dramatiques bouleversements : l'uniformisation des *moi* singuliers, le soupçon que la conscience même est justiciable du concept de machine.

Si, dans ses *Anecdotes sur les décapités*, Auberive accumule les anecdotes invraisemblables pour mieux les rejeter finalement, c'est que ces fables ont du moins le mérite poétique de répéter que chaque mort est singulière, à la mesure de la singularité de chaque individu. Le « sentiment du moi [81] » s'inscrit en faux contre la banalité de la guillotine qui déposséderait l'individu de sa singularité dans le moment de sa propre mort. Une fois que le bourreau a attaché le condamné à la « bascule », la victime est devenue partie intégrante de la machine. Interdisant, selon le vœu de la loi, toute variation due à « l'agent humain », la guillotine mécanise la mort et elle crée, de ce fait, une scandaleuse uniformité des sujets dans leurs morts : « Il serait bien extraordinaire que toutes ces victimes fussent tombées avec l'uniformité des épis sous la faux des moissonneurs [82]. » Mais la protestation spiritualiste d'Auberive met en évidence l'une des dimensions les plus révolutionnaires de la guillotine : le gouvernement de la Terreur utilise très politiquement cette capacité uniformisatrice et « sérialisatrice » de la machine à décapiter, et il le fait au nom de l'intérêt public, contre ce que Robespierre appelle, en des termes fort peu rousseauistes, « l'abjection du moi personnel [83] ».

Par ailleurs, en rendant la singularité de chaque individu « justiciable » d'une machine, la guillotine démontrerait, en acte, que la conscience elle-même dépend de la machine physique ; elle produirait mécaniquement la preuve matérialiste de l'existence d'une « conscience machine ». Or celle-ci n'est pas facile à admettre. Cabanis en témoigne indubitablement. Alors que, dans la préface aux *Rapports du physique et du moral de l'homme,* il pose que la connaissance de la machine physique est nécessaire à toute étude des activités mentales, il nuance cette position dans le troisième mémoire du *Rapport* qu'il lit à l'Institut national en l'an IV [84] et, en 1806-1807, sa *Lettre sur les causes premières* pose la question en des termes plus troublants : « Le système moral de l'homme [...] dont le moi [...] peut être regardé comme le lien, le point d'appui, partage-t-il à la mort la destination de la combinaison organique ou survit-il à la dissolution des parties visibles dont elle est composée ? » Et, de manière très surprenante si l'on songe aux assurances de sa *Note [...] sur le supplice de la guillotine,* Cabanis s'estime « loin » de regarder comme clairement démontrée l'idée selon laquelle « le *moi,* ou, pour parler un langage plus exact, le sentiment du *moi* » serait détruit « au moment de la mort »[85].

Ainsi l'instant de la guillotine accule l'approche méthodique et scientifique éclairée à une impasse. Mais cette impasse, à rebours, révèle combien la clarté des réponses apportées par Cabanis dans sa *Note* cachait d'autres enjeux que simplement médicaux. Tout se passe en effet comme si le débat médical de l'an IV avait été traversé, travaillé par une image d'ordre politique, comme si le rapport du *moi* à son corps physique avait été posé en relation avec deux modèles antagonistes du rapport de la conscience nationale au corps social et politique.

Corps physique / corps politique

Vigoureux défenseur de la survie du *moi,* Sue développe, on l'a vu, une théorie des trois « forces vitales » de l'homme – morale / intellectuelle / animale –, chacune douée d'un siège particulier, et, dans son unité exceptionnelle, la tête, le chef, condense les trois ordres[86]. Cette physiognomonie remonte à la Renaissance mais, en ce qui nous concerne, son intérêt est ailleurs. Dès lors qu'on envisage ses résonances politiques, cette idée de *l'unité* des fonctions du corps *incarnée dans sa tête* fait fortement écho à la conception du « corps du roi », tête d'une nation elle-même hiérarchisée en trois ordres aux fonctions nettement différenciées et incarnation d'un Etat articulé en trois pouvoirs distincts, législatif / exécutif / judiciaire. L'analogie est frappante entre la tête de ce corps aux « forces vitales » détriplées et la fonction du roi dans son corps telle que la pose la théorie de la monarchie absolue[87].

Républicain convaincu, Cabanis ne peut que rejeter cette image politique, et le débat médical sur l'effet de la guillotine est sans doute inséparable de cet arrière-plan politique. Parallèlement à l'utilisation que le gouvernement révolutionnaire fait de la machine, des liaisons se tissent entre pensées médicale et politique, entre image du corps physique et image du corps politique. La personnalité de Cabanis en fait, ici, un remarquable révélateur : tenant prestigieux des analyses nouvelles sur la fonction du

système nerveux[88], il accepte avec dévouement sa nomi-
nation de juré au Tribunal révolutionnaire le 22 mars
1793 ; il y renonce le 23 avril « pour raisons de santé »,
mais il avait été jugé digne d'une telle fonction et son
rôle politique se confirme par la suite : en tant qu'Idéologue, il tient une place non négligeable au Conseil des
Cinq-Cents et le long discours qu'il y tient, le 16 décembre
1799, sur le *système représentatif* montre combien la
gestation d'une nouvelle conception de la représentation
politique s'accorde avec l'image moderne du corps et de
son économie[89].

Cabanis conçoit l'organisation sociale sur le modèle
d'une machine animale qu'il faut réussir à rendre « vivante
dans toutes ses parties », et le *système représentatif* est, à
ses yeux, la découverte la plus importante des temps
modernes relativement à l'« art social », car il assure une
saine communication des parties au tout. Organisé « dans
un ensemble dont toutes les parties se correspondent »,
ce système crée une « véritable représentation nationale
et générale » d'un peuple considéré comme un « fonds
commun »[90]. Ce système instaure un va-et-vient entre le
peuple et son gouvernement ; il exclut l'apparition du
despote, ce « représentant absolu »[91].

La « démocratie pure » n'est qu'une pratique pervertie,
assimilable à un délire organique et à une régression[92].
Pour en éviter « l'inquiétude continuelle et l'agitation »,
le système représentatif trouve sa cohérence dynamique
dans la puissance qu'il accorde au pouvoir exécutif ; sa
tyrannie étant exclue par le contrôle du législatif et du
judiciaire, il a toute la force que procure « l'unité de
pensée et d'action »[93]. Robespierre avait déjà posé en
toute clarté ce principe républicain : « Il faut une volonté
une. Il faut qu'elle soit républicaine ou royaliste[94]. » Ce
qui sépare l'unité monarchique de l'unité démocratique de
l'exécutif tient très précisément à la conception même du
corps politique où se représente la nation : corps du roi
incarnant cette nation pour la théorie de la monarchie
absolue, corps des représentants élu par le peuple en
corps pour la République.

C'est à ce point que la pensée de Cabanis, située à
l'articulation de la médecine et de la politique, prend
toute son importance. Le discours politique recourt en
effet à la métaphore physiologique tandis que, conjointement, le discours médical recourt à l'image sociale[95].

Ainsi, quand Cabanis pose que le système cérébral « est présent partout, gouverne tout », ce n'est plus à la manière d'un roi et de l'omniprésence de son « corps partout [96] » ; le gouvernement du système cérébral n'est pas assimilable au despotisme d'un « représentant absolu », car le système cérébral n'a pas de siège particulier ; il n'est pas « une cause indépendante et absolue » et la saine « économie » du corps suppose un même va-et-vient que celui qui organise le système représentatif : « Pour agir et pour faire sentir son action aux autres systèmes, il faut qu'à son tour [le système cérébral] éprouve leur influence. Toutes les fonctions sont enchaînées et forment un cercle qui ne souffre point d'interruption [97]. »

Ce terme d'« interruption » reconduit l'analyse à la machine à décapiter, cet irrésistible interrupteur physique, et en fait percevoir la signification inévitablement politique. Si Cabanis repousse en effet l'hypothèse épouvantable de la « tête pensante », c'est très certainement pour des raisons proprement médicales, mais c'est aussi parce que reconnaître ou supposer la survie momentanée de la conscience dans le cerveau, ce serait du même coup reconnaître ce dernier comme « cause indépendante et absolue », ce serait reconnaître la conscience comme « représentant absolu » ; ce serait donc risquer de devoir reconnaître pour le corps social qu'il devrait être soumis à ce type de « forme fixe d'existence »... Il n'est pas surprenant que l'idée en soit clairement rejetée par le républicain Cabanis, dans un article de revue destiné à une lecture inévitablement politique ; mais il n'est pas étonnant non plus que le *Mémoire sur les rapports du physique et du moral,* lu dans une enceinte médicale, adopte une position plus nuancée et que, finalement, le discours tenu devant le Conseil des Cinq-Cents vise à restaurer, à l'intérieur du système, la prééminence d'un exécutif fort, d'une tête, d'un chef, source irrésistible des décisions locales. Cabanis soutient le 18-Brumaire qui doit permettre d'effacer « les traces hideuses du gouvernement révolutionnaire », mais aussi faire en sorte que « le royalisme ne relèvera point la tête » [98]. Le gouvernement fort de Bonaparte pouvait momentanément passer pour la solution idéale...

Ainsi l'un des effets peut-être les plus inattendus de la machine à uniformiser les morts et les *moi* dans leurs morts serait l'exaltation d'un Moi reconstitué, exacerbé, à laquelle vont travailler le romantisme et les « enfants du siècle ». Se joue là peut-être la rupture entre le moi rousseauiste à la douce contemplation et le moi exalté et sauvage du romantisme. Il est, en tout cas, remarquable que Chateaubriand conclue le premier volume de ses *Essais historiques sur les révolutions anciennes et modernes* par des pages qui annoncent *René*. Ecrits « sous le coup d'un arrêt de mort et, pour ainsi dire, entre la sentence et l'exécution » (de Louis XVI), ces *Essais* se terminent, de l'aveu même de leur auteur, par une sorte d'« orgie noire d'un cœur blessé » pour lequel « tout se réduit à l'indépendance individuelle »[99].

La « commotion » de la Terreur, où les *moi* meurent en série, avec l'uniformité des « épis de blé », trouve peut-être aussi un remède dans cette réaffirmation exaltée du Moi. Dès 1793, une gravure allemande donne figure (politique) au tombeau du roi et elle laisse présager ce nouveau renversement : étendu, tronçonné à la base du monument, le corps royal retrouve glorieusement l'unité de son buste au sommet de la construction. Sur la gauche, en retrait, la guillotine : machine paradoxale, instrument mécanique détruisant la singularité d'un corps, mais destiné à faire surgir, sous la pression de l'histoire, la singularité du Moi...

2

LA MORT DU ROI

> « Vous mourrez comme des hommes. N'im-
> porte, vous êtes des dieux, encore que vous
> mouriez, et votre autorité ne meurt pas [...].
> L'homme meurt, il est vrai ; mais le roi, disons-
> nous, ne meurt jamais : l'image de Dieu est
> immortelle. »
>
> Bossuet, *Sur les devoirs des rois.*

> « Il est intéressant pour le philosophe d'ap-
> prendre comment les rois savent mourir. »
>
> *Le Thermomètre du jour*, 18 février 1793,
> cité par Chateaubriand, *Essais historiques
> sur les révolutions anciennes et modernes.*

21 janvier 1793, mort du roi.

« Le cortège, un moment arrêté, reprit sa marche à
travers le silence et l'immobilité du peuple, jusqu'à l'em-
bouchure de la rue Royale sur la place de la Révolution.
Là, un rayon de soleil d'hiver, qui perçait la brume,
laissait voir la place couverte de cent mille têtes, les
régiments de la garnison de Paris formant le carré autour
de l'échafaud, les exécuteurs attendant la victime, et
l'instrument du supplice dressant au-dessus de la foule ses
madriers et ses poteaux, peints en rouge couleur de sang.

« Ce supplice était la guillotine. Cette machine inventée
en Italie et importée en France par l'humanité d'un
médecin célèbre de l'Assemblée constituante, nommé Guillotin, avait été substituée aux supplices atroces et infamants
que la Révolution avait voulu abolir. Elle avait de plus,
dans la pensée des législateurs de l'Assemblée constituante,
l'avantage de ne pas faire verser le sang de l'homme par
la main et sous le coup, souvent mal assuré, d'un autre
homme, mais de faire exécuter le meurtre par un instrument sans âme, insensible comme le bois et infaillible
comme le fer. Au signal de l'exécuteur, la hache tombait

d'elle-même. Cette hache, dont la pesanteur était centuplée par deux poids attachés sous l'échafaud, glissait entre deux rainures d'un mouvement à la fois horizontal et perpendiculaire [100], comme celui de la scie, et détachait la tête du tronc par le poids de sa chute et avec la rapidité de l'éclair. C'était la douleur et le temps supprimés dans la sensation de la mort [101]. »

Dans la (relative) sobriété de leur fiction, ces deux paragraphes de Lamartine, écrits plus d'un demi-siècle après l'événement, font remarquablement sentir les tensions en fonction desquelles a été perçue l'exécution de Louis XVI. Au-dessus de la foule, une machine nouvelle, dont la seule description proposée est neutre, historique, technique, dont la seule qualification est son « avantage » philosophique et humanitaire. Sur la place, l'« appareil » d'une cérémonie solennelle et la foule d'un grand jour, évoqués par une prose dont la retenue fait résonner plus fort les connotations hautement symboliques : de la rue *Royale* à la place de la *Révolution*, un *soleil* (roi ?) perçant une brume informe, à l'instar des cent mille *têtes* présentes pour la décapitation d'un seul *chef* par l'entremise d'un dispositif *couleur sang*, entouré de la garde en formation de *parade*. De cette polarité entre le grandiose de la circonstance et la technicité brute de son instrument, la guillotine est le pivot, elle détermine la symbolique de cet acte inouï qu'est l'exécution du roi, et elle s'en trouve par là même déterminée.

Comme le note Albert Sorel, le supplice, « solennel », était entouré d'un « appareil […] encore royal en sa contrefaçon » ; on continuait à « traiter Louis en monarque, et le supplice du roi l'isolait encore au milieu des Français [102] ». Mais il a tort de suggérer que les Conventionnels ont fixé ce cérémonial comme « malgré eux » ; le 3 décembre 1792, Robespierre l'énonce clairement : il faut que « la punition de Louis » ait « le caractère solennel d'une vengeance publique [103] ». Ce que gagne donc la guillotine à la mort du roi, c'est une solennité grandiose : être l'instrument terrible de la justice du peuple. Bien plus qu'avec Collenot d'Angremont, le 21 janvier 1793 inaugure pleinement l'emploi politique de la guillotine, un emploi où le caractère mécanique de la machine et sa figure (échafaud, poteaux, couteau) jouent un rôle spécifique, emblématique.

Corps royal / sacralité de la loi

Le Siècle des lumières avait porté des coups sévères à la théorie monarchique du droit divin et des pouvoirs surnaturels dont le corps du roi était investi [104]. Pourtant son prestige et sa sacralité demeurent puissants. Non seulement le régicide est longtemps considéré comme un crime spécifique, mais l'exception que constitue le corps royal s'inscrit dans la loi même : la Constitution de 1791 maintient en son paragraphe 2 le principe de l'*inviolabilité* de la personne royale et les termes dans lesquels, lors du procès du roi, son défenseur de Sèze y fait allusion montrent à quel point le roi demeure intouchable, sacré : « Dans nos idées actuelles d'égalité, nous ne voulons voir dans un roi qu'un individu ordinaire, mais un roi n'est point un individu, c'est un être privilégié, un être moral, un être à qui une nation compose elle-même pour son propre bonheur une existence toute différente de la sienne, et avec qui elle stipule comme chef quoique seul, comme elle stipulerait pour ainsi dire avec une nation tout entière [105]. » Louis XVI interdit à de Sèze de prononcer ces phrases : elles définissent exactement l'accusation majeure que Robespierre et Saint-Just avaient développée devant la Convention. Il vaut la peine de s'y arrêter car ce débat est au cœur politique de la Révolution.

La logique montagnarde reprend la conception sacralisante du corps royal propre à la théorie de la monarchie absolue pour mieux transformer l'exception du roi en monstruosité ; selon la formule employée par Grégoire le 21 septembre, dans son discours qui entraîne l'abolition de la royauté : « Les rois sont dans l'ordre moral ce que les monstres sont dans l'ordre physique [106]. » La Révolution fonde sa propre légitimité et sa propre sacralité sur la sacralisation de la personne du roi ; elle la retourne à son profit et s'instaure en l'anéantissant.

Les débats préliminaires à l'exécution du 21 janvier ayant permis à l'éloquence révolutionnaire de dessiner « un cercle sacré (*sacer*) autour d'un être extra-ordinaire [107] », le couperet de la guillotine deviendra comme l'instrument d'un sacrifice expiatoire.

Dès le 13 novembre 1792, Saint-Just rejette la garantie constitutionnelle de l'inviolabilité car, « en conspirant contre la liberté », Louis XVI a lui-même déchiré la Constitution ; mais il y a plus : l'inviolabilité ne saurait exister

qu'entre citoyens, non de peuple à roi[108]. Pour Robespierre, le roi n'est inviolable que « par une fiction », le
peuple l'est par « le droit sacré de la nature[109] » et, par
cette inviolabilité fictive, Louis s'est placé hors de l'ordre
des citoyens ; il ne peut donc être jugé comme tel : il
faudrait supposer que seuls ses crimes en ont fait un
citoyen ; il doit être jugé « comme un ennemi étranger[110] ».
Le 3 décembre 1792, Robespierre améliore l'argument ;
Louis n'a pas à être jugé, il l'est déjà : « Louis fut roi,
et la République est fondée [...]. Louis dénonçait le
peuple français comme rebelle [...]. La victoire et le
peuple ont décidé que lui seul était rebelle : Louis ne
peut donc être jugé ; il est déjà condamné, ou la
République n'est point absoute[111]. » Les représentants du
peuple n'ont donc pas « une sentence à rendre », mais
« un acte de providence nationale à exercer[112] ».
   Cette logique révolutionnaire s'articule sur une philosophie du droit naturel qui exclut le tyran de l'ordre de
la nature. Comme l'avait laconiquement résumé Saint-Just,
« on ne règne point innocemment [...]. Tout roi est un
rebelle et un usurpateur ». Robespierre confirme que le
seul rapport entre un peuple et un tyran ne peut être
que l'insurrection[113]. La logique se resserre terriblement
autour du roi car, dès lors qu'il n'est plus à juger en
fonction du droit civil mais en fonction du droit des gens,
c'est-à-dire en ennemi, dès lors que la nation n'a pas à
punir en sa personne « un fonctionnaire public, tout en
conservant la forme du gouvernement », mais qu'avec
Louis XVI elle « détruit le gouvernement lui-même », la
seule peine qu'il peut encourir est la mort[114]. Si la justice
doit ainsi faire une exception « cruelle » à ses propres
lois ordinaires, c'est que le roi s'est lui-même constitué
comme exception monstrueuse : sa seule personne empêche
la naissance de la République[115] ; échappant de lui-même
à la loi naturelle, Louis ne peut qu'être mis à mort pour
régénérer une société qu'il a dénaturée par son usurpation
tyrannique du pouvoir. Varennes mena au massacre du
10 août – « Le sang des meilleurs citoyens, le sang des
femmes et des enfants coula pour lui sur l'autel de la
patrie » ; le roi n'est plus qu'une monstrueuse divinité
barbare ayant besoin pour son culte de sacrifices humains ;
à rebours, le sacrifice de ce monstre est « l'ordre même
de la nature[116] » et ce devoir sacré se situe au-delà de
ce que des conventions juridiques en partie héritées du

despotisme imposent ; il se trouve en amont des « arguties constitutionnelles [117] ». L'orateur n'est ici que le porte-parole du peuple, conçu non comme une somme d'individus particuliers, mais comme être de nature rejetant le monstre royal : « J'ai entendu la voix publique vous presser de remplir ce devoir sacré que le vœu de la nation vous impose [118]. »

Finalement, le 23 décembre, après l'appel au peuple demandé par le Girondin Salle, Robespierre fait la synthèse de son argumentation qui, au nom de ces lois sacrées de la nature, condamne Louis avant même qu'un jugement soit nécessaire : « Il est des formes sacrées qui ne sont pas celles du barreau. » La cause est dès lors entendue : ce qui conduit Louis le Dernier à l'échafaud, « c'est la nécessité de cimenter la liberté et la tranquillité publique par la punition du tyran [119] ».

Ainsi l'Assemblée devient un *sanctuaire*, un *Temple*, où les représentants défendent une *cause sacrée* ; car il s'agit de régénérer le peuple, corrompu par la tyrannie monstrueuse qui a usurpé la souveraineté naturelle, laquelle n'appartient qu'au peuple [120]. Et, pour cette usurpation, Louis est déjà jugé, il ne peut même être cité devant un tribunal [121].

Cet abondant discours de théorie politique enserre progressivement le roi dans une condamnation déjà acquise ; la cohérence du lexique employé par Saint-Just comme par Robespierre confirme que l'exécution de Louis XVI a peu de rapports avec celle de Charles Ier d'Angleterre ; comme l'avait dit Robespierre, l'exécution de Louis XVI n'a pas d'exemple : 1793 constitue une révolution des principes mêmes de la société politique, révolution présentée comme un retour aux sources naturelles et sacrées de la société humaine. Son ressort théorique le plus fondamental tient sans doute à la réappropriation de la souveraineté au bénéfice de la nation ; au terme de celle-ci, conséquence de la sacralité que la théorie monarchique avait attribuée à la personne du roi, le peuple se trouve, à son tour, sacralisé. Car l'argumentation qui entoure la mort du roi s'enracine sur le thème central de l'idéologie monarchique : le 21 janvier 1793, le sacré s'inverse pour s'échanger.

En sacrifiant le roi, la Révolution immole le surnaturel dont le « corps du roi » était encore investi. Le « cercle sacré » que tracent les discours autour de sa personne est, devenu néfaste, celui-là même que la monarchie avait depuis longtemps tracé autour du corps royal et qui marquait la limite d'une inviolabilité divine : « L'Etat, c'est moi. » Quand, dans ses *Réflexions sur le métier de roi*, Louis XIV écrivait que « la nation ne fait pas corps en France, elle réside tout entière dans la personne du roi », il opérait effectivement « l'identification d'une abstraction à un corps [122] » ; peu importe dès lors que le roi ne guérisse plus guère les écrouelles : le roi ne *représente* pas (au niveau symbolique) l'Etat, il *est* l'Etat (au niveau imaginaire) ; le roi incarne la nation et cette « présence réelle » apparente de très près le mystère royal à l'Eucharistie [123].

L'exécution de Louis XVI sanctionne a contrario ce passage du symbolique à l'imaginaire qu'avait opéré la monarchie absolue ; il s'agit effectivement de tout autre chose que de l'abolition de la royauté ou d'une discussion portant seulement sur des principes de philosophie politique. Cette « sorte de grâce d'Etat » (Démoris) qui donnait une légitimation surnaturelle au pouvoir royal légitime derechef la destruction d'un corps devenu monstrueux dès lors que la nation régénérée le rejette. Diable incarné, le roi n'exerçait qu'« un horrible enchantement sur les âmes [124] » ; en abreuvant le sol de la place, son sang impur, réellement répandu, sauvera la patrie : « Louis doit mourir parce qu'il faut que la patrie vive [125]. » Et, après la mort de Louis, Robespierre peut exhorter l'Assemblée à persévérer dans la défense de cette « religion vraiment divine » dont les représentants du peuple sont les « missionnaires » : « Qu'ils déploient la sainte énergie à laquelle le châtiment des rois doit les élever [126]. »

Cette ultime formule confirme la valeur « baptismale » de l'immolation du tyran. La mort du roi est plus que l'abolition de la royauté, elle est un véritable sacrifice fondateur dont le sens religieux est confirmé par le consensus entre révolutionnaires et royalistes sur cette valeur à accorder à l'événement. Bien avant qu'Albert Sorel ne dise que l'échafaud lui fit une « auréole » et que sa mort fut une « transfiguration », la propagande royaliste – ou, tout au moins, le sentiment que les royalistes prenaient de l'événement – faisait du roi un martyr comparable presque au Christ [127] ; le 17 juin 1793, le pape Pie VI officialise cette version en recourant aux formules consacrées du martyre : « O jour triomphal pour Louis !

auquel Dieu a accordé la patience dans la persécution et la victoire dans le martyre. Nous avons confiance qu'il a échangé la fragile couronne royale et les lys éphémères pour une couronne éternelle tissée avec les lys immortels des anges [128]. »

De manière très révélatrice, Mme de Staël, évoquant la fête de la Fédération célébrée le 14 juillet 1792, le fait à la lumière de la journée du 21 janvier 1793, comme si l'attitude du roi avait été alors prémonitoire de la catastrophe finale : « Le roi se rendit à pied jusqu'à l'autel élevé à l'extrémité du Champ-de-Mars [...]. Quand il monta les degrés de l'autel, on crut voir la victime sainte s'offrant volontairement en sacrifice [...]. Depuis ce jour, le peuple ne l'a plus revu que sur l'échafaud [129]. »

La guillotine consacrée

Il fallait suivre cet ordre des discours, cette « abondance de paroles que chacun prodiguait dans une semblable circonstance » et qui choque Mme de Staël, pour saisir les conditions que la rhétorique révolutionnaire fixait à la mort du roi. On comprend maintenant comment l'intervention de la guillotine a pu démontrer le caractère spécifiquement révolutionnaire de cette exécution et, surtout, on comprend comment la machine à décapiter a pu acquérir en la circonstance des significations nouvelles, inattendues mais déterminantes pour son image postérieure. Car, enjeu majeur de l'exécution, la sacralité du roi teinte désormais l'instrument de son supplice. La désacralisation du roi (en sa mort) sacralise la Révolution (en sa fondation), et l'instrument en forme de portique au travers duquel s'effectuent ce passage et cet échange en reçoit sa véritable consécration symbolique.

Le fait même que Louis XVI soit décapité machinalement constitue, dès l'abord, un *exemple* très fort, une négation irréfutable de l'exception royale. La mise en scène de l'événement est solennelle, mais son processus et son instrument sont ordinaires. Certes, selon le rituel qui veut un lieu politique pour une exécution politique, l'échafaud a été dûment déplacé de la place du Carrousel à la place de la Révolution [130] ; mais la machine reste la même ; poteaux, madriers, tranchoir ont déjà servi. Presque banale déjà, la guillotine n'a pas ce caractère unique et exceptionnel de l'épée dont le port était aussi marque de classe et dont le maniement impliquait, surtout en la circonstance, une virtuosité « souveraine », digne de son roi. Par la guillotine, Louis rentre dans la loi commune ; mais ce n'est pas tant la mort qui est égale, pour Capet comme pour les autres, que l'instrument qui la lui porte : la machine prend ici profondément sens du fait qu'elle relègue le bourreau au second plan et se substitue à lui dans le rôle de protagoniste.

Cet effet avait été prévu et souhaité dès 1789, mais il prend, le 21 janvier 1793, un relief extraordinaire du fait que la victime est royale. A la fin du XVIIIᵉ siècle, le roi et le bourreau sont en effet liés par une parenté ancienne qui pouvait faire entrer leur rencontre sur l'échafaud dans l'ordre traditionnel des choses.

C'est sans doute Joseph de Maistre qui a éclairé le plus brillamment cette étonnante convergence du sacré sur les deux personnes du roi et de son bourreau, qu'un lien profond rapproche dans tout système de pouvoir « de droit divin » : « Toute grandeur, toute puissance, toute subordination repose sur l'exécuteur : il est l'horreur et le lien de l'association humaine. Otez du monde cet agent incompréhensible ; dans l'instant même l'ordre fait place au chaos, les trônes s'abîment et la société disparaît. Dieu, qui est l'auteur de la souveraineté, l'est donc aussi du châtiment : il a jeté notre terre sur ces deux pôles [131]. » Certes la rencontre de ces deux « pôles » sur l'échafaud pourrait créer le chaos ; mais le phénomène serait encore de l'ordre de la catastrophe naturelle : un seul et même monde se détruirait lui-même. C'est ce que signifiait Robespierre quand il posait que la mort de Louis n'avait aucun exemple et qu'en particulier celle de Charles Iᵉʳ d'Angleterre était d'un autre ordre – un tyran en immolant un autre par l'intermédiaire du bourreau ; le peuple, lui, ne suit d'autre loi que celle de la justice et de la raison « appuyées de sa toute-puissance » (3 décembre 1792). L'évacuation du bourreau au profit de la machine suffit ainsi presque à attester ce passage d'un système à un autre, d'un monde à un autre : la Révolution annule la convergence spectaculaire des pôles de la justice monarchique ; elle lui substitue le spectacle de la raison et de la justice faites loi.

A ce point, la force symbolique de la guillotine tient à ce que son apparence même lui donne valeur représentative. Non seulement en effet le recours à un mécanisme technique, quand on donne à voir une « toute-puissance », suggère que celle-ci est animée par la seule raison – loin des incertitudes et des aléas de l'« agent humain » ; mais, par sa forme même, la guillotine donne corps au principe de justice qu'elle représente : humanitaire sans doute, mais aussi inexorable que l'universalité d'un axiome. La simplicité esthétique de sa configuration « fait image » : carré devenu rectangle / cercle / triangle, elle met en jeu les trois formes fondamentales de toute géométrie. A la différence des instruments de torture dont les formes devaient être le plus souvent complexes, d'une pointilleuse méticulosité pour atteindre telle ou telle portion du corps et y susciter tel ou tel degré de douleur, la guillotine se présente sous l'aspect dépouillé d'une épure et, dans l'abstraction de sa figure, elle dresse un constat : celui de l'éclatante et universelle validité des lois de la géométrie et de la gravitation. La machine à décapiter soumet l'exécution publique au cérémonial de la mécanique et de la géométrie, assurant ainsi le triomphe spectaculaire de ce qui constitue deux formes de pensée « justes » et « raisonnables ».

Les Goncourt se font l'écho de ce sentiment quand ils donnent de la guillotine cette étonnante description : « Dans la guillotine, la science vit *un plan horizontal à quelques pieds du sol sur lequel on a élevé deux perpendiculaires séparées par un triangle rectangle tombant à travers un cercle sur une sphère restée plus tard isolée par une sécante* [...] [132]. »

L'impact visuel de la géométrie de la guillotine ne s'arrête pourtant pas là. En imposant, au moment du « plus grand acte de la puissance sociale » (Cabanis), la mise en jeu de ses trois figures géométriques fondamentales, la guillotine met en représentation les configurations abstraites d'une loi qui organise universellement toutes les formes régulières. Le 21 janvier 1793, elle le fait avec d'autant plus d'efficacité que le corps dont elle traite est exceptionnel, irrégulier, anormal : jusqu'au moment de son intervention, il a joui du privilège exorbitant de la sacralité et de l'inviolabilité. Mais de ce prestige la machine s'empare à l'instant de son action : en ramenant ce corps monstrueusement sacré à la normalité et à la rationalité d'une configuration universelle, elle s'en approprie la sacralité pour la métamorphoser et la régénérer selon sa propre loi.

Effet pourtant imprévu. On le voit bien aux discours des Conventionnels régicides motivant leur vote. Souvent hostiles en principe à la peine de mort, ils justifient leur position en suivant l'argumentation de Robespierre : par-delà les hésitations sensibles, l'universalité de la Loi tranche la question [133]. Cette mort ne pourrait être considérée comme exceptionnelle que dans la mesure où elle établit, aux yeux de tous, la loi de la Loi. Cependant la prolixité de certains discours suffit à montrer – puisqu'« un vrai républicain parle peu » (Lakanal) – que tout n'est pas si clair. Le 21 janvier, l'imaginaire résiste devant cette égalité de principe qui ramène le corps du roi à la banalité d'une personne physique. L'événement demeure de l'ordre du sacré, comme le confirme la manière dont Marat lui-même rend compte de la journée : « La tête du tyran vient de tomber sous le glaive de la loi [...]. Le peuple paraissait animé d'une joie sereine ; on eût dit qu'il venait d'assister à une fête religieuse [...] [134]. » Cette ferveur religieuse annonce bien autre chose que la simple application d'une loi égale pour tous ; ce 21 janvier, l'instant de la guillotine instaure ce que l'on pourrait appeler une *syncope de la sacralité* : celle-ci s'est annulée pour se renverser et s'échanger immédiatement. L'impact en est d'autant plus frappant que cet instant est mal visible, garantissant le secret qui enveloppe tout sacré.

Récits

Mais, cette fois, cette invisibilité concerne le plus grand exemple d'événement possible, l'événement par excellence : l'événement historique dont il faut faire récit. Et la prolifération narrative qui répond au laconisme d'un fait donné à (mal) voir marque au mieux l'extraordinaire effet qu'a eu cette consécration de la guillotine.

Ecrits par des témoins supposés, deux textes délimitent le champ à l'intérieur duquel vont se développer ces récits de la mort du roi, mode objectif, mode mystique :

– « Est-ce bien le même homme que je vois bousculé par quatre valets du bourreau, déshabillé de force, dont le tambour étouffe la voix, garrotté à une planche, se débattant encore, et recevant si mal le coup de la guillotine qu'il n'eut pas le col, mais l'occiput et la mâchoire horriblement coupés ? »

– « Immobile, les yeux fixes, j'avais vu l'un des bourreaux couper les cheveux de l'auguste victime ; mais je ne vis point la tête de mon roi tomber sous le fer du supplice. Un bandeau de lumière s'étendit en ce moment sur mes yeux éblouis, et changea l'instant du sacrifice en une apparition céleste. Je n'entendis ni ce que dit le bourreau en présentant la tête au peuple, ni le sinistre cri de triomphe qui, m'a-t-on assuré, s'éleva tout seul du sein d'un morne et religieux silence [135]. »

Le mode mystique du texte de Ballanche est sans doute encouragé par le fait que son « témoignage » fait partie d'une fiction d'ordre romanesque, *L'Homme sans nom,* mettant en scène un député régicide repentant : à l'invisibilité de l'instant fatal, l'écriture substitue une vision surnaturelle qui explicite le sens moral du repentir. A l'opposé, Mercier est objectif de ton [136], mais son mode est celui d'une interrogation où l'objectivité elle-même s'interroge sur les péripéties qu'elle enregistre.

Ces deux pôles se retrouvent à travers toutes les variantes ; leur mode est choisi en fonction du sentiment prêté à l'acteur principal, le roi. Pour la version royaliste, le roi mystique s'offre de lui-même en victime expiatoire au sacrifice ; pour la version républicaine, l'incertitude objective des péripéties enregistre l'incertitude du roi lui-même qui, jusqu'à l'échafaud, croit que ses partisans le soustrairont à la mort ; son comportement constitue la preuve du complot aristocratique. Entre ces extrêmes la variété des récits est considérable ; il ne faut pas s'en étonner – on sait que les témoignages ne s'accordent jamais – et ce n'est donc pas cette diversité en elle-même qui mérite l'attention, mais le processus selon lequel s'opère la diversification narrative et la démarche de son enrichissement progressif. Il vaut la peine de suivre ce processus car il touche de près aux conditions d'écriture du « récit historique » lui-même.

Les contemporains d'ailleurs ne s'y trompent pas. Dès le 22 janvier, le rédacteur du *Patriote français* s'exclame : « Jour célèbre ! Jour à jamais mémorable ! Puisses-tu arriver pur à la postérité ! Que la calomnie ne t'approche jamais ! Historiens ! soyez dignes de l'époque. Ecrivez la vérité, rien que la vérité. Jamais elle ne fut plus sainte, jamais elle ne fut plus belle à dire ! » L'événement du

21 janvier exige un historien, il a besoin de récit. Mais, en son moment le plus intense, il a mis en acte un instrument dont le mécanisme n'est pas susceptible de ces péripéties qui font un récit. Ce que le laconisme de la machine ôte au narrateur, celui-ci le remplace donc par ce qui a entouré son intervention proprement dite ; à la pauvreté narrative de l'instant de la guillotine, l'historien substitue la description de son *avant* et de son *après*. La machine échappant à une mise en récit possible, le « récit de la guillotine » utilise toutes les ressources de l'amplification narrative, au nom bien sûr de la vérité de l'histoire.

L'objectivité impossible

Dans ce corpus, deux textes occupent un statut particulier. Ils sont écrits par des témoins professionnels et privilégiés ; cette situation devrait garantir la convergence de leurs témoignages. Or il n'en est rien, et cette différence est essentiellement due au *type littéraire* auquel ils se rattachent : le premier est le procès-verbal de l'exécution, dressé par les fonctionnaires nommés à cet effet ; le second est une lettre de Sanson, l'exécuteur, qui proteste contre un faux récit qu'on lui attribue.

Après avoir transcrit, comme il se doit, les modalités administratives selon lesquelles il a été dressé procès-verbal, les fonctionnaires déclarent : « Et à la même heure [dix heures un quart précises du matin] est arrivé dans la rue et place de la Révolution le cortège commandé par Santerre, commandant général, conduisant Louis Capet dans une voiture à quatre roues et approchant de l'échafaud dressé dans ladite place de la Révolution entre le piédestal de la statue de ci-devant Louis XV et l'avenue des Champs-Elysées. A dix heures vingt minutes, Louis Capet arrivé au pied de l'échafaud est descendu de la voiture. Et à dix heures vingt-deux minutes il a monté sur l'échafaud. L'exécution a été à l'instant consommée et sa tête a été montrée au peuple et avons signé [137]. » Propre au genre, la neutralité de la langue donne une version minimale, administrative de l'événement qui devrait en transcrire l'exactitude, dans la ponctualité horlogère de son déroulement.

Hélas ! Malgré son caractère hautement « constatif », le

procès-verbal est déjà *récit*. La lettre par laquelle Sanson
répond au texte paru dans *Le Thermomètre du jour* du
13 février montre que, non contents de passer sous silence
les péripéties qui occupent les deux minutes qui se
déroulent au pied de l'échafaud et sur lesquelles on
brodera de multiples variantes, les fonctionnaires effacent
par le simple « à l'instant » ce que l'on devra appeler ici
la *scène de l'échafaud*, véritable sommet dramatique de
l'événement :

« Voici, suivant ma promesse, l'exacte véritée de ce qui
s'est passé. Descendant de la voiture pour l'execution, on
lui a dit qu'il faloit oter son habit ; il fit quelques
difficultées, en disant qu'on pouvoit l'executer comme il
étoit. Sur la représentation que la chose étoit impossible,
il a lui-même aidé à oter son habit. Il fit encore la même
difficultée lorsqu'il c'est agit de lui lier les mains, qu'il
donna lui-même lorsque la personne qui l'accompagnoit
lui eut dit que c'étoit un dernier sacrifice. Alors il s'informa
sy les tembours batteroit toujour ; il lui fut repondu que
l'on n'en savoit rien. Et c'étoit la véritée. Il monta
l'échaffaud et voulu foncer sur le devant comme voulant
parler. Mais on lui représenta que la chose étoit impossible
encore. Il se l'aissa alors conduire à l'endroit où on
l'attachat, et où il s'est ecrié très haut : Peuple, je meurs
innocent. Ensuitte, se retournant ver nous, il nous dit :
Messieur, je suis innocent de tout ce dont on m'inculpe.
Je souhaite que mon sang puisse cimenter le bonheur des
Français. Voilà, citoyen, ses dernières et ses véritables
paroles.

« L'espèce de petit debat qui se fit au pied de l'échaffaud
roulloit sur ce qu'il ne croyoit pas necessaire qu'il otat
son habit et qu'on lui liat les mains. Il fit aussi la
proposition de se couper lui-même les cheveux.

« Et pour rendre hommage à la véritée, il a soutenu
tout cela avec un sang froid et une fermetté qui nous a
tous étonnés. Je reste très convaincu qu'il avoit puisé
cette fermetée dans les principes de la religion dont
personne plus que lui ne paroissoit penetrée ny persuadé.

« Vous pouvez être assuré, sitoyen, que voila la véritée
dans son plus grand jour.

« J'ay l'honneur d'être, citoyen, Votre concitoyen.
SANSON [138]. »

Pour les contemporains, cette page pouvait être capitale :
écrite par celui qui était au plus proche du roi, elle

donnait le texte de ses dernières paroles tout en décrivant les deux péripéties dont le récit historique pouvait faire sa matière. Ainsi donc, enfin, cette lettre garantissait la vérité, simple et nue...

Pourtant, après avoir été « saisi d'horreur » à l'idée de toucher « ce papier sur lequel s'est traînée la main sanglante de Sanson », le baron Hyde de Neuville y voit « le dernier rayon mis à la couronne du roi-martyr [139] ». Surprenant d'abord – puisqu'il suggère un Sanson travaillant à tresser (inspiré par les anges ?) la « couronne immortelle » de Louis –, ce renversement d'attitude s'explique très logiquement. Dans la production littéraire qui entoure la mort du roi, la lettre de Sanson occupe une place privilégiée, moins par la vérité de son témoignage que par l'utilisation qu'on peut en faire : dans le mode objectif, sa conclusion confirme si bien le mode mystique du récit qu'elle devient une pièce clef de l'hagiographie royaliste ; elle nourrit même le bruit selon lequel Sanson aurait été royaliste fervent [140] et la lettre devient le signe que le bourreau fut, pour la mort du roi, un témoin envoyé par la Providence : « Au milieu de la multitude frappée d'épouvante, un seul témoignage était possible, un seul était irrécusable ! La Providence permit que celui qui avait versé le sang devînt l'historien de la victime [141]. »

Sanson le bourreau, historien providentiel : cette métamorphose montre qu'il faut étudier les instances qui travaillent l'écriture et la lecture de l'événement. Car, si l'on peut admettre que Sanson fut aussi un historien de sa victime, il n'en fut pas le seul. Au 21 février, date à laquelle sa lettre est publiée dans *Le Thermomètre du jour,* quatorze récits ont déjà fait l'histoire de cette exécution, la plupart des variations sur les deux modes narratifs ont déjà été données. Le prestige dont jouit Sanson tient à sa situation de témoin numéro un, mais aussi au fait que les royalistes ne pouvaient espérer de meilleur appui à leur version que celui de l'exécuteur en personne.

Il s'agit moins, dès lors, de tenter de savoir ce qui s'est passé autour de la guillotine que d'entendre ce qui a été raconté et d'en percevoir les enjeux.

La foule : Peuple ou cannibales ?

Le peuple est un personnage essentiel de la journée du 21 janvier. Le roi a été condamné en son nom et son exécution constitue, on l'a vu, une passation de souveraineté. L'attitude du peuple est donc, comme on peut s'y attendre, l'objet d'interprétations extrêmement divergentes.

Les récits marquent pourtant une constante : le silence qui accompagne le roi le long de son parcours et, une fois passée l'exaltation de l'exécution, le calme revenu presque aussitôt dans Paris. Mais ce silence et ce calme peuvent être perçus différemment : le mode mystique y voit le fruit d'une terreur religieuse ; le mode objectif, qui se révèle républicain, y reconnaît le signe d'une indifférence ou d'une sérénité « digne du peuple ».

Au départ, la version royaliste explique psychologiquement cette absence – sinon inadmissible – de réactions [142] ; mais la dimension religieuse s'affirme vite : « A l'exception de quelques scélérats payés qui courent la ville en chantant l'hymne des Marseillais, un sombre silence règne partout : mais ce silence ressemble à celui des tombeaux [143]. »

Dans le mode républicain, ce calme est « imposant » (*Le Patriote français*, 22 janvier) ; la conscience républicaine du peuple oscille de la joie à la grandeur romaine [144]. Un texte mérite une attention particulière car, faisant dans le mode républicain le constat du calme populaire, il le différencie selon les couches sociales et, voulant rendre compte de la version adverse, il l'attribue, de manière étonnante, à la faiblesse sentimentale des femmes :

« Les travaux ont été un moment suspendus, mais repris presque aussitôt, comme si de rien n'eût été [...].

« Le soir, les citoyens fraternisèrent plus encore qu'auparavant. Dans les rues, dans les cafés, ils se donnaient la main et se promettaient, en la serrant, de vivre plus unis que jamais, à présent qu'il n'y avait plus de pierre d'achoppement [...].

« Les femmes, de qui nous ne devons pas raisonnablement exiger qu'elles se placent tout de suite au niveau des événements politiques, furent en général assez tristes ; ce qui ne contribua pas peu à cet air morose que Paris offrit toute la journée. Il y eut peut-être quelques larmes de versées ; mais on sait que les femmes n'en sont pas avares. Il y eut aussi quelques reproches, même quelques injures. Tout cela est bien pardonnable à un sexe léger, fragile, qui a vu luire les derniers beaux jours d'une cour brillante [...] [145]. »

Beau clivage sexiste du peuple, qui en dit long au passage sur le paternalisme dont fait preuve la « raison révolutionnaire » dès lors qu'elle devient moyen bon sens... Mais c'est aussi que l'auteur du texte, l'officier municipal Baudrais, tente un exercice rhétorique difficile : résoudre la contradiction entre la version joyeuse et la version morose de la journée du 21 janvier. Face à l'impossibilité de concilier les deux versions du récit, il recourt commodément à une répartition sexualisée du sentiment politique qui a pour elle l'appui de la tradition et du stéréotype.

Cette opposition entre les deux versions de l'attitude populaire renvoie à une question politique essentielle. Car, avec le renversement de la monarchie dans le corps de son roi, se dessine l'émergence d'une catégorie et d'une image fondamentales dans l'idéologie républicaine, celles du « Peuple en corps ». C'est en son nom que ses représentants ont voté la mort du roi ; lui-même assiste massivement à l'exécution et il y cautionne ou non par son attitude l'image qu'ont dressée de lui les discours où il est censé avoir parlé par la voix de ses élus. Le comportement du peuple doit donc confirmer la vérité qu'emportaient avec elle la théorie et la rhétorique montagnardes [146]. En conduisant le peuple à se rassembler autour d'elle pour être témoin de la mort de son tyran, la guillotine doit contribuer aussi à balayer l'image du peuple-populace de cannibales pour en manifester l'unité grandiose et digne. La guillotine métamorphose symboliquement le nom même du peuple : par son calme, le peuple manifeste jusqu'en son nom sa régénérescence ; il devient le Peuple.

Le sang du roi

Ce point du récit est d'autant plus important que le calme populaire doit offrir une « réponse péremptoire » (Baudrais) aux « imputations odieuses », aux « calomnies » que l'on ne manquera pas de faire à propos du comportement des Parisiens au pied de l'échafaud. Car, dans les moments d'exaltation qui ont marqué cette naissance du Peuple, des scènes se sont produites dont la conscience républicaine doit réussir à rendre compte « au nom du Peuple ».

Dans le discours révolutionnaire, le sang du roi devait
« sceller le décret qui déclare la France république [147] » et
« cimenter la liberté ». C'est toujours cet acte fondateur
qu'exaltent les *Révolutions de Paris* le 26 janvier : « Le
sang de Capet, versé par le glaive de la loi, le 21 janvier
1793, nous lave d'une flétrissure de treize cents années.
Ce n'est que depuis lundi 21 que nous sommes républicains, et que nous avons acquis le droit de nous citer
pour modèles aux nations voisines. »

Mais, de la métaphore du « glaive de la loi » à la
réalité phénoménale du couperet, la distance est grande
et les textes en portent témoignage. Deux sentiments,
deux réalités diverses se jouent à l'Assemblée et sur la
place de la Révolution : seul l'art du récit peut en forger
la coïncidence. Car, dans le moment où il est effectivement
répandu et abreuve non plus métaphoriquement les sillons
de la patrie, mais concrètement le sol de l'esplanade, le
sang du tyran change de nature...

Baptisant le peuple nouveau-né ou attestant que l'âme
du roi, « dégagée de son enveloppe terrestre, s'est envolée
dans le sein de l'Etre suprême [148] », le sang royal, en
même temps que les cheveux ou les habits du roi, est
l'objet d'une manipulation collective que la raison n'avait
ni prévue ni prédite, et qui n'est pas sans rappeler le
dépeçage traditionnel du corps des saints permettant la
diffusion de leurs reliques. Après les cris de « Vive la
République ! » qui accompagnent la chute du couperet,
les spectateurs les plus proches de l'échafaud viennent
toucher le sang, y plonger leurs piques ou en imprégner
des tissus tandis que, presque aussitôt, les cheveux du
roi, taillés au pied de l'échafaud, sont mis en vente, ainsi
que des fragments de son habit, découpé à cet effet. Ce
comportement pouvait difficilement passer pour une manifestation de la dignité du peuple conçu comme être de
raison... Aussi, dans son *Oraison funèbre de Louis Capet*,
Hébert s'empresse-t-il de l'attribuer aux prêtres et aux
vieilles dévotes [149]. Une telle version est pourtant trop
simplificatrice ; elle n'est pas retenue par les récits républicains eux-mêmes. Quant aux textes royalistes, ils font
d'abord montre de la plus grande prudence et ils se
gardent de verser dans le triomphalisme que l'on aurait
pu attendre s'ils y avaient vu une marque incontestable
de la dévotion populaire à l'égard du corps du roi [150].
Mais, progressivement, l'amplification narrative s'empare

du thème et les royalistes y voient la démonstration de
la barbarie populaire [151]. L'épisode pourtant pouvait permettre aux royalistes de récupérer à leur profit cette
incontestable marque de fétichisme à l'endroit du reste
royal ; leur récit en arrive donc à établir une distinction
entre les types de reliques, le sang pour les forcenés, les
cheveux pour les hommes vertueux [152], tout en réservant
la possibilité que, dans quelques cas, ce culte du sang
soit inspiré par la dévotion à l'égard du martyr : « Plusieurs
personnes coupèrent des morceaux de l'habit du monarque
expiré ; d'autres tâchèrent de se procurer quelques par-
celles de ses cheveux ; des furieux trempèrent leur sabre
dans son sang, prétendant que ce talisman, d'une espèce
nouvelle, les rendrait vainqueurs de tous les aristocrates
et de tous les tyrans de la terre. Un Anglais trempa aussi
son mouchoir dans ce sang, mais dans une autre intention ;
il l'envoya à Londres, et on le vit quelques jours après
placé en forme de drapeau sur la tour de cette ville [153]. »

Cette étonnante apparition d'un gentilhomme anglais
dévot du sang royal est le fruit de l'amplification progressive du récit ; elle constitue en effet l'ultime et
grandiose variante d'un thème posé dès le 22 janvier :
« On a remarqué deux jeunes gens bien mis. L'un qui
avait l'air d'un étranger, d'un Anglais, a donné quinze
francs à un enfant et l'a prié de tremper un très beau
mouchoir blanc dans les traces de sang qui restaient [154]. »

La version républicaine a plus de difficultés à intégrer
cet enthousiasme pour le sang du roi [155]. Seul le thème
religieux du baptême régénérateur réussit à donner valeur
satisfaisante à l'événement. Il vaut la peine de lire toute
la page de l'officier municipal Baudrais car, à travers la
critique du style trop laconique du rapport officiel, on y
saisit, à sa source, l'exigence d'un récit digne du « peuple
souverain » ; sur la fin, Baudrais invente un détail invraisemblable, mais peu importe, l'imagination doit structurer
le récit et utiliser les potentialités dramatiques propres à
l'instrument du supplice :

« Jacques Roux, l'un des deux municipaux, prêtres,
nommés par la Commune commissaires pour assister à
l'exécution de Louis Capet, dit que les citoyens ont trempé
leurs mouchoirs dans son sang. Cela est vrai : mais Jacques
Roux [...] aurait dû ajouter, dans son rapport au Conseil
général, que quantité de volontaires s'empressèrent de
tremper dans le sang du despote le fer de leurs piques,

la baïonnette de leurs fusils ou la lame de leurs sabres. Les gendarmes ne furent pas les derniers. Beaucoup d'officiers du bataillon de Marseille et autres imbibèrent de ce sang impur des enveloppes de lettres qu'ils portèrent à la pointe de leur épée, en disant : " Voici du sang d'un tyran. "

« Un citoyen monta même sur la guillotine, et plongeant tout entier son bras nu dans le sang de Capet, qui s'était amassé en abondance, il en prit des caillots plein la main et en aspergea par trois fois la foule des assistants qui se pressaient au pied de l'échafaud pour en recevoir chacun une goutte sur le front. " Frères, disait le citoyen en faisant son aspersion, frères, on nous a menacés que le sang de Louis Capet retomberait sur nos têtes : eh bien ! qu'il y retombe. Louis Capet a lavé tant de fois ses mains dans le nôtre ! Républicains, le sang d'un roi porte bonheur. " [156] »

Le bon Baudrais prend sans doute trop à la lettre les connotations sacrées des discours tenus à l'Assemblée, mais il est vrai aussi que sa version donne à l'épisode sa véritable coloration *sublime*, au sens où l'entendaient les contemporains [157]. Or, on le verra, le sublime est un des effets les plus forts dont est susceptible la guillotine ; l'intérêt du texte de Baudrais tient à ce qu'il en offre très vite une belle version...

En fait, le récit républicain doit récupérer l'image ancienne de la dévotion auprès du corps saint et l'inverser pour lui donner sa force révolutionnaire. C'est ainsi que, dans une autre page, Baudrais essaie de justifier la pratique fétichiste du peuple : « Les prêtres et leurs dévotes, qui déjà cherchent sur leur calendrier une place à Louis XVI parmi les martyrs, ont fait un rapprochement de son exécution avec la passion de leur Christ. A l'exemple du peuple juif de Jérusalem, le peuple de Paris déchira en deux la redingote de Louis Capet, *scinderunt vestimenta sua*, et chacun voulut en emporter chez soi un lambeau ; mais c'était par pur esprit de républicanisme. " Vois-tu ce morceau de drap, diront les grands-pères à leurs petits-enfants : le dernier de nos tyrans en était revêtu le jour qu'il monta à l'échafaud pour périr du supplice des traîtres. " [158] »

Pour détruire donc toute idée que le peuple ait pu avoir foi en son roi, la version républicaine s'appuie sur la fiction royaliste de l'événement – où celui-ci est perçu comme métaphore de la crucifixion – et elle exploite, à ses fins propres, le mode mystique selon lequel la littérature royaliste traite l'ensemble de l'exécution. Mais il demeure que les textes royalistes n'ont jamais proposé l'image sang du roi / sang du Christ ; au contraire, ils réservent le goût du sang aux seuls forcenés, les hommes vertueux s'appropriant les cheveux. Pourtant, ultime paradoxe, les textes royalistes proposent ensuite une variation anglaise sur le thème du mouchoir sanglant devenu étendard de la tour de Londres ; ce sont peut-être les journaux républicains qui leur ont fourni le thème...

La complexité de cet entrelacs des interprétations confirme deux données au moins des effets imprévus de la machine à décapiter :

– Pour les fondateurs de la République, il faut éviter que le peuple puisse encourir le reproche d'avoir été transformé en *populace de cannibales* par la guillotine. La crainte en avait été exprimée, dès 1789, par Verninac de Saint-Maur [159] et le terme de cannibales sera abondamment employé après Thermidor pour décrire le public des exécutions [160]. Il est intéressant de noter que cet effet « cannibalisateur » est virtuellement présent, pressenti en tout cas, dès le 21 janvier 1793, alors que l'exécution ne porte que sur un corps unique. La *cannibalisation* du public tient donc moins à la quantité industrielle des fournées décapitées sous la Terreur qu'au type de spectacle proposé.

– La manœuvre par laquelle la version républicaine réussit à récupérer l'épisode du sang du roi montre que le peuple, dans sa présence concrète, ne s'accorde guère au concept que ses porte-parole en proposent. Ou que, du moins, il ne s'y accorde pas encore. Les textes républicains qui suivent le 21 janvier montrent la difficulté que rencontrent leurs auteurs dans le maniement d'un concept idéologique récent, celui de Peuple. Dans son emploi proprement politique, la guillotine permettra d'en préciser la définition.

La scène de l'échafaud

A la différence de l'épisode du sang du roi, où les récits s'accordent sur les faits de base pour diverger dans leur enrichissement narratif, la *scène de l'échafaud*, où les acteurs sont pourtant moins nombreux et bien en vue, fait l'objet de récits où l'invention semble s'être donné libre cours.

La lettre déjà citée de Sanson suffit à indiquer les péripéties que contiennent les deux minutes de la séquence chronométrée par les rapporteurs officiels : au pied de l'échafaud, le roi souhaiterait ne pas être « préparé » pour l'exécution (habit enlevé, cheveux coupés, mains liées) ; sur l'échafaud même, le roi voudrait parler au peuple et il va « sur le devant de la scène », mais il doit reculer et il ne parle finalement que de la planche où on l'attache.

Les textes donnent toujours deux versions, royaliste et républicaine. Mais la différence qui les sépare se présente sous une autre forme, extrêmement révélatrice des enjeux qui se nouent autour de cette scène, la dernière de la royauté. Le récit républicain enrichit le développement des péripéties ; c'est que les républicains sont plus que de simples témoins de l'événement : en ce jour, ils font l'histoire, le texte doit témoigner qu'il y a eu histoire et, donc, péripéties. La version royaliste au contraire est remarquable par son économie descriptive ; les péripéties sont même parfois totalement absentes, remplacées par de belles inventions dans le jeu des métaphores : un autre imaginaire habite ces récits que celui de l'histoire...

Mode républicain

Les premiers récits républicains affichent une volonté de sobriété ; ils font montre d'un laconisme digne de la grandeur manifestée par le peuple : « Le calme le plus imposant a régné dans la place et dans toute la ville. Louis a montré plus de fermeté sur l'échafaud qu'il n'en avait déployé sur le trône. Il a dit quelques mots ; il a parlé de son innocence, du pardon qu'il accordait à ses ennemis, des malheurs qui suivraient sa mort » (*Le Patriote français*, 22 janvier).

Mais, d'un jour à l'autre, le jeu des acteurs devient plus précis et, alors même que le peuple garde sa dignité indifférente, le discours royal s'amplifie [161]. Ces « derniers mots » de Louis le Dernier vont devenir le sujet principal de la scène car les républicains y identifient la marque du conflit entre le désir du roi et la volonté du peuple. Le thème est indiqué dès le 26 janvier par Baudrais ; son long compte rendu joue avec prolixité des possibilités narratives offertes par la scène de l'échafaud : « Aussitôt il fut remis entre les mains de l'exécuteur : il ôta son habit et son col lui-même, et resta couvert d'un simple gilet de molleton blanc ; il ne voulait pas qu'on lui coupât les cheveux, et surtout qu'on l'attachât : quelques mots dits par son confesseur le décidèrent à l'instant. Il monta sur l'échafaud, s'avança sur le côté gauche, le visage très rouge, considéra pendant quelques minutes les objets qui l'environnaient, et demanda si les tambours ne cesseraient pas de battre : il voulut s'avancer pour parler, plusieurs voix crièrent aux exécuteurs, qui étaient au nombre de quatre, de faire leur devoir ; néanmoins, pendant qu'on lui mettait les sangles, il prononça distinctement ces mots : " Je meurs innocent, je pardonne à mes ennemis, et je désire que mon sang soit utile aux Français et qu'il apaise la colère de Dieu. " A dix heures dix minutes, sa tête fut séparée de son corps » (*Révolutions de Paris*, 26 janvier).

Le 20 février, la lettre de Sanson est donnée dans *Le Thermomètre du jour*. Sa parution n'empêche pas l'amplification narrative de se poursuivre. Progressivement, le discours royal se révèle comme l'ultime traîtrise du tyran, confirmée par le complot dont ce discours est l'indice. Le récit de Rouy l'Aîné, publié en 1794 dans *Le Magicien républicain*, mérite d'être donné dans son ensemble car, outre cette lecture politique de la scène, il en enrichit remarquablement la dramatisation et il évoque en particulier, avant le discours du roi, le mot de son confesseur au bas de l'échafaud, dont on verra toute l'importance dans la version royaliste.

« Etant arrivé à ce lieu terrible, Louis Capet fut livré aux exécuteurs des jugements criminels, lesquels s'emparèrent de lui, lui coupèrent les cheveux, le déshabillèrent et lui lièrent les mains par-derrière ; ensuite de quoi ils lui demandèrent, par trois fois différentes, s'il croyait avoir quelque chose de plus à dire ou à déclarer à son confesseur ; ayant persisté à répondre que non, celui-ci l'embrassa et lui dit en le quittant : " Allez, fils de saint Louis, le ciel vous attend " ; alors on le fit monter sur

l'échafaud, où étant arrivé, au lieu de s'en aller droit à
la planche, il donna un coup de coude à celui des
exécuteurs qui était à son côté gauche, et le dérangea
suffisamment pour pouvoir s'avancer jusqu'au bord dudit
échafaud, où il manifesta le désir de prononcer un discours
aux citoyens qui étaient présents, dans l'espoir sans doute
que sa voix serait parvenue à les apitoyer sur son sort,
et à lui faire obtenir sa grâce ; ou plutôt dans l'idée
qu'on lui avait suggérée et de laquelle il était fortement
persuadé, que ses amis se trouveraient là en grand nombre
pour le secourir et qu'à cet effet, ils auraient tenté de
renouveler la sanglante journée du 10 août [...]. Il voulut
en effet commencer sa harangue, et fit signe aux tambours,
qui faisaient un roulement continuel, de cesser, afin qu'il
puisse se faire entendre ; comme ils étaient pour le moins
soixante, il s'en trouva dans le nombre qui avaient déjà
discontinué, lorsque tout à coup un mouvement d'agitation
se manifesta parmi tous les citoyens armés ; les uns
demandant qu'on le laissât parler, et les autres, déjà
ennuyés des longueurs que l'appareil avait occasionnées,
s'opposant à ce qu'il fût entendu. Cette diversité d'opinions
fit augmenter l'agitation, et déjà on craignait un soulè-
vement qui n'aurait pu être que des plus funestes, par
les malheurs inévitables qui en auraient été la suite,
lorsque le commandant général Santerre ordonna avec
sagesse et prudence aux tambours de continuer le roulement, et aux exécuteurs de remplir leur devoir, puisque
le criminel avait déclaré au bas de l'échafaud qu'il n'avait
plus rien à dire. Cet ordre fut aussitôt exécuté qu'ordonné :
les exécuteurs se saisirent de lui, l'emmenèrent à la
planche fatale sur laquelle il prononça ces mots d'un ton
de voix haute et distincte pendant qu'on l'attachait : " Je
suis perdu, je meurs innocent ; je pardonne ma mort à
mes ennemis, mais ils en seront punis. " A peine avait-il
achevé ces mots que le glaive vengeur tombe sur sa tête
coupable et la sépare de son corps » (Beaucourt, I, p. 379-
381).
    Il est remarquable que ces multiples péripéties aient pu
tenir dans les deux minutes qui séparent la descente de
voiture et la chute du couperet... Mais l'important ici est
de noter que, dans toutes les versions républicaines, le
discours royal est mené jusqu'à son terme ou, plus
précisément, jusqu'au terme de l'une de ses phrases. Les
royalistes choisissent au contraire d'interrompre le discours

de Louis : des points de suspension marquent que la guillotine coupe aussi la parole du roi, laissant la marge d'un non-dit développer ses suggestions... La différence peut sembler mineure ; elle est révélatrice : pour les républicains, la guillotine intervient après l'achèvement d'un discours jugé suffisant dans la mesure où il a révélé la traîtrise de son auteur. Ainsi chez Rouy l'Aîné, la « loquelle » de Louis XVI réussit à susciter une diversité d'opinions, à rompre la grandiose unité républicaine du peuple et à y susciter des factions opposées. La guillotine surgit alors comme l'instrument qui coupe, à son terme, « l'horrible enchantement » que la parole royale exerce sur les « âmes ».

Il est donc presque logique de voir Mercier parachever le discours royal en inventant un « cri affreux », où meurt le monstre qui vient de se débattre comme un forcené pour ne pas mourir : « [...] " Je meurs innocent ; je pardonne à mes ennemis. " A ces mots, Santerre brandit son sabre ; les tambours qui étaient dans le centre commencèrent un roulement qui ne permit plus d'entendre. Louis frappait du pied en leur disant de cesser. Les aides de camp du général pressent le bourreau de faire son métier. Richard, l'un d'eux, se saisit d'un pistolet et le met en joue. Le bourreau et ses valets ont ramené Louis et l'attachent ; il parlait sans cesse et au moment où la planche fait la bascule et le porte à la fatale lunette, il jette un cri affreux que la chute du couteau étouffe en emportant la tête [...] [162]. »

Cette étonnante invention dramatique atteste surtout combien, si dans les premiers récits républicains le peuple était le véritable moteur de l'histoire, l'enrichissement narratif a déplacé l'attention vers le roi, redevenu progressivement le monstre en ses derniers palpitements. La propagande n'explique pas tout ; la guillotine a aussi pour effet que son *théâtre* concentre l'attention vers un personnage qui devient l'acteur principal : il joue le rôle premier, au point de réorienter le récit et la lecture politique de l'événement.

Mode royaliste

La modalité royaliste du récit amoindrit fortement l'impact des péripéties dramatiques. On peut penser que ce choix est dû à l'absence probable de nombreux « témoins » royalistes pour l'exécution du roi ; mais il y a plus profond : pour les royalistes, le détail des faits importe moins que leur lecture mystique. On le voit clairement dans les corrections qu'apportent les *Annales de la République française* dans leur numéro du 25 janvier aux erreurs de fait contenues dans leur récit daté du 22 janvier. Ces erreurs révèlent que le rédacteur, manifestement absent du lieu de l'exécution, répugnait à faire toucher le corps de son roi par les mains du bourreau ; mais les précisions apportées au nom de la « vérité » s'accompagnent d'un net renforcement de l'instance mystique du récit [163]. Nichées dans l'intimité du texte, ces variations montrent aussi que, pour les royalistes, la précision factuelle du récit compte moins, en définitive, que sa signification spirituelle et dynastique. Variant la formule célèbre de Bossuet selon laquelle le roi « ne meurt jamais », Louis XVI en personne aurait dissuadé Malesherbes d'encourager un complot pour le sauver car, selon la version de l'entretien que donne le *Mémoire* de Marie-Thérèse de France : « Le roi ne meurt pas en France [...] [164]. »

De ce point de vue, les péripéties de la scène de l'échafaud ne sont significatives qu'à un niveau subalterne de l'histoire et les premiers récits peuvent donc exclure toute anecdote particulière [165]. Une telle sobriété pourtant n'est point satisfaisante car son écriture est trop proche du simple constat pour faire surgir les résonances mystiques souhaitées. Le texte princeps de la série est donc donné dans le numéro du 22 janvier du *Journal* de Perlet :

« [...] Il est descendu d'un air déterminé ; il était vêtu d'un habit puce, veste blanche, culotte grise, bas blancs ; ses cheveux n'étaient pas en désordre, son teint ne paraissait pas altéré. Il monte sur l'échafaud, le bourreau lui coupe les cheveux, cette opération le fait un peu tressaillir : il se tourne vers le peuple, ou plutôt vers la force armée qui remplissait toute la place, et, d'une voix très forte, prononce ces paroles : " Français, je meurs innocent, c'est du haut de l'échafaud, et prêt à paraître devant Dieu, que je vous dis cette vérité, je pardonne à mes ennemis ; je désire que la France... "

« Ici il a été interrompu par le bruit des tambours qui a couvert quelques voix qui criaient grâce ; il ôte lui-même son col et se présente à la mort, la tête tombe, il est dix heures un quart » (Beaucourt, I, p. 342).

La série narrative va dès lors exercer son enrichissement rhétorique sur ce discours interrompu. Les péripéties sont en effet introduites, de façon très significative, sous forme de dialogue. Tout se passe comme si le discours du roi, mieux, le *verbe royal* constituait, sous l'espèce de sa transcription dévote, la véritable relique spirituelle du monarque, d'autant plus efficace que l'expression en est inachevée et que les points de suspension y acquièrent une valeur précisément *sublime*.

La version des *Semaines parisiennes* est la plus parlante, bavarde presque [166]. Mais le souci de l'ultime parole du martyr a donné une variante suggestive. La brochure intitulée de manière révélatrice *Testament de Louis XVI, dernier roi des Français, ses dernières paroles sur l'échafaud et le procès-verbal des commissaires [...]* ne se satisfait pas du dernier laps de temps silencieux ; elle ajoute en note du récit : « Nota. Les spectateurs les plus près de l'échafaud ont entendu Louis dire, d'une voix forte, en s'avançant du côté gauche de son supplice : " Français, je meurs innocent, je pardonne à tous mes ennemis. Je souhaite que ma mort soit utile au peuple... " Et en se plaçant sous le fatal couteau : " Je remets mon âme à Dieu. " »

On est évidemment très loin du « cri affreux » entendu par Mercier. La version mystique du récit répond par son propre sublime au sublime républicain, fondé sur l'horreur. L'extraordinaire condensation à laquelle se livre, en février 1793, *Le Véridique ou l'antidote des journaux* confirme ce mode mystique du sublime propre au récit royaliste. Supprimant toute référence au discours interrompu − et donc encore quelque peu dramatique −, le rédacteur rapproche le mot, sublime aussi, du confesseur et la chute du couteau : « A peine le vénérable Firmont a-t-il fait entendre à l'illustre victime ces dernières paroles : " Montez, fils de saint Louis, les cieux vous sont ouverts ", que la hache homicide, rapide comme l'éclair, fond sur la tête sacrée [167]. » En supprimant la dilatation temporelle où se joue le drame de l'histoire, l'auteur met en scène un instant d'une densité mystique exceptionnelle : sur le fil du couteau, la mort et l'exaltation spirituelle coïncident avec l'immédiate accession au royaume de Dieu. La version royaliste réussit ainsi à récupérer à son profit l'instantanéité mécanique de la machine et à en renverser, de nouveau, la sacralité.

Les images de l'histoire

On est de prime abord surpris par les deux variations qu'introduit dans cet ultime instant la relation intitulée *Détails authentiques sur les derniers moments de Louis XVI* : « Du haut de l'échafaud, il a adressé ces paroles au peuple : " Je meurs innocent, je pardonne à mes ennemis et je désire que la France... " Ici il a été interrompu par le roulement des tambours [...] et l'atroce Santerre a requis le bourreau de faire son devoir. On l'a lié à la planche, et quand la bascule a eu pris sa direction, il a encore relevé sa tête, regardant et fixant cette multitude. C'est alors que son confesseur, se penchant sur son visage, a articulé d'une voix très élevée : " Enfant de saint Louis, montez au ciel. " A l'instant même la ficelle a été coupée ; la tête tenait encore : on a pesé sur le fer, elle est tombée [168]. »

On aura reconnu les différents éléments de la vulgate royaliste. Mais, à l'intérieur d'un corpus où la machine joue d'ordinaire un rôle littéraire effacé, la guillotine fait ici une entrée aussi inattendue que réussie. Celle-ci a manifestement pour fonction de permettre le recours aux deux sublimes, royaliste et républicain. Le confesseur parle à l'oreille du roi à l'instant de la décapitation ; à la manière du *Véridique*, la rhétorique en son comble coïncide avec le foudroiement de la mort. Mais, la décapitation se divisant en deux temps, l'écart angoissant qui caractérise l'« instant de la guillotine » se dédouble et se renforce. Il atteint, avec la mort de Louis XVI, la plénitude de ses capacités horrifiantes. L'auteur de ce texte, Louis Claude Bigot de Sainte-Croix, propose donc une version où l'on peut reconnaître un connaisseur en effets de persuasion, une synthèse des potentialités émouvantes de la guillotine, spécialement apte à toucher les sensibilités...

L'intérêt pourtant de ce texte ne s'arrête pas là. En plaçant le confesseur sur l'échafaud, au plus près du roi,

Bigot de Sainte-Croix opère un enrichissement bienvenu, car il a pour lui le récit du confesseur en personne. L'abbé Edgeworth de Firmont déclare en effet avoir accompagné le roi sur l'échafaud [169] ; ce témoignage privilégié autorise donc Bigot de Sainte-Croix à faire parler le confesseur à l'oreille du roi. Mais la formulation qu'il emploie à ce moment et la description inexacte du mécanisme de la guillotine suggèrent la source de son inspiration : la gravure déjà citée illustrant à l'avance la *Machine proposée à l'Assemblée nationale pour le supplice des criminels par M. Guillotin.*

On se rappelle que le texte explicatif disait que « le signal de la mort sera donné au bourreau par le confesseur dans l'instant de l'absolution ; le bourreau détournant les yeux coupera d'un coup de sabre la corde ». Mis à part les quelques variations imposées par l'événement et, en particulier, l'introduction de la planche qui était soigneusement représentée sur une estampe anglaise très répandue qui rendait compte de la mort du roi, Bigot de Sainte-Croix se fonde sur cette gravure publiée avant 1792 et sa légende pour écrire son récit. Ce détail ne montre pas seulement qu'il n'avait pas vu fonctionner la machine à Paris entre avril et août 1792, date de son départ pour Londres – les hommes sensibles refusaient un tel spectacle ; il montre surtout que, si l'imaginaire investit si fortement le récit de l'histoire, c'est aussi que l'image et les images sont souvent la source documentaire dont se constitue ce récit.

Le même phénomène s'observe dans le champ républicain. Ainsi Rouy l'Aîné, dans *Le Magicien républicain*, fait une belle trouvaille pour raconter la joie qui s'est emparée du peuple après l'exécution : « Les citoyens, ne sachant comment exprimer leur joie de se voir à jamais délivrés du fléau de la royauté, s'embrassèrent tous avec l'épanchement de la plus douce union et de la plus heureuse fraternité ; après quoi ils chantèrent des hymnes à la liberté, en formant des ronds de danses autour de l'échafaud et sur toute la place de la Révolution [170]. » Il est le seul à donner ce détail pourtant remarquable ; on peut penser qu'il s'est inspiré d'une gravure qui représente effectivement la danse au pied de l'échafaud ; le dessin préparatoire est d'une telle qualité qu'il évoque un projet de tableau et il sort sans doute de l'atelier de David [171]. Si le récit de Rouy est sans doute inspiré par l'image et non l'inverse, c'est que, dans la représentation graphique, la danse est la gestuelle la plus efficace pour faire *voir* une joie que le récit peut *dire*...

L'important n'est pas tant ce débat, qui intéresse cependant de près la méthode de l'histoire et de l'histoire de l'art ; il tient bien davantage à ce que ces va-et-vient entre image et récit historique confirment combien la « vérité » que les historiens avaient à charge de dire au lendemain du 21 janvier est, comme l'exclamait le rédacteur du *Républicain*, « belle » et « sainte » à dire. Il s'agit moins de certifier un fait irrécusable, ou ses péripéties plus discutables, que, selon la tradition séculaire de l'histoire rhétorique, d'en dégager la leçon morale, politique ou spirituelle.

In quisto. medesimo. di. fo. cazato. dallatorre. de san uincenso. Iohanne. Antonio. petr
ucio. fratello. dello. preditto. francisco. petrucio. et. Lipato. et. uistito. negro. et. portato
perlilochi. preditti. collo. stendardo. repente. et. ministri. della. iusticia. et. allo. mercato. allo
ditto. catafolco. Leuatela. La. testa: et. po. fo. menato. ad. atterrare. assondomi
nico. doue. steua. lamatre.

Chronique napolitaine illustrée (fin XVe siècle): *Échafaud pour l'exécution de G.A. Petrucci* (11 décembre 1498), Pierpont Morgan Library, New York (N. 801; 0,430 x 0,280).

Georg Pencz, *Le sacrifice de Titus Manlius,* Bibliothèque nationale, Paris (0,115 x 0,075).

Lucas Cranach (d'après) : *le martyre de saint Matthieu,* Bibliothèque nationale, Paris (0,160 x 0,128).

La Maiden (1564),
musée d'Edinbourgh
(10 pieds).

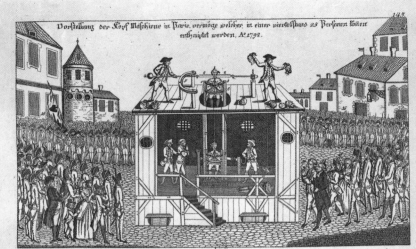

Exécution capitale à l'aide de la guillotine, gravure anonyme (origine allemande), Bibliothèque nationale, Paris (0,183 x 0,312).

Frontispice de la Liste générale de tous les conspirateurs condamnés à mort par le Tribunal Révolutionnaire, Paris, 1794, gravure sur bois anonyme (0,132 x 0,093), musée Carnavalet, Paris.

C. Vorstellung der Hinrichtung Ludwigs, des XVI. Königs v. Frankreich, den 21. Jenu: 1793.
1. der Schloßplatz Carrousel. 2. die Kutsche. 3. wie Er ausgestiegen. 4. wie Er sich aus Kleidet 5. wie Er Niederkniedt.
6. wie Ihm der Henker das Haar abschneid. 7. wie Er in der Guillotine, gerichtet wird. 8. die Soltaden, u. Tampor.
9. das Blut gerieft. 10. die zuschauer. 11. sein Beicht Vater 12. das Kopf herum tragen 13. der Karren mit denkorb.

Exécution de Louis XVI roi de France, le 21 janvier 1793, gravure anonyme
(origine allemande), Bibliothèque nationale, Paris (0,147 x 0,227).

Le Guillotine, eau-forte
anonyme, origine anglaise,
Bibliothèque nationale, Paris
(0,108 x 0,67).

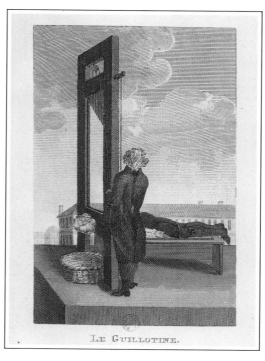

LE GUILLOTINE.

Guillotine, élevée en Place du Carrousel, le 13 août 1792, servant à punir les conspirateurs et ennemis de la Patrie, musée Carnavalet, Paris (0,153 x 0,219

...vant à punir les conspirateurs et ennemis de la Patrie.

La véritable guillotine ordinaere,
gravure anonyme, musée Carnava
Paris (0,329 x 0,168).

Mort de Louis Capet 16ᵉ du nom,
le 21 janvier 1793, gravure anonym
musée Carnavalet, Paris
(0,303 x 0,452).

THE MARTYRDOM of LOUIS XVI. KING of FRANCE.
I Forgive my Enemies, I Die Innocent !!!

I. Cruikshank, *Le Martyre de Louis XVI Roi de France,* musée de la révolution française, château de Vizille (0,320 x 0,190).

Unschuldige Hinrichtung Ludewigs des XVI
König von Franckreich den 21. Januar 1793.
Dieses Zeichen haut der Scharfrichter auf den Ihm gegeben Wink Zwischen a und b durch

Exécution de Louis XVI, Roi de France le 21 janvier 1793, gravure anonyme
(origine allemande), musée Carnavalet, Paris (0,220 x 0,133).

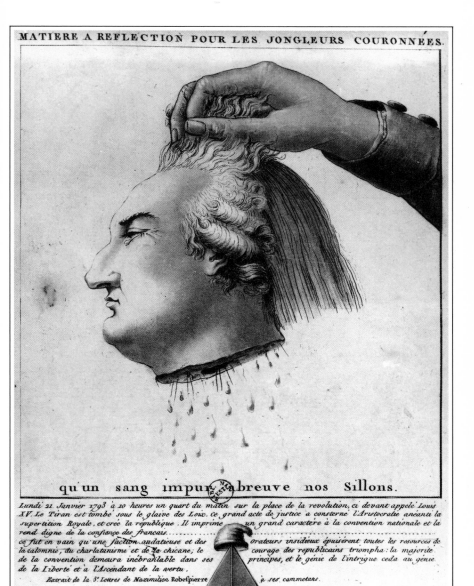

Villeneuve, *Matière à réflection pour les jongleurs couronnées*, gravure, musée Carnavalet, Paris (0,160 x 0,141).

I. Cruikshank, *Le Martyre de Marie-Antoinette Reine de France,* 16 octobre 1793, gravure, musée Carnavalet, Paris (0,223 x 0,188).

Acte de justice du 9 au 10 Thermidor, gravure anonyme d'après Viller, musée Carnavalet, Paris (0,270 x 0,368).

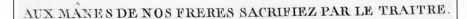

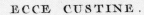

ECCE CUSTINE.

Son sang impur abreuva nos Sillons.

AINSI PÉRISE LES TRAITRES À LA PATRIE.

28 Aoust 1793. L'an 2.e de la République une indivisible, à 10 heurs 30 minutes du matin.

Villeneuve, *Ecce Custine,* gravure, musée Carnavalet, Paris (0,181 x 0,140).

3

LA MACHINE POLITIQUE

« Ce qui produit le bien général est toujours
terrible. »

Saint-Just, *Fragments*.

« [...] Pour rendre la France républicaine,
heureuse et florissante, il eût suffi d'un peu
d'encre et d'une seule guillotine. »

C. Desmoulins, *Le Vieux Cordelier*, III.

« La Révolution française est donc une révolution politique qui a opéré à la manière et qui a pris en quelque
sorte l'aspect d'une révolution religieuse. » On connaît
l'analyse de Tocqueville [172] et on vient de voir en effet
combien la mort du roi, acte fondateur de la République,
était investie par le sacré. La Terreur constituera, dans
une large mesure, la répétition rituelle de ce sacrifice
initial et la guillotine, « étendard de tant de carnages »
(Cabanis), a pu ainsi prendre toute l'allure de l'autel où
se célébrait la nouvelle religion.

Plus encore que le mot trop connu et attribué au
Conventionnel Amar sur la « messe rouge » qui est donnée
place de la Révolution, Camille Desmoulins et l'ironie du
Vieux Cordelier confirment l'aspect « en quelque sorte »
religieux de ces réunions quotidiennes autour de l'échafaud : « Je crois qu'il a été bon de mettre la terreur à
l'ordre du jour, et d'user de la recette de l'Esprit Saint,
que " la crainte du Seigneur est le commencement de la
sagesse " ; de la recette du bon sans-culotte Jésus, qui
disait : " Moitié gré, moitié force, convertissez-les toujours,
compelle eos intrare. " [173] »

Saint-Just et Robespierre ont en effet conscience de
procéder à un bouleversement sans exemple et leur
sentiment d'inaugurer une loi « sainte » qui peut sauver
tous les peuples de la terre prend parfois, comme on le

sait, des accents incontestablement religieux [174]. C'est pourtant Chaumette, sans doute, qui exalte le plus bibliquement cet esprit révolutionnaire et le portique de la guillotine devient chez lui la « barrière de l'éternité » : « Et vous, Montagne à jamais célèbre dans les pages de l'histoire, soyez le Sinaï des Français ! Lancez au milieu des foudres les décrets de la Justice et de la volonté du peuple ! Montagne sainte, devenez un volcan dont les laves dévorent nos ennemis ! Plus de quartier, plus de miséricorde aux traîtres ! Jetons entre eux et nous la barrière de l'éternité [175] ! »

Le prestige de la guillotine ne pouvait qu'être marqué par ce messianisme montagnard et la machine philosophique devient l'objet d'un culte dont les formules et certaines des formes extérieures sont sciemment reprises au rituel de la religion d'Ancien Régime.

L'expression de « sainte guillotine » est sans doute provocatrice chez Hébert quand il écrit, dans sa « grande colère » contre les accapareurs, que « sainte Guillotine semblait les avoir convertis [176] ». Mais le terme en arrive presque à faire partie du langage administratif de la Révolution : le Comité révolutionnaire d'Angers, écrivant à son représentant à la Convention en 1793, évoque la *sacram sanctam Guillotinam* et, dans une lettre du 27 brumaire de l'an II, le citoyen Gateau confirme qu'à Strasbourg « sainte Guillotine est dans la plus brillante activité [177] ». Le peuple reprend la formule, comme le suggère, entre autres, un rapport de police du 26 ventôse an II signalant que, à l'annonce d'un nouveau complot contre la République, le peuple dit dans Paris : « On a bien raison de dire, ajoutait-il en regardant la guillotine, qu'il n'y a que cette sainte-là qui peut nous sauver [178]. »

La canonisation de la guillotine révolutionnaire s'accompagne, comme il est normal, de litanies et de chants religieux en son honneur :

Sainte Guillotine, protectrice des patriotes, priez pour
                                                    [nous ;
Sainte Guillotine, effroi des aristocrates, protégez-nous.
Machine aimable, ayez pitié de nous.
Machine admirable, ayez pitié de nous.
Sainte Guillotine, délivrez-nous de nos ennemis.

(Sur l'air de *La Marseillaise*)
O toi, céleste guillotine,

Tu raccourcis reines et rois,
Par ton influence divine
Nous avons reconquis nos droits (*bis*).
Soutiens les lois de la patrie
Et que ton superbe instrument
Devienne toujours permanent
Pour détruire une secte impie.
Aiguise ton rasoir pour Pitt et ses agents,
Remplis, remplis ton divin sac de têtes de tyrans [179] !

Il ne suffirait pourtant pas d'analyser ce « culte » à partir de ses seules expressions religieuses. Le prestige dont jouit la machine sous la Terreur s'articule plus profondément sur la théorie politique du gouvernement révolutionnaire. C'est là certainement l'aspect aujourd'hui le plus troublant de la machine à décapiter...

Dès lors qu'elle devient l'instrument régulier du tribunal criminel extraordinaire – surnommé révolutionnaire avant même de l'être officiellement –, la guillotine acquiert un prestige nouveau, celui de *donner figure* à une justice véritablement révolutionnaire. Ce tribunal a été instauré pour éviter au peuple de se faire justice lui-même, pour éviter le retour des massacres de septembre 1792, de ces « journées sanglantes sur lesquelles tout bon citoyen a gémi », comme le déclare Danton lors de la séance du 10 mars 1793 : « Soyons terribles pour éviter au peuple de l'être et organisons un tribunal [...] afin que le peuple sache que le glaive de la liberté pèse sur la tête de tous ses ennemis [180]. » Promue officiellement « glaive de la liberté », la guillotine se substitue à la justice populaire directe : elle lui donne sa forme raisonnable, la forme de la Raison. Tout comme le gouvernement révolutionnaire figure la volonté du peuple qu'il représente, la guillotine met en acte la Loi révolutionnaire : le peuple possède l'instrument qui le représente dignement dans son acte de justice [181].

La guillotine est ainsi investie d'une valeur morale et sa dignité peut être souillée par la vilenie de sa victime. Camille Desmoulins formule très clairement cette idée quand il s'indigne que l'on déshonore la guillotine en y envoyant ces Bretons qui déclarent au commissaire de la République : « Faites-moi donc guillotiner bien vite, afin que je ressuscite dans trois jours [182]. » On pourrait penser que, quelque temps plus tard, après qu'il aura proposé le

Comité de clémence dont l'idée finira par le conduire à l'échafaud, Desmoulins aurait changé de point de vue ; il n'en est rien ; il voit au contraire dans l'instrument une glorification pour la victime injustement frappée : « Qu'est-ce que la guillotine, sinon un coup de sabre, et le plus glorieux de tous, pour un député victime de son courage et de son républicanisme [183] ? » A ce point donc, la guillotine n'est plus seulement l'auxiliaire de la justice, elle la *représente* bel et bien, dans sa dignité morale et dans ses principes politiques.

Dans ses *Considérations sur la Révolution française,* Mme de Staël évoque la ressemblance entre la guillotine et la forme du gouvernement : « La machine de terreur, dont les ressorts avaient été montés par les événements, exerçait seule la toute-puissance. Le gouvernement ressemblait à l'affreux instrument qui donnait la mort : on y voyait la hache plutôt que la main qui la faisait mouvoir [184]. » La formule est brillante. Mais il y va de bien plus que d'une simple ressemblance tramée sur fond de métaphore : le fonctionnement de la machine manifeste en effet un principe de gouvernement et la guillotine remplit par là une fonction presque didactique, précisément politique.

La machine à gouvernement

Pour certains contemporains, l'efficacité politique de la guillotine ne fait guère de doute. Dès l'an V, une brochure prudemment anonyme souligne que toute révolution a besoin, en son milieu, du « renfort de la Terreur [185] ».

De fait, le 5 septembre 1793, la Convention décrète la Terreur « à l'ordre du jour » jusqu'à la paix ; à partir de frimaire an II (21 novembre-21 décembre), le nombre des condamnations se multiplie brutalement au point qu'en ventôse (février-mars 1794) il commence à dépasser celui des acquittements. La guillotine n'est plus seulement l'outil d'une justice égalitaire ; elle devient une véritable machine gouvernementale. Sa violence répétée exprime, selon le mot de Saint-Just, « la véhémence d'un gouvernement pur » qui veut « fortifier l'égalité » [186].

Les Goncourt simplifient évidemment quand ils la déclarent le « Premier ministre » de la Révolution [187]. Mais Saint-Just, dès octobre 1793, critique le ministère, qui n'est qu'« un monde de papier », et, dans son *Rapport sur la nécessité de déclarer le gouvernement révolutionnaire jusqu'à la paix,* il estime qu'il faut « placer partout le glaive à côté de l'abus, en sorte que tout soit libre dans la République [188] ». Quant à l'ancien maire de Paris, Pétion, il avait jugé que des crimes comme les massacres de septembre étaient « odieux en morale », mais « utiles en politique » ; en juin 1794, il estime à son corps défendant que les « législateurs actuels » ont fait de la guillotine « le principal ressort de leur gouvernement [189] ».

Le prestige de la guillotine tient désormais à ce que, le gouvernement étant lui-même pensé selon le modèle de la machine, les termes employés pour l'un valent pour l'autre. Saint-Just pousse très loin cette comparaison. Pour lui, la Terreur est une machine particulière à l'intérieur du gouvernement général de la France, qui ne peut être assuré pleinement que par des institutions régulières : « La Terreur peut nous débarrasser de la monarchie et de l'aristocratie ; mais qui nous délivrera de la corruption ? Des institutions. On ne s'en doute pas : on croit avoir tout fait quand on a une machine à gouvernement [190]. » Loin d'être gratuite, l'image est historiquement définie ; à la fin du XVIIIᵉ siècle, le concept de machine jouit d'un prestige qui en fait un modèle théorique particulièrement polyvalent [191] et la guillotine peut donc à juste titre donner figure à un type de gouvernement : elle est une *machine* (à décapiter) mise au service de la Terreur, laquelle est une *machine à gouvernement* permettant d'assurer, jusqu'à la paix et à la création d'institutions, la bonne marche de la *machine du gouvernement* [192].

A ce titre, aussi bien par métaphore que par métonymie, la guillotine représente cette forme de gouvernement et, en tant que telle, des hommages peuvent lui être rendus lors de manifestations publiques, comme celles qu'organise la Propagande de Schneider à Strasbourg et où le « capucin de Cologne » s'adresse à la guillotine en tant que *symbole* du gouvernement révolutionnaire [193]. Si une telle symbolisation a été possible, c'est bien que la machine s'accordait aux principes de ce gouvernement, tels qu'ils sont présentés par Robespierre et Saint-Just et qui aboutiront à la loi du 22 prairial (10 juin 1794) réorganisant le Tribunal révolutionnaire.

Aujourd'hui que la guillotine désaffectée n'est plus que l'image d'une justice archaïque, il est difficile d'imaginer comment la pensée jacobine a pu y voir l'instrument exemplaire d'une justice démocratique, expression d'un gouvernement révolutionnaire. Les textes de Saint-Just et de Robespierre le disent pourtant, pour peu qu'on les interroge.

A la différence du gouvernement constitutionnel, qui conserve la République et s'occupe de la liberté civile, le gouvernement révolutionnaire est un gouvernement de guerre qui vise à fonder la République ; en tant que tel, il « ne doit aux ennemis que la mort » (Robespierre), car « entre le peuple et ses ennemis il n'y a plus rien de commun que le glaive. Il faut gouverner par le fer ceux qui ne peuvent l'être par la justice : il faut opprimer les tyrans » (Saint-Just) [194]. Loin donc d'être « clémence », la justice révolutionnaire est « sévérité » (Saint-Just, 26 février 1794) ; il « faut que le glaive des lois se promène partout avec rapidité » (Saint-Just, 10 octobre 1793) car « le ressort du gouvernement populaire en révolution est à la fois *la vertu et la terreur* [...]. La terreur n'est autre chose que la justice prompte, sévère, inflexible ; elle est donc une émanation de la vertu » (Robespierre, 5 février 1794). « Glaive qui brille dans les mains des héros de la liberté » (*id.*), la guillotine ressemble bien au gouvernement révolutionnaire dont elle est l'instrument de justice et, « rapide comme l'éclair », elle doit être aussi un modèle pour les gouvernants dont la loi même « n'est point assez prompte » (*id.*).

Il y a plus. Le rapport que la guillotine entretient aux corps de ses victimes est à l'image de l'opération chirurgicale que le gouvernement révolutionnaire fait subir au corps de la nation pour le régénérer. Camille Desmoulins formule magnifiquement cette image révolutionnaire où la guillotine parachève l'épuration progressive du « corps politique », et la cohérence de sa métaphore physiologique et médicale confirme le rapport presque organique que la conscience révolutionnaire pose entre la guillotine et la santé du corps politique qu'elle contribue à gouverner : « La représentation nationale s'épure chaque année [...]. Sans doute le quatrième scrutin épuratoire donnera dans l'Assemblée une majorité permanente et invariable aux amis de la liberté et de l'égalité [...]. Le vice était dans le sang. L'épuration du venin au-dehors, par l'émigration de Dumouriez et de ses lieutenants, a déjà sauvé plus qu'à demi le corps politique ; et les amputations du

Tribunal révolutionnaire [...], le vomissement des brissotins hors du sein de la Convention achèveront de lui donner une saine constitution [195]. »

La série d'images est impressionnante, mais elle ne fait que pousser à l'extrême la métaphore, presque banalisée, du corps de la nation : avec la Terreur, la guillotine est devenue l'instrument qui régénère le peuple en son corps collectif. Par ses amputations, elle complète les épurations des scrutins successifs et son échafaud est le lieu d'une rencontre inouïe, celle du corps individuel du coupable et du corps fictif de la nation : démasqué et guillotiné, le coupable se révèle être un de ces multiples parasites dont l'extirpation régénère le corps politique et social.

« Tremblez, sangsues du peuple, sa hache est levée pour vous frapper ! » Avec cette colère, Le Père Duchesne [196] ne fait que reprendre, en la situant sur la place de la Révolution, une image déjà évoquée par Robespierre à l'Assemblée en décembre 1790 [197]. Pourtant, dès lors que ce sang est déversé sur la place, son impureté n'est plus seulement métaphorique. Car, avec une efficacité aussi redoutable que magique, en extirpant du corps du peuple les sangsues qui le saignent, l'échafaud donne réalité à une figure de rhétorique : le corps du Peuple. Rassemblé en foule, le peuple se voit purgé de ses parasites et la guillotine participe pleinement au processus révolutionnaire de la régénération nationale ; elle y joue un rôle décisif : elle concrétise le discours en le rendant opératoire. Après avoir anéanti le corps mystique et monstrueusement singulier du roi, la guillotine modèle le corps fictif du peuple, colossal et sain. Elle le fait d'autant plus sûrement que ce corps est présent sous l'espèce du peuple amassé ; il assiste lui-même à l'opération chirurgicale qui le fait accéder à l'existence tout en lui rendant la santé et dont le succès est, chaque fois, démontré par le cri libératoire – Vive la République ! Vive la nation ! – qui salue la chute de chaque tête monstrueuse. On serait presque tenté de dire, reprenant la formule qui donnait à Guillotin « le bourreau pour sage-femme », qu'à son tour le Peuple de la République a eu « la guillotine pour sage-femme ».

On comprendrait mal sinon pourquoi, par exemple, les bons républicains repoussent avec indignation, dès août 1792, la proposition que leur fait le rédacteur de La Gazette de Paris, Durosoy : devant être guillotiné pour la journée du 10 août, il leur propose, en philosophe éclairé, que son sang soit utilisé pour des expériences de transfusion. La suggestion est repoussée avec horreur : elle n'est qu'un piège visant à propager un sang corrompu pour en infester le sang du peuple, alors que l'opération de la guillotine vise précisément à l'assainir. Dans cette conception, Durosoy ne peut être qu'un monstre dangereux : non content de l'impureté de son sang, il veut la répandre et infecter le corps collectif de la nation [198].

Loin donc que le peuple soit cannibale ou anthropophage, ce sont ces monstres qui, par contagion, le feraient devenir tel : l'ablation est un devoir d'urgence et le travail de la machine est incontestablement révolutionnaire. Comme le souligne encore la brochure *Des causes de la Révolution et de ses résultats* : « Dix-huit mois de Terreur suffirent pour enlever au peuple des usages de plusieurs siècles et pour lui en donner que plusieurs siècles auraient eu peine à établir. Sa violence en fit un peuple neuf [199]. »

On n'est pas si loin de la pensée de Saint-Just en personne. Son *Rapport* du 15 avril 1794 insiste sur le fait qu'il « faut s'attacher à former une conscience publique » en enracinant l'*esprit public* dans le cœur pour en faire cette *conscience publique* qui « se compose du penchant du peuple vers le bien général » ; par sa sévérité, la justice révolutionnaire sauve la République : « Nous avons opposé le glaive au glaive et la liberté est fondée ; elle est sortie du sein des orages : cette origine lui est commune avec le monde, sorti du chaos, et avec l'homme, qui pleure en naissant [200]. »

On reviendra sur le caractère *sublime* de cette rhétorique. Il suffit ici d'enregistrer qu'avec la guillotine ces images littéraires gagnent leur « effet de réalité » : sur la place, la République en état de révolution met en scène la naissance de son propre corps politique.

Guillotine et démocratie

Promue machine de gouvernement, la guillotine travaille à fonder une *démocratie* véritable dont le peuple est effectivement le souverain.

On peut en effet préciser encore la portée politique propre à la guillotine de gouvernement car la mise en scène de la naissance du peuple souverain combine deux données profondément significatives bien qu'apparemment contradictoires : chaque extirpation est individuelle, particularisée, mais elle est aussi sérialisée, déterminée dans son effet par la série à laquelle elle appartient et que souligne l'identité répétitive des phases de l'exécution. Cette condensation (particularisation / sérialisation) élargit et précise le champ des connotations de la machine politique.

On le constate dans l'échec que connaît la tentative de construire des guillotines « accélératrices ». La simple guillotine fut en effet parfois jugée trop lente, vu le nombre de têtes qu'il fallait faire tomber. En février 1794, les rapports de police parisiens indiquent que le peuple souhaiterait voir le système s'accélérer [201]. La première amélioration consisterait à faire fonctionner plusieurs guillotines simultanément ; c'est ce que demandent plusieurs sections parisiennes, toujours en 1794. On pouvait aussi améliorer techniquement la machine en multipliant ses fenêtres et ses couperets ; le bruit court ainsi avec insistance que l'on aurait essayé, à Paris, une machine à cinq fenêtres, rapidement devenues huit, neuf et même trente fenêtres. La construction était techniquement possible et une telle guillotine, à quatre fenêtres, fut effectivement construite à Bordeaux, à la demande du président de la commission militaire qui gouvernait la ville [202]. Pourtant la guillotine accélératrice n'a jamais été utilisée. Certes, elle ne voit le jour qu'en juillet 1794, en thermidor, un peu tard donc... Mais le rejet de la machine à plusieurs tranchoirs est dû à des raisons plus profondes : comme le dit, en janvier 1795, le comité de surveillance de Bordeaux, une telle machine est « contraire à toutes les lois révolutionnaires, et [brave] celles de la justice et de l'humanité [203] ». C'est par principe que la guillotine révolutionnaire ne peut et ne doit avoir qu'une fenêtre ; ces principes sont ceux de l'humanité – toujours et traditionnellement évoquée à propos de la machine –, mais aussi, désormais, ceux de la loi révolutionnaire. La guillotine accélératrice heurte en particulier le principe de l'individualité des victimes ; or non seulement l'« humanité » en suppose le respect, mais la loi révolutionnaire en a besoin pour sa démonstration.

On peut le dire d'emblée : en extirpant les parasites du corps commun, la guillotine en expulse autant de volontés particulières et individuelles qui s'opposent à la

volonté générale du peuple constitué en corps politique.
La guillotine est révolutionnaire ou, plus précisément, elle
est démocratique au sens où le Comité de salut public
entend le gouvernement du peuple car le fonctionnement
de la machine illustre avec éclat une théorie précise de
la « démocratie populaire ».

Un détour par les textes est ici nécessaire.

Tirant Rousseau à lui, Robespierre revient souvent sur
l'idée que le gouvernement du peuple exclut toute expression de volonté individuelle ; la *vertu* qui l'anime n'est
rien d'autre que ce « sentiment sublime [qui] suppose la
préférence de l'intérêt public à tous les intérêts
particuliers [204] » ; la *sévérité* du gouvernement révolutionnaire envers soi-même doit s'accompagner de la *confiance*
envers le peuple car – et ce point est fondamental – il
existe une différence de nature entre les individus et le
peuple : « Il est dans la nature des choses que tout corps,
comme tout individu, ait une volonté propre, différente
de la volonté générale, et qu'il cherche à la faire
dominer [205] » ; au contraire, « pour aimer la justice et
l'égalité, le peuple n'a pas besoin d'une grande vertu ; il
lui faut s'aimer soi-même [206] ». Pour redonner donc au
peuple cette conscience de sa propre vertu naturelle, il
faut réanimer sa *volonté générale* en annulant les intérêts
privés, en faisant tomber toutes ces barrières internes qui
structurent en la divisant la société française d'Ancien
Régime [207].

C'est sur cet arrière-plan qu'il faut situer la violence
du discours révolutionnaire à l'égard des *factions :* ce sont
autant de fractions égoïstes, séparées de la volonté générale
et, donc, contraires à elle, telle qu'elle s'exprime dans le
consensus des représentants du peuple à l'Assemblée ;
contre ces factions, la seule réponse est l'intransigeance
d'une loi sans passion et de la guillotine [208]. La profondeur
révolutionnaire de cette hostilité à l'égoïsme des intérêts
individuels est attestée par le fait qu'on la retrouve, avec
la même violence, chez Charlotte Corday, peu susceptible
d'être favorable à Robespierre ; de même que, pour
consolider la République, Robespierre exalte « tout ce qui
tend à exciter l'amour de la patrie, à purifier les mœurs,
à élever les âmes, à diriger les passions du cœur humain
vers l'intérêt public » et veut réprimer « l'abjection du
moi personnel [209] », de même Charlotte Corday, dans sa
prison, attend de rejoindre le repos de Brutus car, « pour

les modernes, il est peu de vrais patriotes qui sachent
mourir pour leur pays ; presque tout est égoïsme. Quel
triste peuple pour former une République [210] ». Ce consensus révolutionnaire marque l'enthousiasme partagé des
« héros de la Révolution » pour leur cause commune : le
Peuple. Telle que l'imaginent les révolutionnaires, la
Révolution est en effet morale, et sa première vertu est
bien le sacrifice des intérêts particuliers à la volonté
générale.

Le destin de Camille Desmoulins, ami de Robespierre,
guillotiné le 5 avril 1794, est ici exemplaire. Car sa chute
est justifiée par la trahison qu'il commet à l'égard de ce
principe révolutionnaire fondamental en devenant un de
ces *indulgents* qui admettent la « liberté d'opinion indéfi-
nie », c'est-à-dire l'expression d'un fractionnement de la
volonté générale. Non seulement son *Vieux Cordelier* utilise
les victoires militaires pour pousser à la clémence – or
elles ne sont pas cette paix jusqu'à l'obtention de laquelle
le gouvernement a été décrété révolutionnaire –, mais il
ne voit dans la Terreur qu'« une égalité de peur, le
nivellement des courages, et les âmes les plus généreuses
aussi basses que les plus vulgaires [211] » ; et surtout, faute
capitale dans le contexte politique du moment, il articule
le droit aux divergences d'opinion sur une tradition de
l'esprit national, niant cette régénérescence qui fonde
l'intention révolutionnaire, justifie son intransigeance et
exige l'extirpation de tout ce qui s'y oppose [212]. Il ne sert
à rien, dès lors, de dire que « tous ces partis, tous ces
petits cercles seront toujours contenus dans le grand cercle
des bons citoyens qui ne souffriront jamais le retour de
la tyrannie », ou qu'il « faut user d'indulgence pour les
ultra comme pour les *citra* tant qu'ils ne dérangent pas
les *intra* et le grand rond des amis de la République une
et indivisible [213] ». Robespierre avait fixé, en décembre
1793, que la « fondation de la République » ne pouvait
être « l'ouvrage du caprice ou de l'insouciance, ni le
résultat fortuit du choix de toutes les prétentions particulières et de tous les éléments révolutionnaires [214] ».
L'homme révolutionnaire ne peut être animé que d'une
haine farouche contre le privilège du particulier aux dépens
du général, contre tout particularisme – même régional –
aux dépens de la centralité d'une volonté une et indivisible.
Tocqueville, une fois encore, explicite dans sa terminologie
même l'ennemi déclaré contre lequel se bat ici la révolution

jacobine : l'*individualisme*, sous la forme collective qu'il avait prise[215].

En 1793, l'individualisme est antirévolutionnaire car, dans un Etat en révolution, il ne peut exister qu'une entité dans laquelle se fondent tous les individus : l'Etat. Cette dialectique est clairement résumée par Saint-Just ; dans son opposition au fédéralisme, il estime qu'il « faut empêcher que personne ne s'isole de fait » ; mais, dès lors qu'il envisage le rapport entre l'Etat français et ses voisins, son isolement devient le but à atteindre : « Les Etats ne sont guère agités que par les gouvernements voisins. Il faudrait, pour être heureux, s'isoler le plus possible[216]. »

Ce transfert de l'individualité au niveau collectif de l'Etat est un des ressorts les plus profonds de la conscience révolutionnaire et, la boucle étant ici bouclée, un tel transfert a pour conséquence inévitable un maniement sévère de la guillotine : « Vous avez à punir non seulement les traîtres, mais les indifférents mêmes ; vous avez à punir quiconque est passif dans la République et ne fait rien pour elle : car, depuis que le peuple français a manifesté sa volonté, tout ce qui lui est opposé est hors le souverain ; tout ce qui est hors le souverain est ennemi[217]. »

Or la machine à décapiter a ici une « force représentative » très grande car son fonctionnement met en acte le principe même de la démocratie révolutionnaire : elle affirme en effet l'individualité de chacune de ses victimes, mais c'est pour l'annihiler ou, pour être plus précis, pour la nier par le processus technique qui sert à sa destruction.

En décapitant *un à un* les condamnés, en les faisant monter *un à un* sur l'échafaud et en répétant pour chacun chacune des phases de l'exécution, la guillotine indique aussi que l'ennemi à abattre n'est autre que l'individu qui a choisi sa propre volonté particulière au détriment de la volonté générale[218]. On est tenté de dire que le panier qui recueille les têtes décapitées est comme l'urne où se recueille – en négatif – l'expression de la volonté générale lors des « scrutins épuratoires ». Selon Saint-Just, la volonté générale « se forme de la majorité des volontés particulières, individuellement recueillies[219] » ; à l'inverse du scrutin, mais corollairement à lui, le panier de la guillotine recueille individuellement la minorité de ces volontés particulières qui se sont exclues de la volonté générale. Dans son emploi démocratique, la guillotine confirme visuellement la terrible toute-puissance du suffrage universel.

Elle la confirme d'autant mieux que son mécanisme nie la singularité de l'individualité qu'elle immole. La répétition mécanique de son fonctionnement égalitaire réduit à une identité presque chronométrée toutes les diversités possibles de mort particulière. La rapidité de l'événement instaure par ailleurs un effet de série d'autant plus frappant que les têtes qui tombent sont plus célèbres, plus singulières[220]. On fut ainsi très frappé que les vingt et un Girondins aient été « expédiés en vingt-six minutes » et l'on admire la virtuosité des bourreaux parisiens à traiter leur matériau[221]. Il faut des accidents ou des variations exceptionnelles pour que ressurgissent les différences, les particularités ; l'expression de « gibier à guillotine » employée par un juré du Tribunal révolutionnaire est également à prendre quelque peu à la lettre : utilisée systématiquement, la machine à décapiter transforme ce « patient » dont parlait le bon docteur Louis en cadavre mécanique et le compte rendu d'une journée ou d'une fournée s'apparente effectivement au tableau de chasse dont Dumas, président du Tribunal révolutionnaire, donne le sens moral : « La vertu seule vivifie l'homme ; le crime n'existe que dans des cadavres [...]. Nous pouvons contempler sans effroi le tableau des trahisons que nous avons punies[222]. »

Ce principe de la négation des particularités contribue aussi à expliquer la pratique des *amalgames* consistant à confondre dans la même séance et dans la même exécution des individus sans autre rapport entre eux que l'acte collectif d'accusation. La logique de la guillotine démocratique conduit, en définitive, à ne pas trop spécifier chacun des chefs d'accusation dans la mesure où l'accusation en général revient, génériquement, à condamner un ennemi du peuple et / ou un aristocrate et / ou un agent de l'étranger, et / ou etc.[223]. Le 10 avril d'ailleurs, dans une séance des Jacobins, le président du Tribunal révolutionnaire formulait explicitement la théorie de cette confusion : « Toutes les conspirations ont le même but ; elles tendent toutes à asservir le peuple [...]. Elles ont le même caractère [...]. Elles ont la même source [...]. Les moyens d'exécution sont partout les mêmes [...]. Voyons donc jusqu'à quel point Hébert, Vincent, Ronsin et leurs complices, Fabre d'Eglantine, Danton, Lacroix, Chabot et leurs complices ont servi le parti de l'étranger. Ces hommes, discords en apparence, étaient unis dans leurs desseins ; leurs moyens, opposés dans leurs extrêmes, se confondaient dans leurs résultats. Nous ne verrions pas toute l'atrocité de leurs crimes, si de tous leurs crimes nous ne formions pas un seul tableau [224]. »

L'analyse est donc insuffisante, qui n'identifie dans l'accélération des exécutions des neuf mois précédant Thermidor qu'un emballement de la Terreur, ou qu'un épouvantable cynisme dans ces exécutions faites par erreur en toute connaissance de cause. Dans la mesure même où, sans que la paix soit encore obtenue, les victoires militaires suscitent la réapparition de divergences éventuelles, d'opinions personnelles au sein même de la représentation nationale, la logique du gouvernement révolutionnaire veut que le glaive de la loi frappe à coups redoublés tout ce qui risque de détruire ou d'affaiblir le consensus national. Le discours officiel confirme d'ailleurs que la guillotine n'inquiète que dans la mesure où sa rentabilité n'est pas certaine. En mars 1794, Fouquier-Tinville signale au Comité de salut public que « les affaires se multiplient à un tel point que, malgré le zèle du tribunal, il est difficile et même impossible de faire frapper du glaive de la Loi les conspirateurs qui y sont traduits ainsi que le désirent et doivent le désirer tous les bons et vrais républicains [225] ». En janvier déjà, à propos des cent dix bourgeois de Nantes envoyés à Paris par Carrier, Fouquier-Tinville avait indiqué les difficultés que ne manquerait pas de susciter l'exécution simultanée de cent dix personnes et, s'il a des « doutes », c'est « sous ce rapport purement politique » : « Est-ce bien par l'instrument ordinaire du supplice que ces coupables doivent finir leur vie criminelle lorsqu'ils sont en pareil nombre, en temps de révolution et habitants d'un pays rebelle [226] ? » Fouquier-Tinville penche pour la fusillade, plus expéditive et propre aux tribunaux militaires ; mais l'affaire souligne que seul importe le succès « purement politique » de ces exécutions en série.

La guillotine a en effet réussi à substituer, en politique, sa problématique industrielle aux considérations individuelles. Socialement égalitaire à l'origine, la machine est devenue l'outil d'une égalité politique qui se marque, en temps de révolution, par l'uniformisation sérialisée de l'exécution capitale. Cette démocratisation de la mort ne finit pas avec la chute de Robespierre, mais en 1797, quand on constitue une commission militaire pour juger les émigrés trop tôt rentrés et que la mort qui les attend n'est plus la guillotine, comme en 1795 encore, mais la fusillade. En réintroduisant une différenciation dans les modalités de l'exécution politique, le Directoire met effectivement un terme à la symbolique de la mort politique mise au point par la Convention montagnarde, et au terme de laquelle la guillotine ne pouvait et ne devait être que le seul instrument de justice donnant sa figure funèbre à la double notion de volonté générale et de démocratie.

Comme l'a écrit Chateaubriand, « on ne peut refuser [aux Jacobins] l'affreuse louange d'avoir été conséquents dans leurs principes [227] » ; l'adéquation symbolique la plus forte de la guillotine à la révolution jacobine tient en définitive à ce que la machine à décapiter est l'instrument (de justice) d'un système politique fondé sur le fonctionnement d'un « appareil » de gouvernement, d'un « gouvernement d'appareil [228] ». L'idéologie montagnarde demande à ses gouvernants de n'être que les porte-parole et les produits d'un mécanisme politique par l'intermédiaire duquel c'est le peuple qui est affirmé gouvernant.

« Robespierre avait acquis la réputation d'une haute vertu démocratique, on le croyait incapable d'une vue personnelle [...] [229]. » La force de Robespierre tient effectivement à ce que, ayant détruit en lui « l'abjection du moi personnel », il semble ne défendre aucun intérêt personnel, n'être le lieu d'aucune volonté particulière : en lui, la volonté générale trouve le lieu transparent de son expression ; quand il atteste n'être animé que de « cet égoïsme des hommes non dégradés » qui consiste en une « passion tendre, impérieuse, irrésistible [...], cette horreur profonde de la tyrannie [...], cet amour sacré de la patrie, cet amour plus sublime et plus saint de l'humanité sans lequel une grande révolution n'est qu'un crime éclatant qui détruit un autre crime [230] », il n'affirme rien d'autre sinon qu'il a intériorisé l'idéologie jacobine : il n'est qu'un *représentant* par la bouche duquel parle le peuple et qui, le soir même de cet ultime discours, va le lire à la tribune des Jacobins pour le soumettre à son approbation directe.

L'Assemblée ne pouvait pas être toute montagnarde,

elle devait attendre, comme l'espérait Desmoulins avant
de se découvrir « indulgent », son quatrième scrutin épuratoire pour le devenir ; mais les Jacobins ont organisé
un véritable « appareil de parti » qui fonctionne comme
l'instance toute-puissante où s'élabore et se contrôle un
consensus qui n'est autre que celui de la volonté, représentée en ses délégués. La force et la valeur politiques
de la guillotine tiennent à ce que la mise en scène de
l'échafaud n'est que l'ultime et sublime manifestation de
la toute-puissance du Peuple ; mais l'effacement du sujet
individuel au profit de l'assentiment collectif était mis en
jeu à la source même du système jacobin, dans les séances
du club et des sections où, mieux qu'à l'Assemblée, le
Peuple rencontrait sa représentation.

III

LE THÉÂTRE DE LA GUILLOTINE

« La transformation de la foule en peuple [par le théâtre], profond mystère ! »

Victor Hugo, *Littérature et philosophie mêlées.*

« Sa mort fut une espèce de fête [...]. Charrettes, bancs, échafaudages, tout se préparait pour faciliter cet agréable spectacle. La place devint un théâtre. »

Michelet, *Histoire de la Révolution française,*
XVII, 3.

« A l'heure où le soleil allait laisser la ville aux ténèbres, à l'heure des firmaments rouges, dans le cliquetis de la ferraille et le galop des chevaux, débouchait sur la place de la Révolution la grande hécatombe.

« Sur cette place, autour de la guillotine debout, autour de la Liberté de plâtre, déjà bronzée par la vapeur du sang, des milliers de têtes coiffées de rouge ondulaient comme un champ de coquelicots. Toutes ces têtes regardaient ; des grappes d'hommes accrochés au socle de Louis XV regardaient ; des Tuileries et des Champs-Elysées le Plaisir regardait ; toutes grandes ouvertes, les fenêtres du Garde-Meuble regardaient [231]. »

A travers leurs excès, les Goncourt soulignent l'aspect fondamentalement spectaculaire que revêt, sous la Terreur, l'exécution par la guillotine. Spectaculaire et, plus précisément, théâtral. Car l'exécution est l'occasion d'une mise en scène parfaitement réglée, impliquant à la fois un lieu scénique, des acteurs et un public. Les auteurs du temps y insistent souvent : la place de la Révolution est un grand théâtre ; un des plus beaux témoignages en est le récit de la mort de Danton par Antoine Vincent Arnault ; on y reconnaît la patte du dramaturge qui avait fait jouer, en 1791, *Marius à Minthurnes* et, en 1792, une *Lucrèce* où apparaissait un Brutus justement républicain : « Danton parut le dernier sur ce théâtre, inondé du sang de tous ses amis. Le jour tombait. Au pied de l'horrible statue dont la masse se détachait en silhouette colossale sur le ciel, je vis se dresser, comme une ombre de Dante, ce tribun qui, à demi éclairé par le soleil mourant, semblait autant sortir du tombeau que prêt à y entrer. Rien de plus audacieux comme la contenance de l'athlète de la Révolution ; rien de plus formidable comme l'attitude de ce profil qui défiait la hache, comme l'expression de cette tête qui, prête à tomber, paraissait encore dicter des lois. Effroyable pantomime ! Le temps ne saurait l'effacer de ma mémoire [232]. »

Ponctuée de mots d'autant plus mémorables que leur auteur était, paraît-il, aphone, la mort de Danton fut certainement une des représentations les plus réussies de la place de la Révolution. Mais cette séance du 5 avril

1794 ne faisait qu'entrer dans une série de représentations quotidiennes déjà très suivies, dont le succès était dû dans une large mesure au rôle décidément nouveau que ce théâtre donnait à sa machine, la première à n'être pas de carton-pâte. Comme le dit le numéro quatre du *Vieux Cordelier*, les « habitués de ce spectacle » se moquent des « abonnés de l'opéra et de la tragédie » qui ne voient qu'un « poignard de carton » et des comédiens qui jouent le mort [233]. La qualité singulière du théâtre de la guillotine tient à ce que l'on y meurt réellement et que, pour chaque acteur, la pièce ne peut être jouée qu'une fois ; Camille Desmoulins souligne combien cette révolution de la pratique théâtrale attire le public : « Ce n'était pas l'amour de la République qui attirait tous les jours tant de monde sur la place de la Révolution, mais la curiosité, et la pièce nouvelle qui ne pouvait avoir qu'une seule représentation [234]. »

Le succès de cette nouvelle machine est tel que le théâtre traditionnel en fait un de ses accessoires ; non seulement le guignol l'utilise pour guillotiner Polichinelle [235], mais elle devient l'héroïne d'un spectacle programmé pour l'année 1793 au théâtre du Lycée et dont le titre même est censé attirer un vaste public : *La Guillotine d'amour* [236].

Bien plus tard seulement, la guillotine se voudra discrète ; pour l'heure, elle est au centre d'un grand spectacle où se célèbre la République. On peut même considérer que les exécutions ont constitué la plus régulière et la plus courue des fêtes révolutionnaires et qu'un des soucis majeurs des organisateurs était de s'assurer de la bonne qualité de leur spectacle : « Je ne voudrais pas que tu fis (*sic*) accompagner ces bougres-là avec un tambour, mais avec une trompette, ce qui annonce mieux la justice du peuple. Il faut suppléer à la promptitude de la guillotine pour électriser le peuple en conduisant ses ennemis à l'échafaud. Il faut que cela soit une espèce de spectacle pour lui. Les chants, la danse doivent prouver aux aristocrates que le peuple ne voit de bonheur que dans leur supplice. Il faut en outre faire en sorte qu'il y ait un grand concours de peuple pour les accompagner à l'échafaud [237]. »

Une telle proposition ne pouvait pas être retenue car, dans l'esprit des responsables, le spectacle doit être *bon*, mais il doit, surtout, être *grand* ; s'il convient de suppléer effectivement à la promptitude de la mécanique, ce ne peut être qu'en donnant à voir la majesté de la Loi se dévoilant dans l'histoire ; l'ensemble des opérations visuelles qui entourent le fonctionnement de la guillotine constitue, à proprement parler, un *rituel*, la Terreur substituant le rituel de la Raison justicière au rituel religieux de l'Ancien Régime.

Si l'on admet en effet que le supplice d'Ancien Régime est caractérisé par trois critères fondamentaux – production d'une certaine quantité de souffrance, codification juridique de la douleur produite, intégration du supplice dans une liturgie punitive [238] –, on constate que la guillotine accomplit sa fonction philosophique en évacuant les deux premiers de ces critères ; mais la Terreur utilise sa « simple mécanique » pour en faire surgir le troisième, dans une version épurée, très précisément philosophique. Car la guillotine satisfait, de manière on ne peut plus adéquate, aux deux exigences de cette liturgie punitive, telles que les définit Michel Foucault : *marquant* par rapport à la victime, le supplice de la guillotine est également *éclatant* du côté de la justice qui l'impose. La décapitation mécanique interdit toute différenciation sociale dans la production de souffrance, mais le cérémonial entourant la chute de la tête coupée constitue bel et bien « un rituel organisé pour le marquage des victimes et la manifestation du pouvoir qui punit ; et non point l'exaspération d'une justice qui, en oubliant ses principes, perdrait toute retenue. Dans les " excès " des supplices, toute une économie du pouvoir est investie [239] ». Il en va de même pour la guillotine de la Terreur : son « excès » consiste à substituer à la quantité de souffrance individualisée une quantité numérique de mises à mort indolores dont l'accumulation répétitive dénie la particularité de chaque volonté individuelle.

On a vu combien cette substitution portait la marque de la révolution jacobine ; il importe de souligner que le rituel de l'exécution place la chute du couperet dans une succession réglée d'opérations productrices d'effets. Il n'est pas jusqu'au cri de *Vive la République ! Vive la nation !* qui ne réarticule, laïquement, après la mort, le *Salve Regina* entonné par la foule d'Ancien Régime avant que le bourreau ne commence la torture publique.

La chute du couteau n'occupe que la limite finale de la deuxième phase de ce spectacle rituel qui en comporte trois. La première est occupée par le *parcours* du lieu de détention au lieu d'exécution ; à sa lenteur préparatoire succède une accélération brusque du rythme qui contribue à l'effet de sérialisation [240]. La troisième phase atteste l'efficacité morale et politique du spectacle ; au cri du peuple, le bourreau reprend la tête tombée, il l'élève de nouveau pour la montrer et ce geste consacre le sacrifice, il signe la fin du rituel : son achèvement et sa finalité.

L'allégorisation de l'exécution passe parfois par son installation dans un décor conçu théâtralement. A Paris, l'exécution se fait au pied d'une statue de la Liberté, remplaçant à propos l'effigie de Louis XV ; à Brest, on construit, face à l'échafaud, une pyramide recouverte de rochers de carton-pâte, emblème théâtral de la Montagne ; à Orange, la situation de la ville rend la construction de ce décor superflue, comme l'indique une lettre de l'accusateur public : « Tu connais la position d'Orange. La guillotine est placée devant la montagne. On dirait que toutes les têtes lui rendent, en tombant, l'hommage qu'elle mérite : allégorie précieuse pour de vrais amis de la liberté [241]. »

Le spectacle de l'exécution révolutionnaire doit être *sublime* car, pour ses auteurs, la Révolution elle-même est une entreprise sublime. Camille Desmoulins le dit explicitement : vouloir « rendre le genre humain heureux et libre », c'est tenter une « expérience sublime » [242] ; et Robespierre y revient souvent dans son *Rapport sur les principes de Morale politique qui doivent guider la Convention* [243]. Après la mort du roi et les deux visions sublimes, républicaine et royaliste, qu'elle a suscitées, la Terreur vise, en répétant rituellement ce sacrifice initial, à établir dans la « conscience publique » le sentiment sublime de la Révolution : le spectateur assiste à un spectacle où, tel le spectateur kantien d'une tempête déchaînée, il frémit devant le caractère terrible de ce qu'il voit tout en jouissant du fait qu'il en est protégé. La Révolution est un « coup de tonnerre sur tous les méchants » et sa Terreur, qui « passe comme un orage » (Saint-Just), est animée d'un sentiment que l'époque définit effectivement comme sublime. Dans ses célèbres *Recherches philosophiques sur l'origine de nos idées du sublime et du beau,* Edmund Burke écrit : « Tout ce qui est en quelque sorte terrible, tout ce qui traite d'objets terribles, tout ce qui agit d'une manière analogue à la terreur, est une source de sublime [...]. Alors l'esprit est si rempli de son objet, qu'il ne peut en admettre un autre, ni par conséquent raisonner sur celui qui l'occupe. De là vient le grand pouvoir du sublime, qui [...] nous enlève par une force irrésistible [...]. Les effets intérieurs [du sublime] sont l'admiration, la vénération et le respect [244]. »

Mais, et c'est là une des manifestations les plus révélatrices du théâtre de la guillotine, cet effet sublime n'est pas sûr. Dans leur réalité, la mort et le sang troublent l'ordre de l'« étonnement sublime » et, sur ce théâtre, le peuple spectateur est aussi acteur. La nature du lieu scénique et la réalité du spectacle qui y est donné en font pour beaucoup une horreur à laquelle aucun homme digne ne peut participer [245]. Dès 1789, on avait craint que la nouveauté de la machine n'attirât « sur la place publique l'horrible curiosité du peuple [246] » ; le problème le plus délicat que pose l'utilisation politique et théâtrale de la guillotine est en effet celui de son public : l'image du Peuple régénéré par la *catharsis* de l'échafaud ne s'accorde pas avec le comportement de la foule qui, plus encore qu'elle n'y assiste, participe pleinement à l'exécution. La guillotine n'aura pas, en définitive, réussi à donner corps au Peuple, la réalité sociale résistant trop à l'idéologie politique.

Aussi bien, dans l'analyse des mécanismes de théâtre qui sont en jeu autour de l'échafaud révolutionnaire, ce peuple tient une place privilégiée ; spectateur-acteur, toujours et omniprésent, son rôle change selon l'emplacement et l'utilisation diversifiée du lieu scénique. Informe ou polymorphe, animé de réactions qui oscillent entre celles d'un public distant et celles d'une assistance partie prenante, manifestant des comportements qui vont de l'agissement du « cannibale » à la dignité sublime du citoyen, le peuple, au nom de qui et pour qui le spectacle est donné, en est certainement le personnage principal.

Il n'aura donc pas, dans ces pages, de place à part, puisqu'il les occupe toutes. Il s'agit plutôt maintenant de dégager quels effets spectaculaires spécifiques engage la machine qui est l'autre vedette de ce théâtre. Seul le bourreau mérite une attention distincte, car il est, doublement, unique : maître d'œuvre assisté de ses aides, il est un acteur aussi singulier que la victime, mais il a, lui, le privilège de jouer toujours le même rôle, de répéter la tragédie.

1

LE PARCOURS

Comme toute activité théâtrale, le théâtre de la guillotine prend possession d'un lieu délimité ; il occupe une portion d'espace du tissu urbain au sein duquel a lieu sa représentation. Et, de même qu'un lieu scénique n'est pas nécessairement clos ou qu'il n'implique pas nécessairement une nette séparation entre l'aire de jeu et le public, de même le lieu scénique de la guillotine est réparti, mieux, étiré dans la ville selon une spatialité qui donne naissance à deux manifestations spectaculaires nettement différenciées : le parcours et sa déambulation lente, la place de l'échafaud où tout, brusquement, se fixe.

Bien avant l'échafaud qui n'en constitue que la dernière scène, montée sur tréteaux, le spectacle de la guillotine commence par le parcours qui, au travers de la cité, mène de la prison à l'emplacement de l'exécution. Phase la plus longue de la cérémonie, puisqu'elle dure en moyenne entre une heure et demie et deux heures, elle est aussi celle dont les rapports de police parlent le plus abondamment. Les exigences spectaculaires veulent d'ailleurs que son trajet soit relativement fixe, qu'il soit clairement réglé.

Un long rapport de police nous a transmis les plaintes que l'on entend devant les changements d'itinéraire qu'empruntent les cortèges pour se rendre de la Conciergerie à la place de la Révolution. Le reproche majeur semble tenir au fait qu'un parcours incertain ne respecte pas la règle de la délimitation d'espace propre au lieu scénique et qu'en le faisant sortir de ses limites connues de tous, on oblige certains citoyens à en être spectateurs malgré eux.

Ce rapport mérite d'être cité dans son ensemble car il

suggère bien l'atmosphère trouble qui entoure l'emploi de
la machine à décapiter, propice aux exploitations partisanes
comme à l'affleurement des craintes les plus archaïques –
nouvel indice que la machine « philosophique » échappe
dans ses effets aux intentions de ses promoteurs. Après
avoir indiqué, dans un premier rapport, qu'« on demande
que la charrette du bourreau ait une route invariable dont
les faibles puissent s'écarter », l'indicateur Perrière insiste :
    « J'insiste sur l'avis que je présentais hier de donner à
la charrette du bourreau une route invariable premièrement
parce que c'était un sentiment de plusieurs personnes bien
intentionnées qui s'étonnaient que cette route autrefois
fixe variât actuellement de la rue Saint-Honoré aux quais
et des quais à la rue Saint-Honoré.
    « En second lieu, parce que les aristocrates habiles à
profiter de tout se servent des accidents tels que celui
que j'ai rapporté hier [247] pour appeler adroitement l'attention du peuple sur le nombre des exécutions et l'apitoyer,
s'il est possible, sur le sort même de ses ennemis, en lui
rendant odieux ceux qui lui préparent son triomphe : " On
ne peut plus sortir, disent-ils, qu'on ne rencontre la
guillotine et ceux qu'on y conduit ; les enfants deviennent
cruels, et il est à craindre que les femmes enceintes
n'amènent des fruits marqués au col ou immobiles comme
des statues par suite des impressions fâcheuses qu'elles
éprouvent à la vue ou à la rencontre de ces tristes
objets. " Le peuple répond ordinairement à ces discours
où il ne voit que de la bonne foi et de l'humanité par
un air de méditation profonde qui peut produire des idées
et des sentiments très contraires à ceux qu'il doit avoir [248]. »
    Terrible et inattendu retournement de l'effet d'une
machine dont le père, Guillotin, aurait vu sa propre
naissance marquée par le traumatisme de sa mère enten-
dant les cris d'un homme roué sur la place de Saintes...
Le plus significatif tient cependant à ce que, par sa
fréquence, le spectacle de la guillotine détourne le peuple
des sentiments « qu'il doit avoir » : l'efficacité pédagogique
de la guillotine n'a pas réussi, en ventôse de l'an II, à
enraciner la « conscience publique » attendue.
    Traversant le cœur de Paris en empruntant le plus
souvent la longue et étroite rue Saint-Honoré, le parcours
est lent, au pas des chevaux, dans ces charrettes à
découvert. Très différent du galop évoqué par les Goncourt, il constitue la véritable *exposition* du condamné au

regard public avant son exécution, brève et lointaine ; c'est le moment de la visibilité la plus intense, bien plus dramatique en particulier que celle que constitue la peine d'exposition sur l'échafaud à la place de Grève : le cortège mène à la mort.

L'humanité des législateurs ne cherche nullement à annuler cette longue et terrible monstration. Il faut attendre 1832 pour que le préfet de la Seine considère que, « par des raisons d'humanité, ces lieux [d'exécution] doivent être choisis les plus près possible de la prison où sont détenus les condamnés [249] ». Pour l'heure, évoquant les processions d'Ancien Régime, le parcours de la cité demeure la première phase du cérémonial de la mise à mort.

Il est l'objet d'une curiosité considérable. Comme le note le baron de Frémilly, le 20 avril 1794, « au bruit des charrettes tout le monde courut aux fenêtres » ; et il raconte en détail le spectacle du 5 avril : « Ce fut dans la rue Saint-Honoré. Trois charrettes peintes en rouge, attelées de deux chevaux, escortées de cinq ou six gendarmes, traversèrent au pas une foule immense et silencieuse [...]. Chaque voiture contenait cinq ou six condamnés. Je ne me rappelle distinctement que la première parce que deux figures me frappèrent de surprise et d'horreur. L'une était celle de Danton, le Pompée de Robespierre, la grande victime du jour. Son énorme tête ronde fixait orgueilleusement la foule stupide, l'impudence était sur son front, et sur ses lèvres un sourire qui grimaçait de rage et d'indignation. L'autre était [...] Hérault de Séchelles, morne, abattu, la honte et le désespoir sur le front qu'il baissait jusqu'à ses genoux, les cheveux noirs, courts et hérissés, le col décolleté, vêtu à demi d'une mauvaise robe de chambre brune. Il m'apparut soudain tel que je l'avais vu au Parlement, quand il m'y reçut avocat : beau, jeune, élégant, dans la plus noble recherche de la coiffure et de la parure [...] [250]. »

Le baron de Frémilly assiste au passage d'une vedette de la Révolution ; mais il a raté de quelques jours un des cortèges les plus réussis du moment : le 25 mars – douze jours seulement avant Danton et ses partisans –, Hébert et les hébertistes passent rue Saint-Honoré : « Chacun voulait au moins les voir passer pour pouvoir juger de l'impression que faisait sur leur âme scélérate la vue d'un peuple immense, indigné de leur crime, et l'attente de la mort prochaine qu'ils allaient subir. Ainsi la foule des curieux qui se trouvaient sur leur passage ou qui assistaient à leur exécution était innombrable [251]. » Ce parcours d'Hébert montre bien comment le peuple n'est pas, dans cette phase, seulement public, comment il est aussi acteur de la procession, très fortement investi dans la réussite du spectacle : « Les sans-culottes en voulaient surtout à Hébert et lui disaient des injures. " Il est bougrement en colère, disait l'un, on lui a cassé tous ses fourneaux [...]. " D'autres avaient porté des fourneaux et des pipes et les élevaient en l'air pour qu'ils pussent frapper les yeux du Père Duchesne [252]. »

Perrière fait un rapport très différent : « Le peuple français, toujours grand, toujours bon, se contenta des cris *Vive la République !* sur le passage de celui qui l'avait joué d'une manière si cruelle et si scélérate [253]. » C'est qu'en bon républicain, Perrière tient à exalter la grandeur et la dignité du peuple ; il respecte ainsi et confirme ce que doit être le ton de cet épisode de la représentation pour répondre à sa fonction et à son intention politiques. Reprise laïque des processions de pénitents qui, sous l'Ancien Régime, accompagnaient les condamnés au supplice, le cortège du peuple qui suit les charrettes de Sanson doit assurer la grandeur de la cérémonie [254]. Par la majesté de son attitude au passage des criminels, le peuple qui fonde la République démontre son caractère « philosophique » et « humain ».

Tels sont, en tout cas, la leçon qu'est censée apporter la procession et l'effet qu'avait obtenu le parcours de Louis XVI ; *Le Magicien républicain* en donne une version républicaine exemplaire : « Jamais, non jamais, l'univers ne vit un spectacle si imposant et si majestueux. L'ordre et la tranquillité qui régnaient partout furent des sujets de surprise et d'admiration pour tous ceux qui en furent témoins : pas une seule personne n'élevait la voix ; tous au contraire conservaient le plus morne et religieux silence, lequel, avec le temps calme, mais sombre et nébuleux qu'il était alors, produisait un effet le plus surprenant que jamais mortel puisse voir, aucun autre bruit que celui des tambours et des trompettes ne s'étant fait entendre pendant tout l'espace de temps qu'employa le cortège pour se rendre à sa destination [255]. »

Ce texte est écrit en 1794 ; avec le recul, le cortège de Louis XVI prenait une majesté unique. Car une telle retenue du peuple est exceptionnelle et l'ensemble des rapports de police montre que la « philosophie » des spectateurs est plus un souhait qu'un constat. La répétition et la banalisation de la cérémonie ne peuvent d'ailleurs qu'en affaiblir le caractère éventuellement sublime puisque ce dernier est fondé sur la surprise et l'effroi.

La longueur du parcours, par ailleurs, entraîne des effets de théâtre fort différents : sa durée et son caractère dramatique peuvent susciter l'apparition de péripéties que la brièveté de l'échafaud interdit. Dans l'ensemble de la représentation, le parcours constitue le *temps du drame* – et même parfois du mélodrame – et l'espace de ce parcours la véritable aire de jeu théâtral. C'est de la prison à l'échafaud qu'a lieu la confrontation la plus rapprochée, la plus forte entre les deux groupes victimes / peuple, et ce rapprochement suscite une osmose au terme de laquelle les deux groupes forment un ensemble d'acteurs.

Ces péripéties sont parfois pathétiques et elles peuvent offrir comme un ultime réconfort aux victimes grâce à la sympathie de quelques personnes isolées dans la foule ; mais, le plus souvent, c'est la haine ou la joie vengeresse qui éclate de la manière la plus voyante. Ainsi, à la hauteur de l'Oratoire, une mère tient à bout de bras son enfant du même âge que le dauphin pour qu'il envoie un baiser à Marie-Antoinette ; mais, sur le parvis de Saint-Roch, une femme tente de cracher sur la reine [256]. Le cortège de Robespierre s'arrête à la hauteur de la maison où il a longuement habité ; des danses se forment autour de la charrette tandis qu'on asperge les murs de la maison à coups de balai trempé dans du sang de bœuf [257]. Bailly, descendu de la charrette surchargée par des madriers rajoutés au dernier moment, est renversé dans la boue, son habit mis en pièces et, à peine remonté sous la protection des gendarmes, il est couvert de projectiles [258].

Les *Mémoires de Sanson* qui racontent longuement cette dernière scène sont apocryphes, mais les rapports de police sont là pour confirmer la violence de ces manifestations et l'emportement du peuple-acteur déborde souvent l'intention sublime du spectacle [259]. Dès les premières exécutions politiques, en août 1792, la philosophie et l'humanité se préoccupent de rendre plus dignes l'instrument même et l'appareil de ce parcours [260] et, le 27 avril 1793, les *Révolutions de Paris* reviennent sur cet argument en des termes révélateurs : « On devrait bien aussi perfectionner le cérémonial de l'exécution et en faire disparaître tout ce qui tient à l'Ancien Régime. Cette charrette, dans laquelle on met le condamné, et dont on fit grâce à Capet ; ces mains liées derrière le dos, ce qui oblige le patient à prendre une posture gênante et servile ; cette robe noire, dont on permet encore au confesseur de s'affubler, malgré le décret qui défend le costume ecclésiastique : tout cet appareil n'annonce pas les mœurs d'une nation éclairée, humaine et libre. »

Ces conseils ne furent pas suivis d'effet. L'appareil théâtral du parcours est un *lieu scénique* et il doit, comme tel, mimer « l'image que se font les hommes des rapports spatiaux dans la société où ils vivent et des conflits qui sous-tendent ces rapports [261] ». Les cheveux coupés, les mains liées et la charrette de Sanson ne sont nullement indifférents, simplement commodes ou insignifiants : ils mettent en évidence le caractère infamant du cérémonial, et l'humiliation du parcours sera comme couronnée par la position couchée de la décapitation, substituée par la machine au noble agenouillement d'Ancien Régime. Puisque tout condamné, on l'a vu, est un complice des aristocrates, l'appareil de l'exécution a le mérite d'inverser socialement l'ancien privilège du cheval ou du carrosse, l'ancienne pratique du parcours royal de la ville où l'apparat de l'équipage démontrait la hiérarchie sociale. La charrette de Sanson fait ressurgir la *charrette d'infamie* médiévale, celle-là même où Lancelot monte tandis que Gauvain se refuse par raison au « trop vilain échange [...] d'un cheval pour une charrette ». Ce renversement de l'attribut hiérarchique mime l'humiliation sociale mise en scène dans le parcours et le plaisir populaire pris à ce spectacle en atteste l'efficacité : le peuple « est content » de suivre ces parcours [262].

La diversité parfois contradictoire des témoignages, loin de gêner l'analyse, permet de préciser les types de jouissances différenciées que prend le public à ces parcours. L'attitude réelle des condamnés y compte moins que la manière dont, aux yeux du peuple, ils tiennent leur rôle, dont ils jouent et mettent en scène leur humiliation. On peut en effet distinguer trois modalités de jouissance populaire : jouissance *vengeresse*, *sublime* et *révolutionnaire*.

La jouissance vengeresse

La jouissance vengeresse remplace la pitié éventuelle que pourrait inspirer le spectacle de l'adversaire humilié. Quand le condamné tient mal son rôle par rapport aux exigences idéologiques du programme, c'est-à-dire quand il opère une redondance physique de l'humiliation, quand l'interprétation qu'il propose du rôle ne fait que pléonasme par rapport à la situation dramatique, il ne suscite pas de pitié chez le public ; son jeu interdit toute sublimation de l'affect, il interdit que la passion éprouvée par le public puisse atteindre le registre sublime et se transformer en exaltation de la toute-puissance du Peuple et de sa Justice. La victime refuse d'intérioriser les données morales de son rôle, elle refuse de l'interpréter comme « grand exemple du respect dû aux lois », elle interdit du même coup au peuple de manifester sa magnanimité. La jouissance spécifique suscitée et exprimée par cette situation est la vengeance, double vengeance puisqu'elle jubile du châtiment imposé au traître et qu'elle condamne la faute commise par l'acteur contre le spectacle auquel il participe.

On ne doit pas s'étonner si c'est à propos d'Hébert que l'on enregistre cette réaction avec le plus de netteté. Jusque dans son écriture, *Le Père Duchesne* avait prétendu être la voix du peuple ; non seulement donc sa trahison – démontrée par le tribunal – est particulièrement scandaleuse, mais l'effondrement physique et moral d'Hébert durant le parcours est une atteinte à l'image même de ce peuple qu'il prétendait naguère représenter : preuve de la trahison de l'écrivain, cet effondrement humilie la figure du porte-parole devenu victime, du héraut condamné. La modalité vengeresse est donc clairement explicitée dans les comptes rendus des réactions populaires : « On cherchait à lire sur la physionomie des condamnés pour jouir, en quelque sorte, de la peine intérieure dont ils souffraient : c'était une espèce de vengeance qu'ils prenaient plaisir à se procurer. » « Après l'exécution, chacun parlait des conjurés. On disait : " Ils sont morts en couyons " ; d'autres disaient : " Nous eussions cru qu'Hébert eût montré plus de courage, mais il est mort en Jean Foutre. " [263] »

Cette lecture rapprochée des visages encore vivants, encore susceptibles de mines – et donc de mime – juste avant qu'ils ne soient fixés dans la mort, cette fascination jubilatoire à déchiffrer l'expression presque déjà comme en peinture, cette tentative d'identifier la passion du *moriturus* sont certainement une des dimensions les plus intenses du rapport qu'autorise le parcours de la ville et qu'interdit l'échafaud.

La jouissance sublime

Evidemment beaucoup plus rare, la jouissance sublime apparaît quand l'interprétation que le condamné donne de son rôle permet de faire surgir la visée symbolique la plus haute du cortège : la manifestation de la toute-puissance du Peuple. En intériorisant la leçon exemplaire que sa mort est censée donner et en manifestant cette acceptation par sa conduite également exemplaire, le condamné permet au public de sublimer sa passion. En de rares occasions, le cortège réalise cet équilibre entre le jeu de l'acteur et la participation du public. Le succès théâtral est alors à son comble car l'interprétation noble ou héroïque de son rôle par le condamné suscite en écho l'étonnement du public – cet étonnement de la sensibilité dont on a vu que Burke faisait le ressort principal de l'effet sublime [264].

Mais, pour que puisse se constituer cet effet sublime, le spectacle doit obéir à des conditions précises qui montrent combien l'émotion sublime est fragile, incertaine.

Le parcours de la charrette peut susciter en effet deux modes de jouissance sublime.

Le premier se manifeste quand les condamnés exaltent d'eux-mêmes la Révolution et la proposent comme modèle commun au public. C'est le cas de ces révolutionnaires qui vont à l'échafaud en chantant leur *chanson de guillotine*, couplets qu'ils ont écrits pour les chanter de la prison à l'échafaud. Déjà sublime dans la mesure où la dépense littéraire y est d'une rareté somptueuse, exaltée une dernière fois avant que le couperet ne tranche implacablement le cou à toute éloquence possible, la chanson de guillotine compte moins pour ce qu'elle dit que parce qu'elle met encore la Révolution en scène, qu'elle l'offre comme relais d'une ultime communication entre celui qui chante et ceux qui écoutent. La profonde efficacité d'entraînement de ces chansons est attestée non seulement par le fait qu'on en a conservé de nombreuses traces écrites, mais parce que certaines d'entre elles peuvent devenir des hymnes populaires, éventuellement complétés après coup. Ainsi la chanson de Girey-Dupré, rédacteur girondin du *Patriote français*, guillotiné le 20 novembre 1793, devient le noyau de l'hymne *Mourir pour la patrie !* et Charles Maurice signale, dans son *Journal*, que « les chanteurs des rues en ont assez longtemps propagé la mémoire [265] ».

Le second mode de jouissance sublime est suscité par ce que l'on pourrait appeler le modèle romain de la mort héroïque, celui où l'acteur donne une interprétation stoïcienne de son rôle.

C'est le modèle qui inspire Charlotte Corday, comme le montre le ton de ses dernières lettres de prison : « C'est demain à huit heures que l'on me juge, probablement à midi j'aurai vécu, pour parler le langage romain [...]. Au reste, j'ignore comment se passeront les derniers moments, et c'est la fin qui couronne l'œuvre [...]. Jusqu'à cet instant je n'ai pas la moindre crainte de la mort. Je n'estimai jamais la vie que par l'utilité dont elle devait être [266]. » Dans une défense d'un laconisme rare pour une cause aussi exceptionnelle, son avocat s'était borné à « une seule observation » : la seule circonstance éventuellement atténuante en faveur de Charlotte Corday est le *sublime* de son attitude, sans exemple dans la nature [267]. L'après-midi, le cortège de Charlotte Corday répond à cette interprétation et le peuple sait s'y montrer sublime, y dévoilant sa propre grandeur [268].

Le parcours de Mme Roland (8 novembre 1793) fut certainement l'un des plus sublimes : « Aucune altération apparente en elle. Ses yeux lançaient de vifs éclairs, un sourire plein de charme errait sur ses lèvres, cependant elle était sérieuse et ne jouait pas avec la mort [269]. » Renforcée par l'humiliation pléonastique de son compagnon de charrette, Simon François Lamarche, « tellement abattu par la terreur que sa tête semblait tomber à chaque chaos de la voiture [270] », anticipant donc comiquement l'instant de la décollation, l'interprétation de Mme Roland donne l'effet souhaité : admiration et profond silence, sublime [271].

Mais cette surprise sublime demeure l'exception.

La répétition quotidienne du spectacle des charrettes menant de la prison à l'échafaud interdit la gestion sublime de la jouissance. Non seulement le nombre des condamnés ne garantit plus leur fermeté, non seulement ce nombre évacue la surprise que doit susciter le héros sublime, mais l'implication du peuple dans l'action théâtrale du parcours le fait sortir de cette « distanciation », de cette situation réceptrice où se fonde la dignité impassible qui constitue le Peuple dans sa grandeur.

Par ailleurs, la surprise sublime est fragile car elle est située sur une limite difficilement définissable, en deçà ou au-delà de laquelle l'émotion se transforme catastrophiquement. Si le public, par exemple, interprète mal la dignité de l'acteur-victime, celle-ci retourne sa signification et, loin de manifester une admirable abnégation, le condamné ne montre plus qu'orgueil, audace, en un mot cette « insolence romaine » pleine de mépris pour le peuple, pour « ces infortunés [...] que l'insolence romaine appelait prolétaires [272] ». Au lieu de manifester, par son humiliation acceptée, la toute-puissance du Peuple, l'acteur-condamné semble la nier par une arrogance scélérate et l'émotion du peuple se renverse en *jouissance révolutionnaire* [273]. L'extrême fragilité propre à l'effet sublime explique en définitive comment la frange entre *jouissance sublime* et *jouissance révolutionnaire* est parfois très indécise, comment la *jouissance sublime* est demeurée l'exception alors qu'elle est idéologiquement la plus recherchée.

La jouissance révolutionnaire

Dans la *jouissance révolutionnaire*, la colère du peuple répond à l'arrogance, réelle ou supposée peu importe, de la victime qui outrepasse la règle de la retenue et qui utilise sa position privilégiée dans l'économie du spectacle pour en dénaturer le sens. Devenant pleinement acteur à son tour, le peuple prend alors la parole et réaffirme son invincible puissance avant même que celle-ci ne triomphe sur l'échafaud.

Marie-Antoinette fut impassible durant tout le trajet et Rougyff regrette que le peuple ne lui ait pas répondu par une impassibilité équivalente [274]. C'est que, sans parler de la haine diffuse et violente contre l'Autrichienne, son calme a été perçu comme de la hauteur, du mépris auquel la meilleure réponse devenait l'abjection de la réplique. Exemplaire de ce point de vue, la lettre d'un citoyen d'Argentan à son comité : « La garce a fait aussi belle

fin que le cochon à Godille, le charcutier de chez nous,
elle a été à Le cha fau [sic] avec une fermeté incroyable
[...]. Elle a traversé presque tout Paris en regardant le
monde avec mépris et Dédain [...]. La coquine a eue la
fermeté j'usquà Le Cha Fau sans Broncher[275]. » L'ortho-
graphe même compte ici : elle est la trace première des
enjeux sociaux du conflit, de ce sentiment populaire auquel
Hébert donne une forme littéraire plus achevée en tentant
de proposer un « degré zéro » de l'écriture : « La garce,
au surplus, a été audacieuse et insolente jusqu'au bout.
Cependant les jambes lui ont manqué au moment de faire
la bascule pour jouer à la main chaude [...]. Sa tête
maudite fut enfin séparée de son col de grue et l'air
retentissait des cris de *Vive la République,* foutre[276]. » En
répondant au mépris, l'abjection confirme les deux parties
dans leur position sociale : le peuple joue le rôle que
Marie-Antoinette s'attendait à lui voir jouer parce qu'elle
joue le rôle qu'il s'attendait à lui voir jouer – et
réciproquement...

Cette jouissance est proprement révolutionnaire car elle
ne met à la limite rien d'autre en scène que l'affrontement
politique ou de classe dont la Révolution vise à être la
solution. Confirmant que cette solution ne peut être que
violente, ce type de parcours a donc son utilité politique
puisqu'il démontre la justesse des jugements de mort
rendus par le Tribunal révolutionnaire[277].

Evidemment cette colère révolutionnaire, en suscitant
péripéties et incidents, permet les parcours les plus dramatiques, animés par des dialogues improvisés où le peuple
prend la parole pour confirmer qu'il fait l'histoire : « Un
condamné avant de monter dit aux assistants : " Adieu,
sans farine ! " Un citoyen indigné lui réplique : " Si nous
sommes sans farine, tu vas éprouver que nous ne sommes
pas sans fer. "[278]» De tous les comportements observés,
celui qui surprend le plus aujourd'hui est sans doute
l'insouciance des condamnés et, parfois, leurs rires. Tour-
nant en dérision la grandeur de la justice révolutionnaire,
cette joie suscite en réplique une indignation bien sentie.
Les rapports de police signalent de nombreux cas où les
condamnés dansent sur la charrette (28 ventôse an II),
font des farces (22 ventôse), rient entre eux et se moquent
du public : « Aujourd'hui cinq personnes condamnées par
le Tribunal révolutionnaire montaient dans la voiture de
l'exécuteur, dont une très grande femme ayant l'air d'une

étrangère. Lorsqu'il lui prêta la main pour l'aider, elle le [*sic*] serra contre elle dans ses mains ; elle se mit à rire. Trois des autres se parlaient et se regardaient en riant d'entendre le public crier : A la guillotine ! Un d'eux dit : " Va, ce sera bientôt ton tour. " " Peut-être demain ", dit l'autre, que l'on dit être un fournisseur de l'armée. Ce sont des voleurs de l'armée que l'on voit punir sans peine [279]. »

Il n'est pas jusqu'aux *chansons de guillotine* qui ne soient prétexte à plaisanteries. On ne sait pas trop quelles furent les réactions du peuple à celle de Danton, très heureux d'ailleurs pour la chute du couplet :

> Nous sommes menés au trépas
> Par quantité de scélérats,
> C'est ce qui nous désole,
> Mais bientôt le moment viendra
> Où chacun d'eux y passera,
> C'est ce qui nous console.

On peut aussi s'interroger sur l'effet qu'auraient suscité les couplets écrits par Louis Bernard Magnier, agent du Comité de salut public, traduit devant la commission militaire en prairial de l'an III :

> (Air des *Ports à la mode*)
> Demain Sanson, d'un air benêt,
> Me dira : Faut que j'te tonde ;
> Tu pourras l'ami, s'il te plaît,
> Terroriser dans l'autre monde.

> (Air *Bonsoir la compagnie*)
> Je suis d'autant mieux consolé
> Que je me vois sacrifié
> Pour ma chère patrie.
> Voilà la planche qui m'attend,
> Je vais m'y présenter gaiement ;
> Plus de tourment, plus d'agrément ;
> Bonsoir la compagnie [280] !

En tout état de cause et quelle que soit la modalité selon laquelle était joué le parcours, son spectacle fonctionne de manière à assurer l'émergence, dans le peuple, de la conscience de sa toute-puissance et de son rôle historique : le plaisir vengeur humilie effectivement le condamné et en guette les traces sur son visage défait ;

la jouissance sublime exalte l'obéissance grandiose à la loi, la colère révolutionnaire fortifie la juste indignation devant l'arrogance du traître à la patrie. Le peuple ne s'y manifeste pas toujours comme Peuple, dans sa grandeur sublime ; mais il y court, s'y rassemble et, selon l'interprétation que donne le condamné, il y joue son propre rôle.

Après l'Empire, après la Restauration, la monarchie de Juillet signera vraiment, sur ce point, la fin de la Révolution : la guillotine y perd toute valeur politique et devient, finalement, cet objet social et humanitaire auquel songeait Guillotin. Un texte suffit à l'attester : les « Considérants » du préfet de la Seine qui enlève la guillotine de la Grève, donc du cœur même de la cité, devant l'Hôtel de Ville, pour l'installer à la porte de la ville la plus proche de la prison et réduire ainsi au minimum le parcours tout en éloignant de la vue du plus grand nombre le spectacle final :

« Considérant que la place de Grève ne peut plus servir de lieu d'exécution depuis que de généreux citoyens y ont glorieusement versé leur sang pour la cause nationale ;

« Considérant qu'il importe de désigner de préférence des lieux éloignés du centre de Paris et qui aient des abords faciles ;

« Considérant en outre que, par des raisons d'humanité, ces lieux doivent être choisis le plus près possible de la prison où sont détenus les condamnés [...] [281]. »

Le préfet a beau invoquer la mémoire des citoyens qui, avec les Trois Glorieuses, ont chassé Charles X du trône, la bourgeoisie et sa monarchie éloignent l'instrument de la justice révolutionnaire. La guillotine décidément n'est plus politique : elle s'embourgeoise.

2

L'ÉCHAFAUD

> « Arrivé sur le théâtre, il répéta les mêmes
> mots : *Eh bien oui ! au foutre la République et
> vive le Roi*, et, se tournant vers l'exécuteur :
> *Allons, guillotine-moi !* »
>
> *Le Thermomètre du jour*, 7 mai 1793.

Dressé en hauteur, avec la « guillotine debout » selon
l'expression réussie des Goncourt, l'échafaud est la visée
ultime du parcours et de ses détours, son inéluctable point
d'aboutissement, le lieu immobile où se joue le dernier
acte. D'un coup, la représentation y change de rythme et
de signification ; pour user de termes cinématographiques,
le parcours constituait un long travelling rapproché, l'échafaud est l'objet d'un plan fixe et lointain. La mise en
œuvre spectaculaire du spectacle change de règles et vise
des effets différents : tout l'emploi du lieu scénique est
aménagé et géré autrement ; un rapport nouveau se crée
entre victime et public.

Le choix même du lieu où est planté l'échafaud et
l'histoire de ses déplacements dans Paris sont significatifs.
Alors que la guillotine bonne pour les crimes de droit
commun demeure en place de Grève, la guillotine politique
a, d'emblée, un emplacement qui lui est propre ; c'est
seulement après la chute de Robespierre que l'on abolit
cette différenciation, la guillotine politique fonctionnant
également place de Grève. Cette distinction confirme, s'il
en est besoin, la spécificité voulue de l'exécution jacobine :
elle exige un lieu neuf qui n'ait jamais été utilisé de la
sorte précédemment. La banalisation propre à la machine
s'exerce certes, mais à l'intérieur d'une sphère de connotations clairement calculées par les autorités.

Dès la première série d'exécutions politiques, celles qui
suivent la journée du 10 août, l'échafaud est installé place

du Carrousel (alors place de la Réunion). Le 17 août est créé un tribunal spécial pour juger les crimes de cette journée historique ; sur les trente-deux cas qui lui sont soumis, il prononce, jusqu'au 29 septembre, date de sa dissolution, quinze acquittements et dix-sept condamnations à mort. L'inauguration de la guillotine ordinaire avait déçu l'attente du public, l'inauguration de la guillotine politique connaît au contraire un franc succès, dû manifestement non pas au spectacle même, mais à cette dimension nouvelle, politique [282].

La première exécution a lieu le 21 août et, dès le 23, il est décidé que l'échafaud restera dressé en permanence sur la place, « à l'exception du coutelas que l'exécuteur des hautes œuvres sera autorisé d'enlever après chaque exécution [283] ». Prise pour des raisons de commodité pratique, cette décision n'en est pas moins significative : elle risque d'entraîner le fonctionnement conjoint de deux guillotines – l'une en Grève, l'autre au Carrousel –, mais elle assure un prestige incomparable à la guillotine politique ; même dépourvu de son coutelas, le châssis de la machine reste toujours visible et il rappelle l'immuabilité des principes qui inspirent la justice de la Révolution – d'autant que, après les massacres accomplis dans les prisons du 2 au 5 septembre, cette visibilité permanente de la guillotine confirme au peuple la confiance qu'il doit avoir en l'Assemblée, elle lui rappelle combien la justice de la Raison doit l'emporter sur ces exécutions sommaires où il s'avilit.

Par ailleurs, en installant explicitement la machine sur le « théâtre du crime » pour en faire le « lieu de l'expiation [284] », l'Assemblée souligne que la place du Carrousel devient à son tour le *théâtre de la justice* ; chaque changement de lieu aura donc une signification précise.

Jusqu'au 10 mai 1793, durant huit mois et demi, la guillotine demeure place du Carrousel ; elle n'est déplacée qu'en deux occasions exceptionnelles : le 11 novembre 1793 au Champ-de-Mars pour l'exécution de Bailly, et le 21 janvier sur la place de la Révolution, pour celle du roi.

Cette dernière installation répond d'abord à un souci de sécurité. Le bruit court que les royalistes tenteront un coup de force pour sauver Louis XVI. On fait réquisitionner les gardes, on interdit toute présence aux fenêtres et on préfère éviter au cortège le parcours tortueux des petites rues qui, au cœur de la ville, entourent la place du Carrousel : du Temple, où est enfermé le roi, à la place de la Révolution, l'itinéraire est beaucoup plus sûr qui emprunte la rue du Temple, les boulevards et la rue Royale. Mais ce choix n'obéit pas seulement à des considérations d'ordre pratique ; la place s'appelait auparavant place Louis-XV et on y avait déjà abattu la statue équestre du monarque : l'immensité du lieu permet d'accueillir une foule considérable pour assister au passage de la destruction symbolique de la royauté à la mort réelle de Louis le Dernier.

En installant, le 11 novembre 1793, la guillotine au Champ-de-Mars, on faisait encore du « théâtre du crime » le « lieu de l'expiation », puisque Bailly est exécuté pour la fusillade du 17 juillet 1791. Cette exécution est d'ailleurs accompagnée d'un cérémonial exceptionnel : il est prévu que le drapeau rouge – indiquant la loi martiale en vertu de laquelle la force armée avait tiré sur le peuple sans sommations – « serait attaché derrière la voiture et traîné jusqu'au lieu d'exécution », puis brûlé sous les yeux de Bailly avant sa décapitation. La volonté politique porte une atteinte singulière au principe humanitaire de la brièveté du supplice[285].

Ce n'est pas non plus sans raisons significatives que, le 17 mai 1793, la guillotine quitte définitivement la place du Carrousel pour la place de la Révolution, où elle demeure un peu plus d'un an, jusqu'au 9 juin 1794.

Ce départ est directement lié à l'installation des députés dans la salle des Machines du château des Tuileries : dès le premier jour, ils s'étaient trouvés contraints d'assister à une double décapitation. Un décret est immédiatement adopté qui éloigne la machine de leur vue et met entre l'Assemblée et la place de l'exécution toute la distance du jardin des Tuileries[286]. Cette décision confirme combien il est difficile de faire se rencontrer, autour de la guillotine, la représentation nationale, le peuple et le Peuple ; non seulement en effet le représentant ne supporte pas le spectacle auquel court l'homme du peuple, mais la représentation nationale voudrait que le peuple se métamorphose en Peuple au travers d'un spectacle dont elle ne supporte pas elle-même la vue. De quel ordre peut être dès lors la représentation de la justice nationale en acte sur la place, si le corps de la représentation nationale n'en supporte pas la vue ?

En juin 1794, l'échafaud quitte la place de la Révolution, à l'extrémité occidentale de la ville, et, en deux étapes très rapides, il est transporté à l'extrémité orientale. Le 9 juin 1794, il est installé place Saint-Antoine (actuellement place de la Bastille) ; il y reste trois jours et, le 13 juin, il est planté à la Barrière du Trône renversé (aujourd'hui place de la Nation).

Les raisons de ce voyage éclair sont révélatrices. Ces emplacements sont censés avoir une portée politique facilement identifiable [287], mais il y a plus, et plus profond : les révolutionnaires ont du mal à contrôler la gestion d'une machine excessivement investie par l'imaginaire. Le premier déplacement tient à ce que la Terreur ne parvient pas à faire coïncider les deux *sublimes* contradictoires dont elle se réclame ; extraordinairement rapide, le second déplacement souligne la divergence de plus en plus forte entre les décisions de l'Assemblée et les pratiques ou les réactions du peuple.

Le 9 juin 1794, l'échafaud quitte la place de la Révolution. La date n'est pas indifférente. On est le 21 prairial an II, le lendemain de la fête de l'Etre suprême organisée précisément place de la Révolution, et la veille du vote de la fameuse loi du 22 prairial portant réorganisation du Tribunal révolutionnaire. Cette concomitance montre qu'il est impossible de concilier le spectacle sublime qu'a offert, le 20 prairial, la réunion du « premier peuple du monde » et celui de ce même peuple jubilant devant les flots de sang (impur) qu'on verse en son nom.

Il suffit d'écouter l'éloquence avec laquelle Robespierre célèbre la journée du 20 prairial : « Ce jour avait laissé sur la France une impression profonde de calme, de bonheur, de sagesse et de bonté. A la vue de cette réunion sublime du premier peuple du monde, qui aurait cru que le crime existait encore sur la terre [288] ? » Qui donc aurait compris qu'on laissât en ce même lieu l'instrument châtiant le crime ? L'efficacité de l'opération de régénérescence étant démontrée par le spectacle du 20 prairial, il faut donc que, dès le 21, l'instrument qui va fonctionner à une cadence encore plus soutenue grâce à la loi du 22 ne souille plus d'un sang impur la terre consacrée par la messe de l'Etre suprême. Car les monstres se refusent à une telle communion ; il faut faire disparaître définitivement et au plus vite toute trace de ces « vices privés » dont chaque guillotiné est un exemple [289]. La chirurgie doit devenir d'autant plus violente que le peuple a commencé sa métamorphose en Peuple ; mais le sublime de la guillotine chirurgicale ne peut décidément pas être celui de la communion touchante : le glaive de la liberté change d'emplacement...

Trois jours plus tard, la machine quitte la place Saint-Antoine pour la Barrière du Trône renversé. Politiquement pourtant, la place Saint-Antoine semblait particulièrement bien trouvée ; la raison de cet abandon rapide est d'un autre ordre : la quantité de sang répandu sur la place en ce début d'été suscite des difficultés aussi variées qu'imprévues.

La loi de prairial crée une brusque accélération des exécutions, alors que son chiffre était déjà en nette augmentation. Il y avait eu, en germinal, cent cinquante-cinq condamnations contre cinquante-neuf acquittements ; en floréal, on en compte trois cent cinquante-quatre contre cent cinquante-cinq ; en prairial, la loi n'entrant en application que pour les derniers jours du mois, cinq cent neuf condamnations contre cent soixante-quatre acquittements ; en messidor, sept cent quatre-vingt-seize contre deux cent huit et, dans les neuf premiers jours de thermidor, trois cent quarante-deux condamnations pour quatre-vingt-quatre acquittements. Il est vrai qu'on oublie parfois trop facilement le nombre d'acquittements prononcés par le Tribunal révolutionnaire ; il n'en reste pas moins que le nombre quotidien d'exécutions croît alors dans une proportion remarquable : cinq par jour en moyenne pour germinal, dix-sept en prairial, plus de vingt-six en messidor, trente-huit en thermidor. En trois jours, place Saint-Antoine, la guillotine a décapité soixante-treize condamnés... [290].

Un tel rythme transforme la nature du spectacle et il suscite une résistance inattendue du corps social.

Il est difficile que le spectacle de la guillotine continue d'être sublime car l'étonnement – nécessaire à l'apparition d'un tel sentiment – ne peut plus être celui d'une surprise devant la rareté grandiose d'un événement ; la surprise ne peut plus venir que de l'effrayante régularité de la machine ; mais, à se répéter quotidiennement, l'orage risque d'émousser l'effroi.

Dès 1790, Camille Desmoulins avait souligné ce risque

et, fait remarquable, il attirait déjà l'attention sur l'affa-
dissement de l'aspect spectaculaire de l'exécution. Marat
venait d'énoncer le processus mécanique qui caractérisera,
bien plus tard, la Terreur : « Il y a six mois, cinq à six
cents têtes eussent suffi pour vous retirer de l'abîme.
Aujourd'hui que vous avez laissé stupidement vos ennemis
implacables se mettre en force, peut-être faudra-t-il en
abattre cinq à six mille ; mais fallût-il en abattre vingt
mille, il n'y a pas à hésiter un instant [291]. » Desmoulins
réplique aussitôt : « Monsieur Marat [...]. Vous êtes le
dramaturge des journalistes ; les Danaïdes, les Barmécides
ne sont rien en comparaison de vos tragédies. Vous
égorgez tous les personnages de la pièce et jusqu'au
souffleur ; vous ignorez donc que le tragique outré devient
froid [292] ? » On pense ici à la fameuse formule de Saint-
Just selon laquelle « l'exercice de la Terreur a blasé le
crime, comme les liqueurs fortes blasent le palais [293] ».
Mais, après prairial, c'est le spectateur qui ne peut qu'être
blasé, à moins qu'il ne soit *cannibale* et ne contredise
donc la fonction du spectacle [294].

Les grandes fournées de la Terreur pourraient faire
songer à des massacres historiques aussi célèbres, tel celui
de la Saint-Barthélemy. Mais leurs caractères sont très
différents et la Saint-Barthélemy évoque davantage les
massacres de septembre. Les fournées ne sont nullement
une explosion brutale de mort ; elles ont bien plus l'allure
d'une sérialisation neutre, d'une production régulière de
mort où la fiabilité de la machine est mise au service
d'une industrialisation de l'exécution capitale, indéfiniment
et identiquement répétable. La fidèle machine confirme la
réussite technique du docteur Louis, mais elle subit une
incontestable dégradation symbolique dont l'éloignement
préventif de l'échafaud à la Barrière du Trône renversé
est l'indice.

La situation n'est pas sans évoquer le (lent) processus
par lequel la guillotine sera finalement soustraite aux yeux
du public : après avoir, en 1832, raccourci le parcours
autant que possible, on décide, en 1851, de placer
l'échafaud devant la porte de la prison puis, en 1872, on
supprime l'échafaud et on monte la guillotine à même le
sol, réduisant considérablement la visibilité pour les spectateurs qui ne sont pas au premier rang. En 1899,
commence une campagne pour que les exécutions aient
lieu à l'intérieur de la prison afin que « nulle curiosité

malsaine » n'encourage le « cabotinisme suprême [295] » dont peuvent faire preuve certains condamnés. Ce n'est qu'en 1939, après l'exécution surabondamment photographiée de Weidmann, que le ministre de la Justice décide de cacher définitivement l'exécution au public.

Ce choix ultime portait un coup grave à l'argument rebattu de l'exemplarité de la peine et, surtout, de l'exécution ; mais il tirait les conséquences des conceptions de la justice bourgeoise qui, lentement mûries au cours du XIXᵉ siècle, visent à substituer l'idéologie de la surveillance et de la punition à celle du châtiment réparateur et exemplaire : la guillotine devenait enfin cette « machinerie des morts rapides et discrètes » déshabillée du « grand rituel théâtral » dont l'avait habillée la Révolution [296].

Pourtant, si cette évolution est logique au sein d'une pensée bourgeoise et si elle prélude à l'abolition pure et simple de la peine de mort, on est surpris de la voir s'esquisser au plus fort de la Terreur. Le déplacement final de la place Saint-Antoine à la Barrière du Trône renversé est l'indice peut-être le plus sûr du désaccord qui éclate entre l'exigence du politique et la pression grandissante du social [297].

Car c'est bien le corps social qui exige le départ de la guillotine loin de la place Saint-Antoine. Les habitants du quartier refusent la proximité de l'échafaud essentiellement pour des raisons d'hygiène : la quantité de sang répandu, trop abondante pour être rapidement absorbée par le sol, fait craindre que son « odeur méphitique » ne soit source d'épidémie [298]. Mais cette préoccupation n'est pas la seule, comme l'atteste la répugnance que la population manifeste à l'idée d'être voisine des cimetières de décapités [299] ; certes, si l'on pense au nombre quotidien de cadavres déposés et aux conditions précaires de leur « mise en terre », on conçoit que cette répulsion soit également liée à des préoccupations d'hygiène ; mais il y a plus puisque, par exemple, les voisins du cimetière des Errancis (parc Monceau) ne protestent que le jour où ils apprennent que les décapités sont enterrés près de chez eux, après avoir été déposés à la Madeleine et transportés, de nuit, dans leur cimetière... [300].

On verra que la guillotine révolutionnaire fait apparaître des fantômes au pied de l'échafaud. L'imaginaire macabre oriente la conscience publique dans des directions contraires à l'intention politique qui anime le couperet : la saignée nationale ne donne pas les effets escomptés. Dans les deux derniers mois de la Terreur jacobine, cette situation éclate au grand jour : le théâtre de l'échafaud contredit sa fonction dans la mesure où, à ses pieds, le peuple ne peut plus être que cannibale ou superstitieux. Perdant la dimension sublime qui lui assurait sa valeur cathartique, l'échafaud risque de ne plus faire surgir chez son spectateur assidu que la férocité de ce cannibalisme qui est, précisément, le premier risque idéologique que court le peuple, facilement réduit au rang de populace. Le problème avait été posé, dès 1789, en termes traditionnels [301] ; il est frappant de voir Prudhomme reprendre l'argument en avril 1793 ; les termes sont presque identiques, mais ils sont enrichis par l'expérience [302]. Mais il n'y eut, en avril 1793, que neuf décapitations place du Carrousel... Que pensait Prudhomme en juin 1794 ? Qu'aurait-il écrit si les *Révolutions de Paris* ne s'étaient prudemment interrompues le 28 février de la même année ? Qu'aurait-il écrit alors même que les bourreaux se plaignaient de devoir trop vite renouveler leur habit, violemment attaqué par le sang qui le couvrait chaque jour [303] ? Et qu'aurait-il pensé de ce redoublement de férocité dû au fait que le « spectacle du sang » continue alors même que le tombereau de cadavres est déjà parti ? Car « le sang des suppliciés demeure sur la place où il a été versé [...]. Des chiens viennent s'en abreuver et [...] une foule d'hommes repaissent leurs regards de ce spectacle qui porte les âmes à la férocité [...] [304] ».

L'emploi industriel de la machine suscite des comportements contraires à ce que vise le théâtre moral de la guillotine. Le comble est atteint quand la machine fait ressurgir des préjugés que l'on croyait détruits et qu'elle replonge ses spectateurs dans la superstition : « Préjugés populaires. Il paraît qu'ils ne sont pas encore tous détruits et que même on cherche à les entretenir. Un citoyen racontait hier dans le groupe de la guillotine qu'il n'avait jamais pu déterminer son camarade à s'approcher du lieu où l'on plante l'échafaud, parce qu'on lui avait dit que plusieurs de ces exécutés revenaient [...] [305]. »

Le discours politique sur la guillotine, celui qui est tenu à l'Assemblée, continue jusqu'au bout de lui donner une fonction grandiose ; mais les conversations au pied de l'échafaud ou, le soir, dans les cabarets disent tout autre chose. Entre les deux, le spectacle intervient et un jeu complexe se noue entre ce que l'on voit (mal), ce que l'on imagine et le récit que l'on en fait, l'histoire qu'on en raconte.

Mise en scène

Malgré la surélévation de l'échafaud, malgré la clarté géométrique du couloir où glisse le couteau, malgré la préparation du condamné qu'il faut coincer à sa planche, soulignant que l'instant approche, le spectacle ultime de la guillotine se réduit pour la plupart des spectateurs à un flot de sang accompagné d'un son, le bruit sourd du couteau frappant le support après avoir tranché la tête [306]. Or l'exécution publique doit être édifiante ; le théâtre de la guillotine exige donc que, sur l'échafaud, une mise en scène corrige la déficience spectaculaire de la machine. Non seulement la phase finale est trop rapide pour être clairement perçue, mais la disposition des acteurs – condamné couché, bourreaux debout de part et d'autre – contribue à masquer l'événement [307]. Estrades avec places de location et lorgnettes doivent permettre de mieux voir ; mais il faut parfois davantage et, quand la victime en vaut la peine, on corrige le déroulement mécanique de l'opération.

L'immédiateté du clin d'œil de la guillotine peut ainsi être retenue, suspendue et, à la demande du peuple, le bourreau peut étirer l'instant de la décapitation pour lui faire retrouver, brièvement, une part de la durée des anciens supplices. Cette intervention sur le jeu de la machine constitue un détournement de la loi ; elle demeure donc exceptionnelle et elle est le fruit de la « colère vengeresse » qui exige sa jouissance propre.

En un cas au moins, ce résultat a été obtenu grâce à un maniement judicieux du mécanisme machinal lui-même. On ne doit pas s'étonner si ce cas fut celui d'Hébert, plus traître encore que tous les autres scélérats puisqu'il avait prétendu au rôle de porte-parole du peuple. Les conditions de son exécution montrent comment le peuple a conçu, à son égard, une abominable variation *ante litteram* sur le thème *O temps ! suspends ton vol !* L'humanité prêtée à Sanson par les auteurs de ses *Mémoires* ne peut qu'adoucir la version de l'épisode, mais le rapport de Perrière montre avec quelle facilité on a réussi, le 24 mars 1794, à faire durer l'instant : « Hébert fut réservé pour le dernier et les bourreaux, après lui avoir passé la tête dans l'anneau fatal, répondirent au vœu que le peuple avait exprimé de vouer ce grand conspirateur à un supplice moins doux que la guillotine, en tenant le couperet suspendu pendant plusieurs secondes sur son col criminel, et faisant tourner pendant ce temps leurs chapeaux victorieux autour de lui et l'assaillant des cris poignants de *Vive cette République* qu'il avait voulu faire périr [308]. »

Cette vengeance sur l'échafaud prolonge le plaisir vengeur qui accompagnait le parcours d'Hébert et la violence de cette attitude est d'autant plus exemplaire que le peuple s'indigne, on le verra, quand, en d'autres occasions, la machine ne coupe pas du premier coup.

Le cas d'Hébert, pourtant, ne peut être qu'exceptionnel car la loi fixe l'instantanéité de l'exécution. C'est pourquoi, d'une manière générale, on corrige cette instantanéité *avant* et *après* l'intervention du couteau : *avant* par l'utilisation que fait l'acteur principal de sa position surélevée pour avoir le « dernier mot » ; *après* par le geste lourdement chargé de signification par lequel le bourreau, reprenant la tête, la montre au public.

Parmi les vedettes de la Révolution, un certain nombre ont eu des *mots* célèbres. Le mieux connu est celui de Danton qui, sur l'échafaud, anticipe le rituel de l'exécution et atteint sublimement un *après* où il ne serait plus, mais où il serait encore par la grâce de cette seule phrase : « N'oublie pas surtout, n'oublie pas de montrer ma tête au peuple : elle est bonne à voir [309]. » On sait moins souvent que la formule célèbre *O Liberté, que de crimes commis en ton nom !...* est lancée par Mme Roland à la *Liberté* de plâtre qui avait remplacé la statue équestre de Louis XV. Très peu de gens savent qu'Olympe de Gouges aurait regardé les arbres des Champs-Elysées avant de murmurer : « Fatal désir de la renommée ! J'ai voulu être quelque chose [310] ! »

L'important n'est pas tant de dresser la liste de ces mots ni d'en vérifier l'authenticité que d'en enregistrer le besoin, dans le public comme chez l'acteur. Car il est bien clair que la plupart de ces mots n'ont pas été entendus et qu'ils ont donc été prêtés aux victimes. C'est encore ce que suggère Arnault dans son compte rendu du dernier mot de Danton : « [...] ses dernières paroles, paroles terribles que je ne pus entendre, mais qu'on répétait en frémissant d'horreur et d'admiration : " N'oublie pas surtout, n'oublie pas... " »

Mais qui a pu entendre cet *avant-dernier* mot, prononcé au bas de l'échafaud, alors qu'un gendarme veut séparer Danton du compagnon auquel il donne le baiser d'adieu : « Tu n'empêcheras pas du moins nos têtes de se baiser dans le panier [311] » ?

Le mot est sans doute prêté. Mais c'est, si l'on ose dire, un prêté pour un rendu. Car le *dernier mot* répond à un profond besoin de l'imagination révolutionnaire : le sublime encore, sous sa forme rhétorique cette fois. Dans ce *dernier mot*, la rhétorique révolutionnaire atteint en effet le *comble* de son sublime, le moment où elle s'engendre de sa propre limite : le couperet de la guillotine, qui tranche toute parole, tout discours.

L'effet du dernier mot est d'autant plus fort que, en réduisant toute parole au laconisme supérieur du silence, la guillotine manifeste le principe rhétorique fondamental d'un vrai gouvernement révolutionnaire ; Saint-Just l'a dit en effet : « Il est impossible que l'on gouverne sans laconisme [312]. »

La perfection voudrait que le *dernier mot* du condamné soit coupé par le couperet même ; ce serait l'instant où, s'annulant dans son énonciation, la rhétorique atteindrait un comble de son énoncé : le *point* même, dans sa version suspendue et, donc, sublime encore... Ce point de suspension assure à la version royaliste le caractère sublime du dernier mot de Louis XVI ; il est remplacé, dans la version républicaine, par le cri du monstre qui ne veut pas mourir [313] ; on ne doit donc pas s'étonner de voir renaître ce cri avec Robespierre, l'autre tyran devenu à son tour un monstre assoiffé de sang : « Le bourreau, après l'avoir attaché à la planche et avant de lui faire bascule, arracha brusquement l'appareil mis sur sa blessure. Il poussa un rugissement semblable à celui du tigre mourant et qui se fit entendre aux extrémités de la place [314]. » Le cri du tigre mourant, revers monstrueux de l'éloquence et du silence sublimes.

L'effet de ce dernier mot est renforcé du fait que l'instant du silence est immédiatement suivi par le geste du bourreau montrant la tête au peuple. Lourd de conséquences pour la réputation du bourreau, ce geste constitue également un remarquable enrichissement théâtral. Accompagné de la clameur publique qui atteste le succès de l'opération et du spectacle – d'une manière point trop différente des acclamations qui suivent la dernière note d'un concert ou d'un opéra –, l'ultime geste du bourreau reprend la tête coupée et l'élève à nouveau pour la montrer, muette, au peuple. Il donne *de quoi voir* : annulant glorieusement la chute de la tête monstrueuse, sa monstration conclut le cours événementiel de l'exécution en en fixant l'instant fatal, en le renversant visuellement et symboliquement.

L'estampe révolutionnaire apporte un témoignage spécifique sur la valeur politique de ce geste de théâtre. Les gravures d'inspiration royaliste s'attardent de préférence sur les ultimes moments de la vie du supplicié et donc, le plus souvent, sur son *dernier mot* ; les estampes d'inspiration révolutionnaire répètent mécaniquement le geste de la monstration et en font un des thèmes favoris de l'imagerie édifiante du nouveau régime. Certes ce geste est la phase la plus aisément représentable de l'exécution puisque la mort même n'est pas visible et que la position du condamné rend moins commode à représenter l'instant précédant la décapitation – à la différence de ce qui se passe pour les décapitations d'Ancien Régime où le bourreau est souvent représenté levant l'épée, le condamné à genoux... Mais si le choix de l'estampe révolutionnaire s'est porté sur ce geste, c'est aussi parce que, *dans le champ des images*, ce geste du bourreau, tenant la tête à bout de bras, possède une tradition propre, confirmant et développant les résonances imaginaires de la « monstration du monstre » : c'est le geste, bien connu, de Persée tenant à bout de bras la tête pétrifiante de Méduse et venant ainsi à bout du tyran Polydectès. Cette gestuelle fige – et l'image fixe – la conclusion médusante d'un théâtre rituel adressé à tous ceux qui « regrettent la tyrannie [315] ».

Le moyen le plus efficace cependant de corriger la déficience spectaculaire de l'exécution consiste à en faire un récit où le narrateur met en scène ce qu'il n'a pas (ou mal) vu. L'échafaud produit ainsi des narrations dont la valeur documentaire porte moins sur la réalité des faits que sur la nature des fictions dont la guillotine est génératrice.

Au plus près de l'événement, les témoignages les plus

révélateurs sont ceux qui racontent un détail résolument impossible. Plus la fiction est fantastique, plus le témoignage est fort car il révèle le plus directement possible les instances imaginaires au travail autour de l'échafaud : il y répond en les formulant et semble leur donner réalité. Ainsi s'explique, par exemple, l'extraordinaire fortune, même médicale, de l'anecdote sur l'indignation qu'aurait exprimée la tête (coupée) de Charlotte Corday giflée par le bourreau ; mettant en scène, à vif, le thème fascinant de la tête mourante *post mortem*, le récit a une telle force persuasive qu'il entraîne la médecine sur ses pas, alors que, dès le lendemain de l'exécution, le bon sens avait parlé dans une lettre résumant la situation : « Le bourreau avait les mains pleines de sang ; il en laissa l'empreinte sur les joues de la suppliciée [316]. »

Deux autres récits suffisent à indiquer comment s'engendre la narration, au déni de l'évidence la plus incontestable, mais au profit d'une surprise spectaculaire. Ces récits ressuscitent le caractère inouï, singulier, proprement incroyable, d'une mort qui serait, sinon, d'une scandaleuse banalité.

Pour protéger la mort de Marie-Antoinette de la souillure que constituent l'atteinte de la guillotine et le contact du bourreau, le très royaliste Lafont d'Aussone n'hésite pas à anticiper cette mort, tout en réussissant à lui conserver le caractère foudroyant auquel le contraignait la succession inéluctable du parcours à l'échafaud ; il invente donc un admirable *coup de théâtre* qui, au sein même de la série royaliste des récits, transforme la décapitation de la reine en événement monstrueusement inhumain : « A la vue de l'échafaud, les yeux de Marie-Antoinette se fermèrent, la pâleur de la mort couvrit son visage, sa tête retomba sur sa poitrine. Elle avait cessé d'exister. Une apoplexie foudroyante termina les jours de la reine, et ce fut son triste cadavre et non pas elle-même que les républicains portèrent sur l'échafaud [317]. »

Lafont d'Aussone se contente d'exploiter un détail donné dans le récit du *Magicien républicain* : « Arrivée sur la place de la Révolution, ses yeux se sont fixés avec quelque sensibilité sur le château des Tuileries ; son confesseur, assis à côté d'elle, lui parlait, mais elle ne paraissait ni l'écouter ni l'entendre [318]. » L'invention absurde de Lafont d'Aussone enrichit ce moment d'absence de Marie-Antoinette, quitte à devoir renoncer à la suite réelle de l'exécution, pourtant à la gloire de l'ex-reine [319] ; mais, pour un royaliste obtus, il importe plus de maintenir jusqu'en sa mort la sacralité intouchable dont jouit, par délégation, le corps de sa souveraine que de réaffirmer une fermeté d'âme qui, de toute façon, ne peut qu'être le propre de l'être royal.

Jouée et contemplée sur le mode sublime d'un bout à l'autre, la mort de Mme Roland est l'occasion d'une variation narrative particulièrement brillante puisqu'elle revient à nier purement et simplement la seule réalité visible de toutes ces mises à mort : le flot de sang jaillissant du cou tranché. Selon le narrateur en effet, le giclement du sang de Mme Roland aurait constitué une exception : « Quand le couteau eut tranché la tête, deux jets de sang énormes s'élancèrent du tronc mutilé, ce qu'on ne voyait guère : le plus souvent la tête tombait décolorée, et le sang, que l'émotion de ce moment terrible avait fait refluer vers le cœur, jaillissait faiblement en goutte à goutte [320]. »

Avec cette fantaisie, le sieur Bertin fait d'une pierre deux coups. Il suggère, en passant, la terreur qui habite, on l'imagine, les victimes sur l'échafaud – et il imagine à cet effet un phénomène « physique » qui nie les lois de la nature mais confirme par là même la monstruosité du supplice ; par ailleurs il rend exceptionnelle, dans son horreur sanguinolente, la mort de Mme Roland qui eût été, autrement, banale...

C'est pourtant un autre type de texte qui, dans son écriture même, constitue la réponse théâtrale la plus consciemment élaborée à la mauvaise visibilité du spectacle et à l'incertaine compréhension politique que le peuple risque d'en prendre : les chansons populaires répandues après l'exécution constituent un excellent outil de péda-gogie révolutionnaire. Ecrites par des spécialistes à l'in-tention du peuple et à l'imitation de ses expressions supposées, elles donnent, dans la mise en scène simplifiée de leur écriture, un sens politique évident à l'exécution, corrigeant ce qui pouvait être mal perçu sur le fait.

La mort d'Hébert suscite, à nouveau, les plus claires de ces opérations littéraires où s'établit la leçon de la représentation et l'*Impromptu sur le raccourcissement du Père Duchesne et de ses complices*, chanté sur l'air de *Cadet Roussel*, est exemplaire :

Le père Duchesne est jugé
D'être ma foi guillotiné.
Comme il sacre, jure et tempête,
De voir tomber sa pauvre tête !
Ah ! mais vraiment,
L'pèr'Duchesne n'est pas content [...]

Son foutu mâtin de journal
Nous a bougrement fait de mal,
Qu'on le foute à la guillotine
Et toute sa clique coquine,
Ah ! mais vraiment,
Guillotinez-les promptement ! [...]

Le pèr'Duchesne allait grand train
Pour nous faire mourir de faim.
Partout il arrêtait les vivres.
De ces faits l'on ferait des livres,
Mais le voilà
Guillotiné, ce scélérat.

Le pèr'Duschesne était normand
Il n'est pas éloigné de Caen,
Il se disait bon sans-culotte,
Mais, ma foi, ce faux patriote
Prit le chemin
De la machine à Guillotin [321].

Ecrites pour Hébert ou pour d'autres, ces chansons concluent le spectacle, tout comme l'ouvraient, toujours pour Hébert, ses biographies criées sur la place par des récitants pendant qu'on y attendait le cortège. Le compte rendu de Perrière montre très clairement la double fonction de ces récits explicatifs antérieurs à l'exécution et réarticulés ensuite dans la chanson de rues – fonction théâtrale et fonction politique : « Plus loin, des lecteurs préparaient le peuple à l'exécution du fameux tartufe, qui avait si bien su voler son estime et sa confiance ; ils l'y préparaient par le récit de sa vie privée, de peur que le colosse de réputation patriotique qu'il s'était élevé ne combattît, dans l'esprit des citoyens, au moment de l'exécution, l'arrêté de la justice qui le frappait [322]. »

La guillotine est une travailleuse inépuisable : alors même qu'elle coupe sublimement le cou à une éloquence devenue contre-révolutionnaire, elle réussit à transformer la trop brève pantomime qui se joue sur son échafaud en textes écrits, lus, récités ou chantés. Comble du paradoxe peut-être : la machine à décapiter met en scène les modalités du discours...

3

LE BOURREAU

« Quel homme que ce Sanson ! Il va, vient
comme un autre ; il assiste quelquefois au théâtre
du Vaudeville, il rit, il me regarde [...]. »

Mercier, *Le Nouveau Paris.*

« D'où venez-vous, mesdemoiselles ? –
Maman, nous venons de voir guillotiner : ah !
mon Dieu, que ce pauvre bourreau a eu de
peine. »

J. Joubert, *Carnets,* 30 juillet 1804.

« Le sacrifice va commencer [...]. Le bourreau et ses
valets montent, arrangent tout. Le premier se revêt, sur
ses habits, d'un surtout rouge sanglant. Il se place à
gauche vers l'ouest, et ses aides, à droite, à l'est, regardant
Vincennes. Le grand valet surtout est l'objet de l'admiration et de l'éloge des cannibales, par son air capable
et *réfléchi,* comme ils disent [...] [323]. »

Sur le théâtre de la guillotine, le bourreau occupe une
place à part, singulière. Premier entré en scène et dernier
sorti, ouvrant la représentation et balisant l'aire de jeu,
c'est un être devenu collectif depuis que la guillotine, à
la différence de l'épée, exige la présence de plusieurs
exécuteurs ; mais c'est aussi l'acteur que l'on remarque le
moins, bien qu'il masque souvent en partie l'événement.
Moitié acteur, moitié homme de main et figurant, de tous
ceux qui ont l'honneur des tréteaux, c'est celui que les
textes ignorent le plus, alors qu'il est le seul « permanent »
de l'appareil, le seul des participants pour lequel la
« tragédie » n'a pas qu'une seule représentation.

Il convient donc de lui faire un sort particulier et d'en
parler à part. Non parce qu'il serait cet être « extraordinaire » que décrit la célèbre page de Joseph de
Maistre [324] ; au contraire, la machine n'en fait plus que le

déclencheur d'un mécanisme impersonnel ; en annulant tout corps à corps possible, la guillotine sépare le couple maudit victime / bourreau, elle défait leur relation prétendue trouble. Mais l'union de la guillotine et de Sanson n'en constitue pas moins la rencontre de deux principes à première vue exclusifs l'un de l'autre : celui de la banalité machinale et celui de la singularité propre à un être hors du commun, « sacré ».

Que devient donc le bourreau dès lors que la guillotine tient la vedette ? Comment la nouvelle et l'ancienne théâtralité se rencontrent-elles ?

Une difficile banalisation

Apparemment, le bourreau et son groupe ne jouent qu'un rôle secondaire ; plus que des figurants mais, pour reprendre un mot de Desmoulins, tout au plus des *exécutants* auxquels on demande de se faire remarquer le moins possible. Il faut d'ailleurs des circonstances qui sortent de l'ordinaire pour que les réactions du public et même des autres acteurs s'adressent à lui. Omniprésent, il doit passer inaperçu et il y réussit : rares en effet sont les anecdotes que les récits transmettent à son sujet.

L'intention de la loi et de la machine aurait donc, à son propos, été finalement atteinte. Dépouillé de toute sacralité obscurantiste, le bourreau mériterait son appellation administrative d'*exécuteur* ; il serait un homme comme les autres, chargé seulement d'un métier peu ordinaire.

C'était d'ailleurs le sens des débats que posait, dès avant 1789 et bien avant la fabrication de la guillotine, la question de son éligibilité. Si l'abbé Maury, adversaire farouche de la Révolution, y développait les arguments traditionnels [325], les partisans de l'éligibilité insistaient sur l'anomalie qui excluait des droits du citoyen celui-là même qui était chargé d'exécuter la loi. L'avocat de Sanson, Maton de La Varenne, rédige alors un *Mémoire* particulièrement intéressant car il y évoque le prestige favorable dont pouvait jouir un bourreau aimé de ses concitoyens [326]. Mais l'argumentation la plus remarquable est celle du comte de Clermont-Tonnerre ; en une série de brèves déductions, il situe très exactement la position théorique nouvelle du bourreau : « Les professions sont nuisibles ou ne le sont pas. Si elles le sont, c'est un délit habituel que la justice doit réprimer. Si elles ne le sont pas, la loi doit être conforme à la justice qui est la source de la loi [...]. Il ne s'agit que de combattre le préjugé [...]. Tout ce que la loi ordonne est bon ; elle ordonne la mort d'un criminel, l'exécuteur ne fait qu'obéir à la loi, il est absurde que la loi dise à un homme : fais cela et, si tu le fais, tu seras couvert d'infamie [327]. » La neutralité du point de vue adopté montre combien la rationalité éclairée prétend gérer le personnage du bourreau comme une personne ordinaire. Mais, sur le théâtre de la guillotine, c'est toute la différence du personnage à la personne qui échappera, d'une manière complexe, à la bonne volonté du législateur.

Le bourreau est déclaré éligible et, en 1792, l'utilisation de la guillotine devrait confirmer sa banalisation. Le seul moment, en effet, où il doit faire montre de son mérite est celui où il fixe le condamné à la planche, la rapidité de son action étant l'unique critère d'humanité selon lequel il peut être jugé. Quand les séries de victimes commencent à être plus nombreuses, on renonce à les attacher pour abréger encore les opérations et éviter aux condamnés les tourments d'une attente inutilement prolongée. Un texte au moins montre que la force, l'habileté et la décision deviennent alors les seules qualités requises de l'exécuteur : « Tout étant prêt, le vieillard monte avec l'aide des bourreaux. Le maître bourreau le prend par le bras gauche, le grand valet par le bras droit, le second par les jambes : en un instant, il est couché sur le ventre, la tête coupée, jetée ainsi que le corps tout habillé dans un vaste tombereau où tout nage dans le sang ; et toujours de même. Quelle horrible boucherie [328] ! »

On comprend mieux l'admiration que suscitait l'*art de guillotiner* atteint par l'équipe de Sanson. Devenu un adroit boucher, le bon bourreau perd sans doute une part de son prestige de *carnifex*, mais il y gagne l'avantage inappréciable de la banalité ; il est devenu, en droit, un citoyen à part entière, presque un fonctionnaire comme les autres. On se charge d'ailleurs de le lui rappeler quand il ne s'acquitte pas correctement de cette charge minimale ; tel est le cas de Jean-Denis Peyrussan qui rate lamentablement une exécution à Bordeaux le 4 juin 1794 et doit faire tomber plusieurs fois le couperet pour chacun des quatre condamnés qui lui sont confiés. Le président de la commission militaire devant laquelle il est cité lui rappelle les nouveaux principes qui régissent sa fonction : « Sous l'Ancien Régime, les fonctions augustes que vous remplissiez étaient devenues odieuses, il fallait des barbares pour les exercer ! Il n'en est plus de même aujourd'hui, on peut se montrer humain et sensible dans toutes les positions. Un homme humain peut maintenant exercer votre terrible emploi [...]. Vous auriez dû bénir la Révolution qui vous a rendus à la société et qui a fait de vous des citoyens honorés. Vous auriez dû vous montrer humain ; on peut le faire en frappant au nom de la loi [329]. » *Un homme humain*, la densité rapide de l'expression montre toute la force du progrès accompli par la guillotine : elle a évacué le seul homme inhumain qui risquait de survivre dans une société d'égalité et de sensibilité...

A sa naissance pourtant, la République s'est défiée du bourreau. On le voit dans l'affaire lancée, à la fin de l'année 1789, par les *Révolutions de Paris* quand elles annoncent la découverte, chez Sanson, de presses privées à l'usage des aristocrates. L'affaire agite la ville et on en trouve l'écho jusque chez Desmoulins [330]. Exécuteur barbare de l'Ancien Régime, le bourreau pouvait effectivement passer pour un homme du roi. Ayant hérité d'une charge devenue presque dynastique depuis que son ancêtre Charles a été nommé exécuteur par lettre de provision personnelle signée de Louis XIV en 1688, Charles Henri est le quatrième d'une lignée où les prénoms se succèdent aussi régulièrement que pour le monarque : Charles Sanson dit Longval (1688-1707), Charles II (1707-1726), Charles Jean-Baptiste (1726-1778), Charles Henri (1778-1795 par démission). Comme on le sait, cette dynastie jouissait, comme l'autre, d'une sacralité (néfaste) qui la mettait à part du reste de la nation [331] ; mais, devenu un citoyen ordinaire et éligible, Sanson exerce son droit et il obtient du tribunal la condamnation de ses adversaires pour diffamation ; ce qui lui vaut, presque, certificat de républicanisme. Les seuls rapports que le gouvernement entretient dès lors avec son bourreau sont d'ordre financier et administratif : l'exécuteur n'est qu'un de ses agents, chargé de gérer les « bois de justice ».

Cependant, au sein de la correspondance administrative qui s'échange, deux détails au moins révèlent que cette banalisation apparemment réussie se heurte à quelques difficultés.

La première tient au fait que, tout en banalisant la mort et l'exécuteur, le gouvernement ne banalise pas la machine : il ne prend pas à sa charge son entretien et le laisse aux bons soins du bourreau – quitte à maintenir l'ancien système de l'*indemnité d'entretien*, somme forfaitaire annuelle perçue par le bourreau en sus de sa rémunération [332].

Le second obstacle tient à la résistance que manifeste à cet égard la population et qui se marque dans les difficultés auxquelles se heurte l'administration pour faire circuler ses bourreaux entre départements, au même titre que d'autres agents.

Une loi du 13 juin 1793 fixant qu'il doit y avoir un exécuteur par département de la République et les départements du Sud manquant d'exécuteurs alors que ceux du Nord en regorgent, l'administration décide d'opérer des mutations ; mais l'arrivée dans le Midi des bourreaux du Nord révèle tout ce qui peut séparer la logique administrative des réalités locales. Ces difficultés occupent la plus large part de la correspondance concernant les bourreaux, d'autant que la question ne parvient pas à être réglée rapidement [333]. Car cette situation ne pouvait pas être résolue purement et simplement par réglementation. On le constate dans les termes qu'emploie, dès 1792, le ministre de la Justice, Duport-Dutertre, quand il plaide en faveur des exécuteurs que la nouvelle loi rend sans emploi. Plein d'un « intérêt assez vif » à l'égard des bourreaux à cause de la « grande horreur » du crime que leur métier leur inspire, le ministre évoque pourtant le préjugé populaire contre le bourreau et il l'attribue à un *sentiment naturel* [334].

La contradiction est donc très forte entre la volonté de banaliser l'échafaud et le bourreau et ce sentiment naturel que l'on ne peut combattre par la loi, précisément parce qu'il est un sentiment. Un bourreau philosophe le constate avec dignité, alors qu'il s'apprête à renoncer à sa profession : « L'esprit public n'est pas partout à la hauteur des principes, et j'ai déjà éprouvé que je serais la victime d'un reste de préjugé que la philosophie n'a pas entièrement déraciné [335]. »

Réactions populaires

Le peuple en effet peut être révolté par la barbarie du bourreau ; il s'indigne en particulier quand celui-ci ne fait pas bien fonctionner la machine et qu'il transforme ainsi, de nouveau, en horrible supplice une décapitation qui doit être légalement douce.

Il semble que le premier de ces accidents se soit produit à Paris, dès juillet 1792 : les cordes tenant le couperet s'étant emmêlées, celui-ci fut freiné en fin de course et il fallut le faire retomber avec plus d'attention [336]. On remplace donc la corde par un déclic mécanique. Il arrive cependant que l'inattention, l'émotion ou l'inexpérience de l'exécuteur transforment, par accident, le spectacle prévu...

Ayant terrorisé par ses menaces les bourgeois lyonnais, Chalier est condamné à mort lors de l'insurrection de la ville et guillotiné par l'instrument même dont il menaçait ses concitoyens trop peu républicains. Mais, par suite sans doute d'un mauvais montage de la machine dû à sa nouveauté, le couperet glisse lentement vers le cou de sa victime et trois tentatives répétées ne font que l'entailler progressivement ; il faut finir la découpe au couteau ; enfin, comble d'horreur, pour montrer la tête au peuple, l'exécuteur Ripert doit la prendre par les oreilles parce que Chalier était chauve... Cette mise à mort grand-guignolesque entraîne, lors de la répression républicaine, l'exécution du bourreau et de son aide tandis que la tête de Chalier devient une relique de la République, Collot d'Herbois l'offrant solennellement à la Commune de Paris tout en faisant demander pour le martyr les honneurs du Panthéon.

La répétition de ce genre d'incidents inspire un étonnant délire à l'auteur royaliste de la *Conspiration de Robespierre* ; la guillotine y est employée à une cadence qui devient, à la lettre, infernale : « Le nombre des suppliciés augmenta considérablement. Les forces des bourreaux s'épuisaient, leurs bras se lassaient. Le fatal couteau lui-même s'émoussait, et les dernières victimes qui en étaient frappées expiraient dans un long martyre, en poussant des cris aigus. » Pauvre Guillotin...

Il faut citer ici un texte inédit où est décrite une de ces exécutions manquées. Bien qu'elle ne se produise qu'en 1806, la précision de sa description permet de cerner mieux la réaction que suscite cette atteinte au protocole du spectacle de la guillotine :

« J'ai l'honneur de rendre compte à votre Excellence que, le 14 avril dernier, un Arrêt de la Cour a été exécuté qui condamnait quatre individus à la peine capitale.

« Parmi les quatre condamnés, il y avait une fille âgée de 22 ans, sa jeunesse, sa beauté et ses malheurs avaient vivement intéressé tous les spectateurs. Ce qui ne contribuait pas peu à les disposer à la plaindre est qu'étant arrivée sur l'échafaud, elle se jeta de son propre mouvement à genoux, et demanda pardon au public pour le scandale qu'elle avait donné par sa vie déréglée.

« Le moment de l'exécution étant arrivé, l'Exécuteur négligea de lui lier les jambes sur la planche et lui laissa sur sa tête son bonnet qui retenait ses cheveux qu'il avait négligé de couper, les mouvements qu'elle fit de la tête firent descendre une partie de sa chevelure sur la nuque, le tranchant tomba et n'emporta pas la tête, pleine encore de vie, elle fit d'horribles contorsions et ses jambes tombèrent de la planche et la laissèrent dans une position indécente.

« L'Exécuteur leva une seconde fois le tranchant qui ne put encore couper la tête, enfin au troisième coup la tête fut séparée du tronc.

« Cette séance d'horreur indigna le public au point qu'on criait de toute part de lapider l'Exécuteur et peut-être que ce projet n'a dû sa non-exécution qu'à la force armée que j'avais requise extraordinairement et par mesure de précaution. Un seul individu a été arrêté et conduit en prison [...].

« Je dois [...] ajouter que l'Exécuteur est un homme très âgé, Allemand de naissance, anciennement exécuteur à Forbach, Département de la Moselle, qu'il ne parle ni le français ni le flamand, partant qu'il ne peut communiquer ni avec les Officiers chargés de surveiller les Exécutions, ni avec les condamnés, ni avec ceux qui les assistent [...][337]. »

Ce texte révèle que l'on a désormais confiance dans la fiabilité de la machine et que la responsabilité de son dysfonctionnement incombe au seul bourreau ; mais il suggère aussi que l'indignation populaire n'est pas due à la seule pitié. Dans le cas de Chalier, le public lyonnais était resté silencieux et, pour Hébert, le peuple avait lui-même demandé un raffinement point trop éloigné de celui que produit involontairement la sénilité du bourreau de Bruges. Cette apparente contradiction suscite une double réflexion :

– L'emploi de la guillotine a effectivement changé les habitudes spectaculaires de l'exécution capitale : quinze ans plus tôt, le même public aurait contemplé avec fascination un supplice bien plus long et, sans doute, bien plus épouvantable – la roue par exemple ; quinze ans plus tard, il n'accepte pas l'entorse apportée à la règle d'unité de temps et d'action qu'introduit la guillotine. La machine à décapiter a incontestablement changé les habitudes et elle satisfait, en cela au moins, les intentions de Guillotin et de ses successeurs.

– L'indignation populaire contre le bourreau ne s'exprime que pour des condamnés de droit commun ; il n'est donc pas invraisemblable de penser que cette colère constitue, autant que de la pitié pour la victime, une résurgence de l'ancienne sympathie que le peuple pouvait montrer à l'égard de certains condamnés et dont les autorités étaient assez conscientes pour chercher à en éviter la manifestation[338]. Les barrières prévues autour de l'échafaud en 1789 ainsi que la mise en place hors de la ville et la présence de soldats « portant les armes basses » pour séparer le peuple d'une machine encore d'Ancien Régime allaient sans doute dans le même sens : on ne pensait pas, en 1789, à des exécutions politiques ; il s'agissait de précautions pour des exécutions de droit commun où le pouvoir craignait que la foule ne marquât, à l'égard de la victime, une solidarité qu'il faut appeler « de classe ». Alors que le peuple exulte au châtiment raffiné d'Hébert, ce n'est certainement pas par hasard si, dans le seul cas révolutionnaire où le peuple soustrait un condamné à l'échafaud, il ne le fait nullement par pitié, mais par solidarité : c'est l'épisode fameux du 3 prairial an III (22 mai 1795) au cours duquel un des émeutiers de l'insurrection populaire du 1er prairial demandant le retour à la Constitution de 1793, Jean Tinel, est enlevé de la charrette au pied de l'échafaud, emporté et caché dans le quartier Saint-Antoine. Sur le point d'être repris trois jours plus tard, il se jette du haut d'un toit[339].

La guillotine n'a sans doute pas réussi à forger cette *conscience publique* souhaitée par Saint-Just. Mais son théâtre a déterminé une transformation des habitudes spectaculaires de l'exécution capitale et le peuple souscrit à son fonctionnement politique à condition d'avoir le sentiment que le couperet tombe pour la défense de ses intérêts.

Réaction thermidorienne

Après Thermidor, une véritable réaction de rejet frappe les deux agents les plus en vue de la Terreur : la guillotine et le bourreau. Dès 1794, on propose de cacher la machine après chaque exécution ; en 1806, on propose de créer un uniforme de bourreau pour rassurer « les honnêtes gens » en l'empêchant de dissimuler sa vraie nature, de se faire prendre pour un autre [340] ; dans son *Second Discours sur Louis Capet* du 28 décembre 1792, Robespierre ironisait sur ces *honnêtes gens* qui ne sont que « les intrigants de la République » : il ne fait aucun doute que ce rejet officiel du bourreau et de son théâtre par les honnêtes gens tient à ce qu'ils y ont vu le soutien et le symbole de la Terreur jacobine.

Cependant, si le bourreau retrouve aussi vite sa figure monstrueuse aux yeux de certains, c'est aussi que la loi maintient un moment où l'exécuteur n'est plus seulement un technicien consciencieux : dans le geste où le bourreau tient enfin le rôle majeur et où il montre au peuple la tête coupée, il doit « par métier » plonger sa main dans le sang de son semblable et redevenir, même pour un instant, cet être « inimaginable » dont la machine à décapiter devait rendre l'existence inutile. La loi réveille d'autant plus cette horreur ancienne que l'échafaud et son exaltation sanglante peuvent conduire le bourreau à des excès incontrôlés où l'on s'empresse de retrouver son *cannibalisme* atavique [341]. La volonté d'exploiter politiquement la guillotine a ainsi contribué à faire resurgir le monstre que la Loi et la Raison travaillaient à exclure.

Le bourreau, homme sensible

Pourtant, si la Terreur a empêché que l'exécuteur ne devînt pleinement un bourreau à visage humain, sa situation au lendemain de la tourmente est particulièrement complexe ; il ne suffit pas de dire en effet que le préjugé se réveille intact avec Thermidor, car le bourreau tire de la Terreur un bénéfice inattendu : pour la première fois de son histoire, il s'est gagné une paradoxale réputation d'humanité et, même, de *sensibilité*.

Bien plus que sa barbarie, les témoignages ont en effet tendance à souligner l'humanité dont il fait preuve à l'égard de ses victimes. La Terreur améliore ainsi la réputation de son exécuteur : « Il faut le dire : soit par un fonds d'humanité, soit par habitude et désir d'avoir plus tôt fini, le supplice était singulièrement adouci par la promptitude [des bourreaux], leur attention à descendre tous les condamnés avant de les placer le dos à l'échafaud, de manière à ce qu'ils ne pussent rien voir. Je leur en sus gré, ainsi que de la décence qu'ils observaient et de leur sérieux constant, sans aucun air rieur ou insultant pour les victimes [342]. »

Les souvenirs de la marquise de La Tour du Pin confirment ce sentiment, en opposant l'humanité du bourreau à la monstruosité du juge et aux raffinements de cruauté qu'il voudrait imposer dans la mise en scène de l'exécution. Pour la marquise, les vrais bourreaux, les monstres, sont les révolutionnaires eux-mêmes : « Cette armée de bourreaux, conduisant la guillotine dans ses rangs, était déjà à La Réole, où elle avait procédé à plusieurs exécutions. Je n'en citerai qu'une pour exemple [...]. Le mari est condamné à mort et, pendant qu'on l'exécute, sa femme est mise au carcan, en face de la guillotine, ses deux fils attachés à côté d'elle. Le bourreau, plus humain que les juges, se plaça devant elle pour qu'elle ne vît pas tomber le fatal couteau [343]. »

Plus humain donc que ses maîtres, le bourreau en arrive à dévoiler une sensibilité touchante dès lors que les circonstances le conduisent à sortir du strict rôle auquel la loi l'oblige.

Ainsi, le 27 août 1792, bien avant la Terreur, on a été très frappé de voir le bourreau pleurer sur l'échafaud... Il ne pleure pas sur une victime mais parce qu'un de ses aides (son fils ?), inattentif ou trop exalté, tombe et se tue alors qu'il montre la tête au peuple. Un tel accident est inattendu sans doute mais, dans les diverses versions qui en sont données, le plus remarquable se trouve toujours dans les larmes et l'émotion bouleversante que le bourreau ne sait pas cacher [344]. Ces larmes sont sans doute réelles, mais l'important tient à ce que la sensibilité du bourreau constitue désormais un thème riche de fictions possibles et gros d'avenir car ce qui s'y joue rejoint

certains des débats les plus fondamentaux qu'a suscités la
guillotine révolutionnaire.

Obligés de constater que le bourreau a tué leur roi,
les royalistes réussissent à réarticuler le lien magique et
sacré qui, sous l'Ancien Régime et tel que l'explicite
somptueusement de Maistre, liait le roi à son bourreau ;
le récit royaliste fait en effet disparaître de l'échafaud un
bourreau par altesse royale décapitée et la guillotine y
consomme autant de Sanson que de monarchie. Une
nouvelle légende du bourreau prend corps dont les
Mémoires de Sanson constituent l'orchestration finale : le
bourreau humain et royaliste.

Si c'est en effet le fils du bourreau qui est censé mourir
et faire pleurer son père en août 1792, lors d'une exécution
en place de Grève, la mort du roi a des conséquences
bien plus graves, puisque cet « horrible spectacle » mène
le bourreau au tombeau [345]. L'exécution de Marie-Antoinette entraîne à son tour la disparition d'un bourreau ;
mais il ne meurt pas comme sacrilège, il se contente,
cette fois, de partir en retraite accablé par le remords :
« Le jeune homme, fils de l'exécuteur de Louis XVI, saisi
de remords ne voulut plus remonter sur l'échafaud et
laissa à d'autres sa sinistre besogne : la tête de Marie-
Antoinette fut la dernière de celles qu'il avait fait
tomber [346]. » Les historiens du XIXe siècle ont ainsi été
conduits à se demander qui, finalement, avait exécuté
qui... Car, si le fils de Sanson qui est tombé de l'échafaud
en 1792 ne peut guère exécuter la reine en 1793, il est
vrai aussi que le bourreau a un fils bien vivant en 1795
puisqu'il lui succède officiellement lorsqu'il donne sa démission. Il est clair par ailleurs que Charles Henri Sanson
n'est pas mort après avoir exécuté Louis XVI, mais la
remarque sur la jeunesse du bourreau qui guillotine la
reine est troublante quand on la rapproche de celle de
l'abbé Carrichon qui, le 4 thermidor, observe que le
maître bourreau se distingue de ses deux valets « par sa
jeunesse et l'air et le costume d'un petit-maître manqué »...
En un mot, quelque chose se passe bel et bien sur les
tréteaux, qui stimule l'imagination : agent officiel de la
République, le père Sanson se fait remplacer par d'autres
(fils ou aides) pour exécuter les hautes œuvres en leur
point majeur : la chute du couperet. Le père Sanson ne
veut pas passer pour le maître bourreau de la guillotine ;
de là à imaginer que la guillotine lui répugne...

Il ne s'agit là que de légendes et, l'exécution étant désormais une opération collective, il importe assez peu de savoir qui, précisément, manie le déclic. Cela importe même très peu à l'histoire objective ; mais le fait que la question soit *légendaire* intéresse au contraire au premier chef l'histoire de cet imaginaire qui se trame autour de l'échafaud et qui en arrive à supposer au bourreau une sensibilité *trop humaine*, on ne peut mieux illustrée par l'anecdote que rapporte, scandalisé, Joubert, dans ses *Carnets* : « " D'où venez-vous, mesdemoiselles ? – Maman, nous venons de voir guillotiner ; ah ! mon Dieu, que ce pauvre bourreau a eu de peine. " Cet horrible déplacement de la pitié peint un siècle où tout est renversé [347]. »

Le bourreau, citoyen jacobin

Le fait est remarquable : c'est essentiellement dans les textes hostiles au jacobinisme et, le plus souvent, d'inspiration royaliste que l'on rencontre cette attention à la sensibilité du bourreau. Les textes républicains n'en disent généralement rien, se contentant tout au plus de noter sa neutralité efficace, à l'image de la machine qu'il gère.

Ce paradoxe apparent est riche de sens.

Pour le républicain jacobin, la grande qualité du bourreau est précisément de ne pas se faire voir quand il joue son rôle, de se dépouiller de toute singularité, de toute particularité qui attirerait l'œil sur lui. C'est très précisément cet idéal jacobin du bourreau qui fascine d'horreur le républicain moyen ou le royaliste : cette neutralité est incompréhensible, inimaginable ; elle définit finalement sa monstruosité *moderne*.

A la différence du bourreau de Joseph de Maistre, celui de la guillotine, sauf accident, ne torture plus ; ce qui devient épouvantable est son indifférence machinale. Louis Sébastien Mercier écrit en 1795 une page de son *Nouveau Paris* qui est, finalement, plus intéressante que celle de De Maistre. Evacuant en effet la sacralité du personnage comme l'y invite la banalité de la mécanique et de son rapport aux victimes, Mercier renouvelle la question de la monstruosité du bourreau laïc : « Je voudrais bien savoir ce qui se passe dans sa tête et s'il a regardé ses terribles fonctions uniquement comme un métier [...]. Comment dort-il après avoir reçu les dernières paroles et

les derniers regards de toutes ces têtes coupées [...]. Il
dort, dit-on, et il pourrait bien se faire que sa conscience
fût en plein repos [...]. Il reçut, dit-on, des excuses
de la reine lorsque, sur l'échafaud, elle eut par mégarde
posé le bout de son pied sur le sien. Que pensa-t-il
alors ? Il fut longtemps payé des deniers du Trésor royal.
Quel homme que ce Sanson ! Il va, vient comme un
autre ; il assiste quelquefois au théâtre du Vaudeville, il
rit, il me regarde ; ma tête lui est échappée, il n'en sait
rien [...] [348]. »

Mercier ne répond pas aux questions qu'il soulève car
il ne peut imaginer l'inimaginable. Mais ces questions
posent très clairement le champ où se définit la monstruosité du bourreau moderne, très différente de celle que
suggère rhétoriquement l'homme d'Ancien Régime : le
bourreau moderne est monstrueux dans la mesure où il
exerce ce métier avec la neutralité d'un fonctionnaire prêt
à servir tous les régimes pour assurer la continuité de
l'administration. L'inimaginable, c'est désormais cette indifférence même.

La conséquence va loin. Car cette capacité à se dépouiller de toute particularité, comme le disait Robespierre,
cette abnégation de toute individualité au profit de l'exercice de la loi en vue du bien du Peuple constitue l'idéal
du citoyen jacobin et le bourreau pourrait bien incarner,
en définitive, cette « forme de socialisation dont le principe
est que ses membres doivent, pour y tenir leur rôle, se
dépouiller de toute particularité concrète, et de leur
existence sociale réelle [349] ».

Le bourreau de guillotine intègre plus parfaitement
encore les deux données (sociale / individuelle) de l'idéal
jacobin puisque, dans son cas, c'est son existence sociale
même qui le fait se dépouiller de toute particularité
concrète. Il est logique que les textes républicains n'aient
rien à dire sur le bourreau : le bourreau n'a rien à dire
(de particulier).

Cette invention d'un nouveau personnage, le bourreau
neutre, est d'une importance que l'on ne saurait négliger.
Monstrueuse pour les adversaires du jacobinisme, à ce
point inimaginable qu'on lui substitue une humanité imaginaire, cette neutralité marque l'incarnation réussie du
citoyen jacobin au cœur d'une relation spectaculaire où le
Peuple – c'est-à-dire en l'occurrence un ensemble de têtes
où chaque individu s'annule lui-même – assiste à l'im-

molation de volontés trop particulières et d'individus trop singuliers pour avoir su se dépouiller à temps de leurs particularités concrètes. Sur l'échafaud, le bourreau – ou plutôt l'équipe collective des bourreaux – est bien le délégué idéologique du Peuple qui, d'en bas, lui donne le pouvoir d'exécuter. Sanson, sous la Terreur, démontre qu'il est possible de soumettre individuellement son être social au politique. A l'autre extrême de l'exercice de ce pouvoir, quand les membres du Tribunal révolutionnaire passent en jugement, ils se considèrent comme « la hache » et ils soulignent qu'on ne punit pas une hache [350] ; ils ne font que se réclamer, à leur bénéfice, de la même idéologie. Robespierre, on l'a vu, expérimentait sur lui-même l'ineffable douceur de ce sentiment sublime qu'est l'oubli de soi, la perte des émois du moi et la fusion de soi dans l'entité supérieure et collective du Peuple et de sa volonté générale.

La Terreur jacobine crée ainsi une situation riche de significations qui seront progressivement mises au jour. Car, lorsque, avec Thermidor, le social aura réaffirmé ses droits sur le politique, le bourreau pourra progressivement devenir l'instrument toujours neutre d'un châtiment seulement social, et la guillotine l'instrument d'une justice de classe.

Trois remarques le confirment :

– En 1840, le petit-fils de Charles Henri Sanson est interrogé par un journaliste de la *Gazette des tribunaux*. Le compte rendu de la rencontre n'évoque plus un être maudit, mais un rouage nécessaire de la machine sociale : « Ce que j'ai vu de l'habitation de M. Sanson est meublé avec cette simplicité sévère qui convient à un pareil lieu [...]. L'exécuteur actuel diffère beaucoup de son père : il n'a pas, en parlant de sa profession et des détails qui s'y rattachent, cet embarras, cette gêne, ce malaise que l'on remarquait chez son prédécesseur. Bien convaincu de l'utilité de sa charge et des services qu'il rend à la société, il ne se considère pas autrement qu'un huissier qui exécute une sentence, et il parle de ses fonctions avec une aisance remarquable [351]. »

D'une moralité moins sûre que son grand-père, Henri Clément Sanson est même si profondément convaincu de la banalité de sa charge qu'il n'hésite pas, en 1847, à mettre la guillotine en gage à des créanciers qui l'avaient fait incarcérer pour dettes... C'était avoir une conception trop large de la socialisation des bois de justice : Henri Clément Sanson est révoqué et la lignée s'éteint avec lui [352]. L'anecdote n'en montre pas moins à quel point on avait réussi à intégrer le bourreau dans la société et quelle interprétation en faisait la société bourgeoise au milieu du XIXᵉ siècle.

– En avril 1871, la Commune fait brûler la guillotine « au pied de la statue du défenseur de Sirven et Calas, l'apôtre de l'humanité, du précurseur de la Révolution française, au pied de la statue de Voltaire ». Cette destruction est un acte explicitement politique : « Citoyens, informés qu'il se faisait en ce moment une nouvelle guillotine payée et commandée par l'odieux gouvernement déchu, guillotine plus portative et accélératrice, le sous-comité du onzième arrondissement a fait saisir ces instruments serviles de la domination monarchique et en a voté la destruction pour toujours. En conséquence, la combustion va en être faite, sur la place de la mairie pour la purification de l'arrondissement et la consécration de la liberté [353]. »

Etonnant raccourci qui fait de la guillotine l'instrument servile de la « domination monarchique ». Mais la Commune y dénonce la fausseté de la prétendue neutralité de la machine à décapiter. Si cette mécanique est à ses yeux « servile », c'est que, sous couvert d'être un instrument qui assurerait seulement l'exécution de mesures prises au nom du bien-être social, elle est en fait l'outil d'une justice dont la loi s'est mise au service de la bourgeoisie. En détruisant publiquement ce symbole d'un pouvoir de classe, la révolution de 1871 confirme qu'à ses yeux, et comme en 1793, on ne saurait séparer le social du politique.

– En 1870, Adolphe Crémieux, ministre de la Justice du gouvernement provisoire, avait décidé la suppression de l'échafaud ; les exécutions se feraient à même le sol. Cette mesure marquait la volonté d'améliorer ce que l'on pourrait appeler la « moralité publique du regard » dans le spectacle de l'exécution capitale. Mais Villiers de L'Isle-Adam souligne aussitôt que la suppression de l'échafaud contribue aussi à désacraliser le théâtre de la guillotine ; un pas de plus vient d'être fait dans le processus qui vise à intégrer l'exécution capitale à la normalité sociale : « Ce sans-façon trivial, cette exagération dans le terre-à-terre de l'instrument justicier, n'est ici que de la plus choquante inconvenance [...]. Les marches de l'échafaud sont en effet la *propriété* de tout condamné à mort, et c'est le frustrer d'une illusion *quand même sacrée* que de lui ravir, avec elles, l'occasion de sauvegarder en nous (s'il y tient) sa triste mémoire d'une aggravation d'opprobre imméritée [354]. »

Un autre auteur souligne plus directement encore l'esprit qui inspire cette mesure en n'y voyant que « la guillotine hypocrite et bureaucratique succédant à la guillotine à scandales [355] ». De fait, la suppression de l'échafaud, support spectaculaire du théâtre de la guillotine, s'accompagne, dès la première exécution, d'une augmentation substantielle des appointements du bourreau ; la IIe République au contraire, non contente de supprimer la peine de mort en matière politique, avait réduit systématiquement en deux ans le nombre et les émoluments des bourreaux [356]. La suppression de l'échafaud accompagnée de la hausse de la rémunération de l'exécuteur confirme donc la cohérence avec laquelle la bourgeoisie qui va devenir celle de la IIIe République veut neutraliser le théâtre de la guillotine et socialiser son exécutant.

Ultime victoire bourgeoise sur une justice que la Terreur avait voulue politique...

GUILLOTINE ET PORTRAIT

> « Elle répète mécaniquement ce qui ne pourra
> jamais plus se répéter existentiellement[...]. »
>
> R. Barthes, *La Chambre claire. Note
> sur la photographie.*

Du corps, c'est sur la tête que la guillotine attire l'attention. De cette unité organique scindée en deux restes, fragmentée par le passage du couteau, seul le chef fixe le regard et le discours. Idéologiquement, la décapitation jacobine vise à mettre à mort une représentation du corps politique où le *chef* incarnait la nation dans son corps propre ; la guillotine isole cette tête de son corps et, la donnant à voir en cet état privilégié d'une solitude vraiment royale, elle en abolit symboliquement la valeur représentative.

Mais, ultime effet inattendu, en isolant ainsi la tête du guillotiné pour la mettre sous les yeux du spectateur, la machine à décapiter devient aussi une redoutable portraitiste, une véritable « machine à tirer le portrait ». D'ailleurs, dès 1793, une description anglaise de la machine lui trouve la forme d'un chevalet de peintre (*This destructive instrument is in the form of a painter's easel*) ; la comparaison est bien venue : entre les montants de ce colossal chevalet, quelque chose en effet se peint, qu'il est temps, pour conclure, d'envisager...

Dire que la guillotine est une *machine à portrait* enregistre une pratique effective de la Terreur. Parmi les diverses gravures révolutionnaires, le *portrait de guillotiné* est certainement un des genres – au sens que prend le terme dans la théorie de la peinture classique – les mieux établis, un genre où l'économie de l'image est réglée par un souci iconographique précis, soumise à un code de lecture clairement élaboré.

Sur fond neutre, celui de la feuille elle-même, dans un espace géométriquement délimité par un cadre intérieur, est découpée une tête, présentée de profil ou de trois quarts. Deux motifs iconographiques permettent, au premier coup d'œil, de l'identifier comme tête de guillotiné – et non comme buste ou simple portrait : des gouttes de sang tombant encore du cou coupé net s'inscrivent sur le fond blanc de la feuille ; un avant-bras sombre la tenant par les cheveux pour la présenter au spectateur fait référence à l'ultime geste du rituel théâtral de l'exécution. Cette figure – au sens de configuration graphique

– est accompagnée d'un texte récurrent : *Son sang impur abreuva nos sillons* ; l'écrit explicite la valeur non pas anecdotique ou événementielle des gouttes de sang, mais proprement iconographique dans la mesure où le *motif* (la goutte de sang) y représente un *thème* (le sang impur du traître) [357]. Diversement placées au bas ou en haut de l'image, d'autres inscriptions, beaucoup plus variables, articulent les contenus allégoriques qui peuvent être fonction du guillotiné représenté.

Très différente donc de la gravure révolutionnaire représentant la scène de la décapitation en son dernier moment, cette image n'est pas de type documentaire ; il s'agit effectivement d'un *portrait de guillotiné,* d'une image aussi fortement structurée que le portrait royal d'Ancien Régime et tout aussi susceptible d'une analyse théorique précise. La cohérence de ce système est d'ailleurs démontrée par le fait que le portrait de « Robespierre guillotiné » est présenté selon la même disposition figurative que celui de « Louis XVI guillotiné » : l'emploi politique de la machine a suscité l'apparition d'un type d'image dont il vaut la peine d'analyser les diverses résonances.

Première caractéristique remarquable : l'image opère un effacement radical des corps, celui du bourreau comme celui de la victime, et celui-ci constitue par lui-même le portrait de guillotiné comme type iconographique. Or, à exclure ainsi du champ de la représentation l'image des corps, à ne se concentrer que sur deux fragments (avant-bras, tête) tout en opposant les modalités de leurs configurations, l'image implique une véritable représentation du pouvoir, dans la révolution qu'il connaît. Coupée et singulière dans la mesure où elle est marquée par un rictus et une expression dont la convention de la gravure prétend qu'ils ont été observés « sur le vif », cette tête est celle d'un homme dont l'immolation contribue à abolir un pouvoir dont le propre était précisément de s'incarner dans l'unité singulière et extraordinaire du corps royal ; conjointement, l'avant-bras, nullement particularisé, anonyme, n'est pas celui de tel ou tel bourreau singulier mais bien celui de cet être neutre, de ce *représentant du pouvoir exécutif* auquel le Peuple a délégué la fonction d'exécuter sa loi.

Abstraite du tumulte de l'événement, l'image représente le nouveau pouvoir. Sur l'échafaud et au plus fort du rituel, le geste du bourreau évoquait celui de Persée présentant la tête de Méduse à Polydectès ; sur l'image et au sein de ce que l'on pourrait appeler le corpus iconographique du thème, ce geste acquiert une autre résonance, dont l'origine est proprement religieuse. On le trouve en effet déjà dans une gravure qui illustre le recueil d'emblèmes du Hollandais Jacob Cats, bien connu au XVIII⁰ siècle ; la gravure représente une scène de décapitation dans laquelle intervient un des nombreux ancêtres de la guillotine ; la main du bourreau maintient la tête du condamné à l'aplomb du couteau mais, sortant du nuage, l'avant-bras et la main de Dieu tranchent le fil du couperet, comme le justifie d'ailleurs le titre général du poème auquel se rattache l'emblème : *Le Cercueil pour les vivants ou Emblèmes tirés de la parole de Dieu* [358]. En rapportant le geste de la main divine au bras d'un bourreau abstrait, on dégage une des valeurs les plus profondes que la mystique jacobine attache à la gestuelle de son exécuteur : la guillotine *laïcise* la divinité et la main du bourreau la *socialise*. Mais, en se substituant imaginairement à la puissance divine, la puissance sociale en récupère la dimension propre : elle s'en trouve à son tour, comme le répètent les discours de Robespierre, *divinisée*.

Ce contexte donne toute sa portée à l'une des images les plus élaborées de la série : le portrait de *Custine guillotiné*. A l'intérieur du cadre, au-dessus de la tête coupée, une inscription en capitales déclare ECCE CUSTINE. Sans trop se préoccuper des résonances éventuellement contradictoires que peut susciter cette référence à la Passion du Christ, l'image exploite l'écho religieux de la formule en la déplaçant : d'*Ecce homo* à *Ecce Custine,* la parodie montre le triomphe d'une loi laïque (mais sainte) et elle utilise la valeur déictique de la formule évangélique pour montrer et démontrer la traîtrise du traître en exhibant sa tête (voir illustration).

Cette tête apparaît en outre au sein d'un réseau d'inscriptions qui en font le point de croisement d'un jeu de significations précises, articulées à travers un système élaboré de transformation des énoncés. Les divers intitulés de l'image se fondent en effet sur les relations idéologiques du *singulier* au *pluriel* où se joue lexicalement l'opposition, fondamentale sur le plan politique, des *particuliers* et du *Peuple* : se répondant en diagonale dans les deux titres principaux, hors cadre, de l'image (*Aux Mânes de nos frères sacrifiés par le Traître / Ainsi périse* [sic] *les Traîtres à la Patrie*), pluriel et singulier représentent la nouvelle structure idéologique du corps politique : *le* traître a sacrifié *les* frères, *les* traîtres seront sacrifiés à *la* patrie ; d'un singulier à l'autre, du Traître à la Patrie, une transformation s'opère qui garantit le triomphe de la République, car le singulier du Traître n'est que celui d'un *particulier,* alors que le singulier de la Patrie est un *collectif,* celui de la volonté générale et du Peuple. A l'intérieur du cadre enfin, dans le champ donc de l'image, les possessifs reprennent le thème pour articuler métaphoriquement la théorie à la figure (*son* sang / *nos* sillons) et, en faisant écho au dernier vers du futur hymne national, la formule « son sang abreuva nos sillons » répond au caractère référentiel de la formule évangélique parodiée *Ecce Custine.* Mais, de nouveau, d'une inscription à l'autre, une transformation signifiante s'opère : l'énoncé nominal *Ecce Custine* implique un présent immédiat, celui-là même de la tête de Custine présentée au spectateur par l'avant-bras du bourreau ; au contraire, la proposition verbale transforme le subjonctif optatif de *La Marseillaise* (« Qu'un sang impur abreuve nos sillons ») en un passé où s'énonce, simplement, le triomphe final de la République sur le Traître.

Le portrait de *Custine guillotiné* est certainement l'un des plus achevés du genre : au bas de la feuille, une autre inscription, en cursive, précise *28 août 1793, l'an 2ᵉ de la République une indivisible, à 10 heures 30 du matin.* L'image est donc censée adhérer à l'événement ; elle donne à voir un visage pris *sur le vif* ou, plutôt, pour utiliser cette fois le langage judiciaire, un visage pris à l'instant redoutable où *le* (la) *mort saisit le vif.* L'inscription atteste que l'image a la force d'un témoignage sur ce que fut, effectivement, à cet instant, le visage du traître. Elle jouit ainsi du prestige propre au portrait, de ce prestige qui le définit comme *genre* de représentation de la figure humaine : à la différence de l'effigie, le portrait suppose en effet que le peintre et le modèle ont partagé le même temps et le même espace. C'est même, dans le portrait traditionnel, cet *ici-et-maintenant* du modèle et du peintre qui assure à la peinture sa force « presque divine [359] » : si le portrait est « vivant », c'est qu'il a su saisir la vie du modèle et en faire passer, par la magie du pinceau, une partie sur la toile. Il n'est certes pas indifférent de constater que, fidèle à son *genre*, le portrait de guillotiné

prétend jouir aussi de ce prestige ancien ; il affirme avoir
été peint à l'heure de l'événement, en présence de son
modèle – ou, tout au moins, ce qu'il présente prétend
être une mise en forme particulière et spécifique de ce
rapport *ici-et-maintenant* qui structure tout portrait.

Indirectement cette constatation jette quelque lumière
sur une des raisons de l'affluence publique au spectacle
de la guillotine. On l'a dit en effet, le spectateur, sur la
place, a peu de chances de voir bien l'événement : la
distance, les obstacles qui s'interposent, les bourreaux qui,
sur l'échafaud, cachent le détail, les circonstances dans
leur ensemble obstruent une vision claire. Pourtant la
foule est toujours présente ; il s'agit sans doute moins
pour elle, en définitive, d'avoir une vision claire de
l'événement que d'*être là,* de partager l'espace et le temps
de l'exécution, d'être présente à ce sacrifice et d'en
recevoir, par cette seule présence, quelque bénéfice en
fonction d'une osmose où se transpose encore, laïquement,
le thème chrétien de la bénédiction.

Par ailleurs, en faisant référence à cet *ici-et-maintenant*
de l'événement, le portrait de guillotiné a l'incomparable
mérite de fixer l'ultime expression tout en faisant voir de
près ce que l'on distinguait mal de loin ; il permet
indéfiniment au spectateur (de l'image) de scruter, dans
la configuration du visage, les signes d'une « peine intérieure », d'une passion ou d'une dernière pensée...

Il y a plus encore.

Cet ultime portrait du monstre est aussi son *vrai* portrait,
comme le suggère l'inscription *Ecce Custine.* Cette vérité,
il la doit au processus même de sa fabrication. Non
seulement en effet la technique graphique de la gravure
écarte les charmes éventuellement trompeurs de la couleur
et de sa rhétorique – la gravure est un art du dessin,
« la probité de l'art » selon Ingres –, mais l'expression
même du visage qu'elle reproduit n'est le fruit d'aucune
intention, éventuellement hypocrite. Le modèle n'y est
pour rien de sa volonté, non plus que l'artiste ou sa
main, susceptible de toutes les interprétations, de toutes
les déformations. Evacuant les incertitudes de « l'agent
humain », la simple mécanique de la guillotine produit,
une fois encore, comme un de ses effets machinaux, cette
figure où se peint et se reconnaît le traître.

Fruit d'un double laconisme de l'imitation, excluant
toute rhétorique déformante de la part du modèle et du

peintre, le *portrait de guillotiné* en arrive à être comme un écho révolutionnaire de la *Véronique,* de ce voile où, miraculeusement, s'est imprimé au revers pour apparaître en avant, sans intervention de main humaine, le vrai visage du Christ, son vrai portrait, sa *vera icona,* dont tout visage peint du Christ n'est qu'une imitation, éloignée de tant de degrés de la vérité.

A y réfléchir, la guillotine-chevalet place la victime du sacrifice dans une position étrangement résonnante : passée à la « fenêtre », la tête vient du revers pour se faire voir, isolée du corps, en avant de la toile transparente que dessine le châssis de la machine... Et la dernière expression, saisie sur le vif, est imprimée sur le visage même qui en surgit dans son ultime vérité, secrète et dévoilée. *Ecce Custine* donc : voici la vraie image du vrai Custine, transcrite le plus véridiquement par l'incision d'un trait incolore sur la plaque de cuivre avant d'être, derechef, imprimée mécaniquement sur la feuille.

Par cette double articulation mécanique qui exclut idéologiquement l'intervention subjective du créateur par rapport à son modèle, l'estampe du portrait de guillotiné peut se réclamer d'un prestige de vérité plus fort encore que celui du portrait peint. Sa position n'est pas sans rappeler l'imitation parfaite de la peinture dont rêve Fénelon en 1690 : une peinture sans peintre, un art de peindre « où s'abolit l'opérateur pictural » (Démoris) au profit d'une opération de fixage presque photographique des traits du modèle sur le support de l'image : « Il n'y avait aucun peintre dans tout le pays ; mais quand on voulait avoir le portrait d'un ami [...] on mettait de l'eau dans de grands bassins d'or ou d'argent ; puis on opposait cette eau à l'objet qu'on voulait peindre. Bientôt l'eau se congelait, devenait comme une glace de miroir, où l'image de cet objet demeurait ineffaçable [360]. » Réduisant le « temps de pose » de la congélation à l'instantanéité et fixant l'expression du visage avec un *faire* aussi neutre qu'irréfutable, la guillotine produit en quelque sorte l'idéal du portrait classique.

Car, dans sa conception classique, le portrait réussi n'est rien d'autre que la synthèse entre les traces laissées par l'histoire sur l'apparence du visage d'une part et, de l'autre, l'essence du sujet qui habite ce visage, telle qu'elle s'identifie dans sa « physionomie », structure sous-jacente immuable du visage [361]. Le portrait le plus complet, celui

qui fera le mieux voir *toute* la personne, ne peut qu'être,
à la limite de cette histoire même, le dernier portrait,
celui où, à la mort, se totalise l'histoire dans la somme
des marques qu'elle a laissées ; le portrait n'indexant
toujours que la mort – ne serait-ce que celle du moment
même où je fus, là et alors, dans l'ici-et-maintenant de
ce portrait-là –, la guillotine produit effectivement l'idéal
de tout portrait possible : elle donne à voir, fixé le visage
de l'ultime moment, le *masque* où se condensent et se
résument toute l'histoire et son sens.

Ce terme de masque est particulièrement adéquat au
type d'image que propose le *portrait de guillotiné* ; car
ces portraits pouvaient être faits à partir de masques
mortuaires où l'on fixait rapidement le visage avant de
jeter l'ensemble – corps et tête – dans la fosse [362]. Mais
ce terme introduit également une nouvelle problématique,
particulièrement fructueuse, dont l'enjeu pourrait bien se
situer entre les trois termes *masque, figure* et *visage* : le
portrait de guillotiné se pose comme une figure faisant
coïncider masque et visage...

« Il y a ainsi de par le monde beaucoup de figures
célèbres et dont on ne sait rien. Ce qui est célèbre, c'est
le masque : on ignore d'habitude le visage [363]. » L'auteur
de l'ouvrage justement oublié *Les masques et les visages
à Florence et au musée du Louvre*, Robert de La Sizeranne,
est ici au plus proche d'une pensée qui, dans sa formulation actuelle, dit que le masque est « ce qui fait d'un
visage le produit d'une société et de son histoire [364] ».
Mettant à nu l'essence de ce qu'il représente, le masque
se détache du détail de la singularité personnelle et
éventuellement accidentelle pour être « le sens en tant
qu'il est absolument pur », tel ce portrait de Noir « né
esclave » qui est « l'essence de l'esclavage mis à nu [365] ».
Tel aussi, doit-on dire, le *portrait de guillotiné* dont le
masque ne fait que démasquer le traître pour le faire
apparaître dans la transparence de sa signification, clairement légendée par les diverses écritures qui glosent
l'image. Glose presque inutile : la configuration de l'image
donne le sens comme *absolument pur* ; le portrait
démasque ici le traître en son masque mortuaire qui est
son vrai visage de traître ; c'est le seul qu'il mérite
puisque, selon Robespierre, le « masque du patriotisme »
s'acharne à « défigurer, par d'insolentes parodies, le drame
sublime de la révolution [366] ».

Dans son genre spécifique, le *portrait de guillotiné* rencontre ici la photographie.

On ne doit pas s'étonner de ce que le terme de guillotine désigne, dans les appareils photographiques du XIXᵉ siècle, un type d'obturateur dont le mécanisme, différent de celui des obturateurs « à diaphragme », sert en particulier à saisir un portrait... On ne doit pas non plus s'étonner de ce que, réciproquement et toujours en termes de métier, l'exécuteur placé en face du châssis et chargé de placer très exactement la tête du condamné dans le « petit trou » de la lunette qui se referme sur le cou, et qui en est dès lors obturée, soit appelé le « photographe [367] » ; l'humour noir fait mouche. Ce n'est pas non plus simple coïncidence si, dans sa description de l'un des processus de la photographie, Roland Barthes a pu utiliser des termes très proches de ceux qui décrivent la mise en place du guillotiné : « [...] cet instant, si bref fût-il, où une chose réelle s'est trouvée immobile devant l'œil [...]. Dans la photo, quelque chose *s'est posé* devant le petit trou et y est resté à jamais » ; ce n'est pas coïncidence non plus si, dans son éventuelle horreur, la photographie rejoint l'horreur que suscite la guillotine : « [...] Photographier des cadavres [...] si la photographie devient alors horrible, c'est parce qu'elle certifie, si l'on peut dire, que le cadavre est vivant, en tant que cadavre [368]. » La photographie ressuscite la fascination de la tête mourante, vivante et déjà morte, celle-là même que fixe l'iconographie perverse du portrait de guillotiné : le 28 août, à dix heures trente du matin...

Guillotine et photographie sont sœurs car, dans ces portraits qu'elles tirent *sur le vif,* elles garantissent un « ça a été [369] ». Plus encore que le portrait photographique, le portrait de guillotiné prétend certifier doublement ; *Ecce Custine,* ce n'est pas seulement la désignation de cette image *en tant que* Custine, guillotiné à 10 heures 30 du matin, c'est aussi Custine *tel qu'en lui-même* il a été : l'image donne à voir son essence de traître dont le masque est enfin, grâce à la guillotine, transparent à sa signification.

Cette rencontre de la guillotine et de la photographie n'est pas seulement juste en théorie ; l'histoire sociale et policière saura la faire fructifier : dès lors qu'à un titre équivalent à celui de la guillotine la photographie se voit reconnaître comme instrument de gestion et de contrôle du corps social, leurs deux appareils instaurent une connivence, une collaboration véritables.

Quand, vers la fin du XIX⁰ siècle, on photographie les têtes de guillotinés, il ne s'agit plus de dévoiler le masque du traître mais, très certainement, d'identifier celui du vrai criminel, du monstre social et, en constituant progressivement une collection de visages / masques, d'en relever les dimensions les plus intimes pour mettre au jour la vérité, la loi secrète dont on les suppose porteurs. Portraits de criminels, portraits de guillotinés jusqu'en leur boîte crânienne mise à nu après autopsie, portraits de malades, portraits d'hystériques, le dernier quart du XIX⁰ siècle se livre à une mise en série de têtes coupées ou découpées dont le point commun le plus immédiatement frappant tient au caractère répétitif, accumulatif, sériel du procédé et de la recherche. Explicitement, cette pratique obsessionnelle vise à dégager les lois physionomiques dont chaque visage ne serait qu'un cas particulier, qu'un des masques qu'on pourrait, par la seule observation visuelle, dévoiler comme masque d'une maladie ou d'une criminalité native, et que l'on cherche à saisir à travers ce qui passe désormais comme un *savoir de l'image*. Charcot et son *Iconographie de la Salpêtrière* (1875), Lombroso et son *Atlas de l'homme criminel* (1878), Galton et ses *Inquiries into human faculties* (1883), Bertillon enfin avec ses travaux sur la photographie judiciaire qui fondent l'anthropométrie moderne (1890-1893), tous travaillent dans le même sens et sur la même hypothèse : dégager dans le masque d'un visage « subsumé en faciès [370] » les lois anthropométriques des apparences, établir un code de signalement permettant de reconnaître, par ressemblance, l'illégal dans sa figure, constituer chacun en *individu pénal* [371].

Le vocable d'*anthropométrie* fait son apparition dans la langue française vers 1750 ; il signifie encore, en 1792, l'étude des proportions du corps humain. Ce n'est qu'en 1871, date à laquelle la Commune brûle la guillotine tandis que les Versaillais en font construire un modèle amélioré, que le terme d'anthropométrie désigne une technique spécifique de mensuration qui s'illustrera rapidement dans sa face judiciaire.

La seule histoire de la langue permettrait ainsi de montrer que la machine à décapiter, instrument judiciaire s'il en fut, se situe à la charnière de cette transformation d'une science esthétique des proportions en science policière des identifications. Ce n'est pas la « machine à Guillotin » qui prépare cette articulation décisive, mais bien la « machine aux Jacobins », travaillant en série et contribuant à produire objectivement la série d'images qui lui servent de preuves ; dès l'origine, la guillotine politique est cet instrument faisant le tri entre bons et méchants, tandis que la série des portraits de guillotinés assure déjà l'idée d'une ressemblance diffuse de ces faciès, de ces masques dont le jugement judiciaire a garanti qu'ils appartiennent à la même série : traîtres et monstres.

Qu'il y ait, dès 1793, une instance criminologique à l'œuvre dans l'iconographie du guillotiné, c'est ce qu'atteste l'ultime lettre de Charlotte Corday. Exprimant dans sa prison l'étonnant mais très significatif désir de faire faire son portrait, elle s'en explique par deux motifs. Le premier est fondé sur la tradition de la peinture de portraits : elle veut laisser aux amis un souvenir d'elle-même ; le second est plus complexe, moderne et adapté aux circonstances révolutionnaires : fournir matière à réflexion à ceux qui sont curieux de la physionomie des criminels[372]. La lettre de Charlotte Corday, dont la tête allait quelques heures plus tard être scandaleusement giflée sur la place, renvoie au prestige préscientiste de la *physionomie* comme outil permettant de déchiffrer la valeur expressive des traits fixes du visage.

En rapprochant l'instance privée de l'amitié et l'instance sociale de la criminalité, Charlotte Corday annonce par ailleurs ce dont sera porteuse aussi la photographie : cette *publicité du privé* contre laquelle Roland Barthes, « par une résistance nécessaire », veut « reconstituer la division du *public* et du *privé* » pour « énoncer l'intériorité sans livrer l'intimité[373] ». Déjà la guillotine mettait sur la place cet instant le plus privé où chaque individu est à lui-même : sa propre mort ; et la guillotine – qui, selon Œlsner, prostitue le condamné « aux regards de la populace » – diffuse avec le portrait de guillotiné l'instance la plus inaliénable d'un visage : son apparence au moment de sa mort.

Ce n'est pas sans quelque logique que la guillotine se trouve ainsi aux sources de cette *publicité du privé* : un des points fondamentaux de la morale jacobine consiste, on l'a vu, à sacrifier le privé au public, à évacuer l'individu dans sa singularité pour n'y voir que le cas d'une loi. Politique avant d'être sociale, la guillotine aura contribué à façonner aussi l'image et les règles de ce qui, après avoir été l'idéal inaccessible de la démocratie, devient l'indice de la santé bourgeoise : la conformité à une ressemblance.

En fin d'analyse, ce qui émerge ainsi, mais comme un retour à son tout premier début, c'est l'extraordinaire « capacité informative » de la machine à décapiter ; elle *informe* le corps (physique), dans le sens précis qu'elle lui donne brutalement forme scindée, et elle nous informe en même temps sur les significations latentes de cette nouvelle image du corps (civil et politique) qu'elle contribue à dessiner.

L'enjeu idéologique peut-être le plus général, celui à partir duquel il serait éventuellement possible de penser la plupart des réactions et des investissements imaginaires dont cette machine a été le lieu, pourrait bien être ce concept qui ne prend son sens moderne que dans le dernier quart du XVIIIᵉ siècle : celui de *banalité*. Désignant sous l'Ancien Régime l'obligation pour le peuple de se soumettre au privilège du suzerain en lui payant redevance, le concept se renverse peu avant la Révolution pour indiquer le caractère de ce qui est extrêmement commun, partagé par le plus grand nombre, sans privilège d'aucune sorte. Ce renversement sémantique marque comme à l'avance une des visées profondes de la Révolution : faire passer la souveraineté d'un être et d'une caste particulière à la banalité du plus grand nombre, le peuple.

Il serait bien possible que la fertilité imaginaire de la guillotine tienne en définitive à ce qu'elle ramène la mort et les corps à la norme d'une loi : à l'instant du trépas, elle travaille à forger, dans l'intimité de chacun, la conscience de sa visée finale, aussi insupportable qu'irréfutable : une suprême banalité.

NOTES

1. A condition d'entendre le terme au sens de Pierre Francastel, *La réalité figurative*, Paris, 1965, p. 107.

2. Antérieurement, Diderot a prévu que, si le condamné ne mourait pas, il aurait la vie sauve, *Encyclopédie*, article « Anatomie », éd. de Livourne, 1770, I, p. 402.

3. Cité par A. Soubiran et J. Théoridès, « Guillotin et la rage : un mémoire inédit », dans *Histoire des sciences médicales*, 1982, XVI, 4. Je remercie G. Didi-Huberman qui m'a signalé ce texte peu connu.

4. Victor Hugo, *Littérature et philosophie mêlées*, Paris, 1976, I, p. 259 (décembre 1820).

5. Cf. L. Bridel, *Le Conservateur suisse*, 15 septembre 1796 : « Il y en a une parfaitement ressemblante à la leur [celle des Français], dans un tableau du pont de Lucerne qui représente le martyre de quelques chrétiens sous un certain Hirtacus, tableau fait longtemps avant la naissance de M. Guillotin. On voit aussi une de ces machines devenues trop fameuses ou plutôt trop actives dans une gravure en bois, de Salvatore Rosa, si je ne me trompe, qui représente le supplice des fils de Brutus. » Sur ces ancêtres de la « machine à Guillotin », voir plus loin et D. Arasse et V. Rousseau-Lagarde, *La Guillotine de la Terreur*, Florence, 1986, I.

6. Robespierre, « Discours sur les peines infamantes », *Œuvres complètes*, Paris, 1910, I, p. 44. Cf. J. Goulet, « Robespierre, la peine de mort et la Terreur », dans *Annales historiques de la Révolution française*, 1981, 2, p. 219 *sq.*

7. J.-P. Marat, *Plan de législation criminelle*, cité par J. Delarue, *Le métier de bourreau*, Paris, 1979, p. 19.

8. M. Foucault, *Surveiller et punir*, Paris, 1975, p. 38.

9. Abbé de La Porte, *Voyageur français*, XIX, p. 317.

10. Cf. J. Delarue, *op. cit.*, p. 151 *sq.*

11. Deux de ces textes suffisent pour montrer la double caractéristique de cette ancienne machine : élitisme aristocratique et efficacité machinale. En 1507, Demetrio Giustiniani organise à Gênes la rébellion contre Louis XII ; il est exécuté le 13 mai : « Le bourreau lui banda les yeux ; puis de luy-mesme se mist à genouilz et estandit le coul sur le chappus. Le bourreau print une corde, à laquelle tenoit attaché un groux bloc, a tout une douloure tranchant, hantée dedans, venant d'amont entre deux pousteaulx, et tire ladite corde, en manière que le bloc tranchant à celui gennevoys tomba entre la teste et les espaules, si que la teste s'en va d'un cousté et le corps tombe de l'autre » (Jean d'Auton, *Chronique de Louis XII*, cité par A.G. de Manet, « La guillotine et ses ancêtres », dans *Le Mois littéraire et pittoresque*, Paris, p. 356). En 1632, le duc Henri II de Montmorency, maréchal de France, est décapité pour avoir pris les armes avec Gaston d'Orléans contre Richelieu ; les *Mémoires* de Jacques de Chastenet décrivent l'exécution : « Et puis se tourna vers le bourreau et lui dit : " Fais ton devoir. " Il se fit jeter une corde sur les bras et s'en alla à son échaffaut sur lequel il entra par une fenêtre qu'on avait ouverte, qui conduisait audit

échaffaut [*sic*] dressé dans la cour de la maison de ville, sur lequel était un bloc où on lui fit mettre la tête. En ce païs-là, on se sert d'une doloire qui est entre deux morceaux de bois ; et quand on a la tête posée sur le bloc, on lâche la corde et cela descend et sépare la tête du corps. Comme il eut mis la tête sur le bloc, la blessure qu'il avait reçue au col lui faisant mal, il remua et dit : " Je ne remue pas par appréhension, mais ma blessure me fait mal. " Le Père Arnoul était auprès de lui qui ne l'abandonna point, on lâcha la corde de la doloire, la tête fut séparée du corps, l'un tomba d'un côté et l'autre de l'autre », cité par Manet, *ibid.*

12. Ainsi, après avoir rendu compte du discours de Guillotin, le *Journal des Etats généraux* note que « les législateurs du XVIIIᵉ siècle sont tous portés à adoucir le code pénal ; mais quelques-uns ont paru révoltés qu'il n'y eût aucune nuance ni différence entre le supplice d'un parricide, d'un régicide et d'un homicide. L'abbé Maury, Target et une infinité d'autres membres ont demandé l'ajournement de ces questions, pour pouvoir se décider en connaissance de cause », cité par Soubiran, *Ce bon docteur Guillotin*, Paris, 1962, p. 160.

13. Je ne citerai qu'une seule de ces chansons : « (Air : Quand la mer rouge apparut...) C'est un coup que l'on reçoit / Avant qu'on s'en doute, / A peine on s'en aperçoit / Car on n'y voit goutte. / Un certain ressort caché / Tout à coup étant lâché / Fait tomber, ber, ber, / Fait sauter, ter, ter, / Fait tomber, / Fait sauter, / Fait voler la tête, / C'est bien plus honnête », cité par E. et J. de Goncourt, *Histoire de la société française pendant la Révolution*, Paris, 1918, p. 428.

14. *Ibid.*, p. 428-429.

15. H. Bergson, *Le Rire*, Paris, 1918, p. 39.

16. Cf. Marcel Normand, *La Peine de mort*, Paris, 1980, p. 20. Dans son célèbre discours du 30 mai 1791, Robespierre insiste sur le fait que la Russie de Catherine a, malgré son despotisme, supprimé la peine de mort : « La Russie a-t-elle été bouleversée depuis que le despote qui la gouverne a entièrement supprimé la peine de mort, comme s'il eût voulu expier par cet acte d'humanité et de philosophie le crime de retenir des millions d'hommes sous le joug du pouvoir absolu », dans *Œuvres complètes*, Paris, 1950, VII, p. 439.

17. Le commentaire le plus éclairant est sans doute celui du *Courrier de Provence* : « M. Prugnon a opiné pour la conservation de la peine de mort ; M. Robespierre en a demandé l'abolition. Le premier a traité cette question terrible avec la délicatesse et les grâces d'un homme d'esprit, le second avec la sensibilité d'un philosophe pénétré de la lugubre importance de son sujet » ; cf. Robespierre, *Œuvres complètes*, VII, p. 441.

18. On saisit bien l'esprit du moment en rapprochant le *Journal de Louis XVI et de son peuple* et *L'Ami du peuple* de Marat (cf. Robespierre, *op. cit.*, p. 445) : « Le démocrate Robespierre parle longtemps contre la peine de mort qu'il regarde comme indigne d'un peuple libre. Son discours n'est que philosophique, étayé de quelques exemples historiques, mais il est dénué de politique et de cette profondeur qui caractérise l'habile législateur » (*Journal de Louis XVI...*) ; « [...] L'Assemblée a décrété avec raison, mais sans tirer à conséquence, que la peine de mort serait réservée pour les grands crimes : question sur laquelle nos fidèles Pétion et Roberspierre [*sic*] avaient établi un sentiment qui fait honneur à leur sensibilité, mais sujet à des inconvénients trop graves pour être adopté. Le droit d'infliger des peines capitales qu'a la société n'est pas douteux puisqu'il découle de la même source que le droit de donner la mort qu'a tout individu, je veux dire le soin de sa propre conservation. Or, si toute peine doit être proportionnée au délit, celle de l'assassin et de l'empoisonneur doit être capitale ; à plus forte raison, celle du conspirateur et de l'incendiaire » (*L'Ami du peuple*).

19. *Rapport de Charles Henri Sanson au ministre de la Justice sur le mode de décapitation.* Voir appendice I.

20. Les lois ne voulant voir dans la peine de mort que la « privation de la vie », « il résulte des observations qui m'ont été faites par les exécuteurs que, dans les préoccupations du genre de celles qui ont fixé l'attention de l'Assemblée constituante, le supplice de la décollation sera horrible pour les spectateurs. Ou il démontrera que ceux-ci sont atroces, s'ils en supportent le spectacle, ou l'exécuteur, effrayé lui-même, sera exposé à toutes les coteries du peuple », cité par L. Pichon, *Code de la guillotine*, Paris, 1910. Cf. J. Delarue, *op. cit.*, p. 121 ; Soubiran, *op. cit.*, p. 17.

21. Voir appendice II.

22. « Décret d'urgence. L'Assemblée nationale, considérant que l'incertitude sur le mode d'exécution de l'article 3 du titre 1ᵉʳ du Code pénal suspend la punition de plusieurs criminels qui sont condamnés à mort ; qu'il est très instant de faire cesser des incertitudes qui pourraient donner lieu à des mouvements factieux ; que l'humanité exige que la peine de mort soit la plus douce possible dans son exécution, décrète qu'il y a urgence. » « Décret définitif. L'Assemblée nationale, après avoir décrété l'urgence, décrète que l'article 3 du titre 1ᵉʳ du Code pénal sera exécuté suivant la manière indiquée et le mode adopté par la consultation signée du secrétaire perpétuel de l'Académie de chirurgie, laquelle demeure annexée au présent décret ; en conséquence, autorise le pouvoir exécutif à faire les dépenses nécessaires pour parvenir à ce mode d'exécution de manière qu'il soit uniforme dans tout le royaume », cité par Soubiran, *op. cit.*, p. 179.

23. Ce descriptif diffère de la future guillotine sur deux points précis : la forme du couperet, convexe comme l'annonçait son *Avis motivé*, et la position du condamné : « Le patient posera sa tête sur un billot de bois de huit pouces de haut et quatre pouces d'épaisseur et d'un pied de large [...]. Couché sur le ventre, [il] aura la poitrine soulevée par ses coudes, et son col sera sans gêne dans l'échancrure du billot. Toutes choses bien disposées, l'exécuteur placé derrière la machine pourra réunir les deux bouts de la corde qui soutient le tranchoir, et les lâchant en même temps, cet instrument tombant de haut par son poids et l'accélération de la vitesse séparera la tête du tronc, en un clin d'œil », cité par Delarue, *op. cit.*, p. 125.

24. Cf. Soubiran, *op. cit.*, p. 186.

25. *Ibid.*, p. 187.

26. Cité par G. Lenotre, *La Guillotine et les exécuteurs des arrêts criminels pendant la Révolution*, Paris, 1920, p. 230-231.

27. Cf. Delarue, *op. cit.*, p. 127.

28. Cf. Soubiran, *op. cit.*, p. 183.

29. Cité par Delarue, *op. cit.*, p. 169.

30. Cf. comte Beugnot, *Mémoires*, cité par Delarue, *op. cit.*, p. 136 : « Ce pauvre homme était philanthrope, généreux, et ne manquait ni de science ni d'habileté, mais le malheur d'avoir donné son nom au fatal instrument empoisonna sa vie. »

31. Cf. Beugnot, *ibid.* : « Il ne craignait pas pour nous servir d'enlever des pratiques à sa machine. »

32. Bonneville et Quénard, *Portrait des personnages historiques de la Révolution française*, Paris, 1796.

33. Cf. Delarue, *op. cit.*, p. 144.

34. *Ibid.*, p. 147.

35. Cité par le G. Lenotre, *op. cit.*, p. 233-234.

36. Cf. Delarue, *op. cit.*, p. 28.

37. *Journal de la France*, cité par Soubiran, *op. cit.* Cf. également la *Chronique de Paris* : « Le peuple d'ailleurs ne fut point satisfait : il n'avait rien vu ; la chose était trop rapide ; il se dispersa désappointé, chantant pour se consoler de sa déception un couplet d'à propos :

Rendez-moi ma potence de bois, / Rendez-moi ma potence ! » cité par Lenotre, *op. cit.*, p. 235.

38. Cf. Delarue, *op. cit.*, p. 156. La première guillotinade politique à proprement parler date du printemps 1792 : neuf émigrés pris les armes à la main sont décapités en place de Grève. L'exécution est donc ordinaire ; mais le prestige que lui confère son caractère politique est indiqué par le fait qu'elle est l'occasion de la première représentation figurée de la décapitation par guillotine dans les *Révolutions de Paris*.

39. Sans suivre Chateaubriand qui, dans les *Mémoires d'Outre-Tombe* (Paris, 1946, I, livre IX, 3, p. 295), estime que l'« on peut parler de cet instrument comme d'un bourreau », force est de reconnaître qu'elle tient désormais le premier rôle. Dès 1789, Verninac de Saint-Maur l'avait bien pressenti puisque, dans sa lettre déjà citée au *Modérateur*, il justifiait son hostilité à la machine de la manière suivante : « La nouveauté de cette machine, son admirable jeu ne manqueraient pas d'attirer sur la place publique l'horrible curiosité du peuple : distrait de la leçon sanglante qui se donnerait sous ses yeux, le peuple battrait des mains au coup de théâtre ; que dis-je ? Il en viendrait peut-être à ce point d'immoralité qu'il désirerait la fréquence de ces terribles représentations » (cf. Goncourt, *op. cit.*, p. 436). Il ne s'agit pas d'une belle intuition ; Verninac de Saint-Maur se contente d'attribuer à la machine le succès d'estime que le public de l'Ancien Régime accordait au bourreau virtuose ; ainsi, lors de la décapitation de Beaulieu de Montigny, en 1737, l'adresse du bourreau lui avait valu un triomphe : « Il [...] montra [la tête] au peuple de tous les côtés, la remit à terre et salua ensuite le public qui applaudit beaucoup à son adresse par des battements de mains » (Cf. Delarue, *op. cit.*, p. 231).

40. La mort de Foullon avait été particulièrement dramatique : la corde avec laquelle on le pendait à la fameuse Lanterne qui faisait face à l'Hôtel de Ville cassa deux fois et la pendaison ne réussit qu'à la troisième tentative. Promenées ensuite dans Paris, leurs têtes passèrent sous les fenêtres de Chateaubriand : « Tout le monde se retira des fenêtres ; j'y restai. Les assassins s'arrêtèrent devant moi, me tendirent les piques en chantant, en faisant des gambades, en sautant pour approcher de mon visage les pâles effigies. L'œil d'une de ces têtes, sorti de son orbite, descendait sur le visage obscur du mort ; la pique traversait la bouche ouverte dont les dents mordaient le fer [...]. Ces têtes et d'autres que je rencontrai bientôt après changèrent mes dispositions politiques », *Mémoires d'Outre-Tombe*, éd. cit., I, livre V, 9, p. 171.

41. *Ibid. Plaintes de l'exécuteur de la Haute Justice contre ceux qui ont exercé sa profession sans être reçus maîtres*. Voir appendice III.

42. Et cette réussite, l'extrême rapidité de son résultat, peut susciter l'enthousiasme. C'est ce qu'atteste la lettre écrite par le commissaire du roi à Falaise au ministre de la Justice, le 8 juin 1792 : « J'avais conçu, d'après une guillotine imagifiée, la forme et ordonné l'exécution de la machine employée à l'exécution de Duval-Bertin. J'ai eu l'honneur de vous faire part, par ma lettre du 17 dernier, de la rapidité incalculable avec laquelle la tête de Duval-Bertin fut séparée de son corps. Cette rapidité fut celle de l'éclair, avant-coureur ou précurseur du tonnerre. Le clin d'œil ne peut voir la séparation d'une tête bondissante à 17 ou 18 pouces d'un tronc [...]. Dix cols entassés n'auraient pas échappé à la force précipitée par la vitesse de cet instrument qui, après avoir produit son effet attendu, produisit celui d'entrer de toute l'épaisseur de la lame dans un morceau de bois » ; cité par E. Seligman, *La justice pendant la Révolution*, Paris, 1901, I, p. 464. On retrouve ce phénomène de la « tête bondissante » lors de l'exécution des Girondins dont un rapport de police signale que « l'exécution s'est faite si vigoureusement que plusieurs têtes sautaient en bas de l'échafaud » ; cf. Caron, *Paris pendant la Terreur*, Paris, 1943, VI, p. 273.

43. Cet appel rythme par exemple le supplice de Damiens ; cf. Foucault, *op. cit.*, p. 9.

44. Cf. illustration.

45. Cette préoccupation est ancienne ; l'histoire de la mort de Béatrice Cenci à Rome en 1599 en porte témoignage. Comme on le sait, la *Belle Parricide* fut décapitée à vingt-deux ans par une *mannaia*, « sorte de guillotine », explique Stendhal dans la *Chronique italienne* qu'il consacre aux Cenci : « [...] montée sur l'échafaud, elle passa lestement la jambe sur la planche, posa le cou sous la *mannaja*, et s'arrangea parfaitement bien elle-même pour éviter d'être touchée par le bourreau. Par la rapidité de ses mouvements, elle évita qu'au moment où son voile de taffetas lui fut ôté, le public aperçût ses épaules et sa poitrine. Le coup fut longtemps à être donné parce qu'il survint un embarras. » Pour expliquer la nature de cet embarras « inhumain », Stendhal rédige une note qui nous reconduit au plus proche des considérations de 1789 ; il s'est agi d'assurer, à distance, la contemporanéité de la décapitation et de l'absolution : « [...] Clément VII était fort inquiet pour le salut de l'âme de Béatrix ; comme il savait qu'elle se trouvait injustement condamnée, il craignait un mouvement d'impatience. Au moment où elle eut placé la tête sur la *mannaja*, le fort Saint-Ange, d'où la *mannaja* se voyait fort bien, tira un coup de canon. Le pape, qui était en prière à Monte Cavallo, attendant ce signal, donna aussitôt à la jeune fille l'absolution papale *majeure, in articulo mortis*. De là le retard dans ce cruel moment dont parle le chroniqueur » ; cf. Stendhal, *Chroniques italiennes*, dans *Romans et Nouvelles*, Paris, 1982, II, p. 706-707.

46. « La République, objet sacré de tous nos vœux, de toutes nos espérances, doit faire disparaître, avec les signes de la royauté, ceux d'une tyrannie plus sombre et plus farouche, mais heureusement, par sa nature même, plus chancelante et plus précaire, qui semblait avoir pris la guillotine pour étendard », Cabanis, *Note sur le supplice de la guillotine*, dans *Œuvres complètes*, Paris, 1823, II, p. 181.

47. Chateaubriand, *Mémoires d'Outre-Tombe*, éd. cit., I, livre IX, 3, p. 295.

48. René-Georges Gastellier, *Que penser enfin du supplice de la guillotine ?* Paris, an IV, p. 11.

49. Cabanis, *op. cit.*, p. 171.

50. Descriptible à l'arrêt, la machine ne l'est donc point dans son acte même. Les estampes publiées sous la Terreur confirment d'ailleurs cette invisibilité / irreprésentabilité (aux résonances proprement « sublimes »). De nombreuses gravures font voir « la mort de » tel ou tel guillotiné d'exception, mais elles ne représentent jamais l'instant même de la décapitation. Les représentations se répartissent en deux types iconographiques nettement différenciés. Les estampes d'inspiration royaliste insistent sur ce qui précède le « fatal instant », développent abondamment la thématique des « derniers moments » au cours desquels la victime prononce ses derniers mots, délivre son ultime leçon de morale ou de piété, et elles attribuent souvent au « martyr » une gestuelle d'orateur dont les faits montrent qu'elle n'a pas eu le loisir de s'exercer, mais qui répond manifestement au besoin de dilater ce qui précède l'instant final. Les gravures d'inspiration révolutionnaire situent l'essentiel de l'action de l'autre côté du portique et de son instant : tout aussi mécaniquement que la machine répète son mouvement, elles répètent le geste du bourreau présentant la tête au peuple, geste dont on verra en effet toute la portée symbolique. Sur ces images, cf. D. Arasse et V. Rousseau-Lagarde, *op. cit.*

51. Cabanis, *op. cit.*, p. 180.

52. Voir appendice IV.

53. Chateaubriand, *Essais historiques sur les révolutions anciennes et modernes*, Paris, 1859, II, p. 94-95.

54. Gastellier, *op. cit.*, p. 94-95.

55. L'instantanéité de l'instant constitue en effet une ponctualité paradoxale : tout en étant indivisible, irréductible, l'instant, manifestation phénoménale du présent, est aussi fait d'un' écart, d'une rupture, infinitésimale et dynamique, entre le passé le plus proche et le futur immédiat ; tout instant est comme une *syncope* où se suture et se trame pourtant la continuité linéaire du temps. Cf. Aristote, *Physique*, IV, 13-14 : « L'instant est, d'un côté, division en puissance du temps, de l'autre il limite et unifie les deux parties (passé / futur) [...]. Là où est l'instant, là aussi est l'écart (apostase) à partir de l'instant », traduction H. Carteron, Paris, 1926, p. 157.

56. *Opinion du Chirurgien Sue, Professeur de Médecine et de Botanique, sur le Supplice de la Guillotine*, Paris, brumaire an IV, p. 1.

57. *Encyclopédie*, éd. cit., article « Mort », X, p. 662 : « On doit être [...] très circonspect à décider la mort *absolue*, parce qu'un peu plus de confiance peut-être vaincrait les obstacles ; la mort absolue n'est plus douteuse quand la putréfaction commence à se manifester [...]. Il est un premier degré de *mort* pendant lequel les résurrections sont démontrées possibles, et par un raisonnement fort simple et par des observations bien constatées [...]. D'ailleurs la révolution singulière, le changement prodigieux qui se fait alors dans la machine peut être utile à quelques personnes habituellement malades... C'est un axiome généralement adopté... »

58. Auberive, *Anecdotes sur les décapités*, Paris, an V, p. 7-8 : « Il est plus aisé de couper une corde à propos que de rajuster une tête. Cette dernière expérience a pourtant été tentée [...] pour savoir s'il était possible de retenir l'âme fugitive et de prolonger la vie de quelques instants après le coup fatal. Le sujet était un jeune homme condamné, pour crime, à être décapité. A peine fut-il exécuté que les chirurgiens arrêtèrent avec des astringents le sang qui jaillissait du tronc, d'autres qui avaient soutenu la tête la replacèrent sur sa base avec toute la justesse et la dextérité possibles, vertèbre sur vertèbre, nerfs sur nerfs, artères sur artères ; l'incision fut enveloppée dans son contour de compresses assujetties avec appareil ; enfin on approcha des narines du patient des liqueurs spiritueuses et volatiles. La tête alors parut se ranimer. On aperçut un mouvement sensible dans les muscles du visage et de la nictation dans les paupières. Un cri de surprise et d'admiration se fait entendre, on lève le jeune homme avec précaution, on le conduit très doucement dans la maison voisine où, après avoir donné quelques légers signes de vie, il expire. Ce fait me paraît avéré ; mais il semble que l'expérience a été très mal faite, et les précautions fort mal combinées. »

59. Villiers de L'Isle-Adam, « Le secret de l'échafaud », dans *Akëdysséril et autres contes*, Plan-de-la-Tour (Editions d'Aujourd'hui), 1978, p. 43 : « Si, *à ce moment*, quelles que soient les autres contractions du faciès, vous pouvez, par ce triple clin d'œil, m'avertir que vous m'avez entendu et compris, et me le prouver en impressionnant ainsi, par un acte de mémoire et de volonté permanentes, votre muscle palpébral, votre nerf zygomatique et votre conjonctive – en dominant toute l'horreur, toute la houle des autres impressions de votre être –, ce fait suffira pour illuminer la science, révolutionner nos convictions. Et je saurai, n'en doutez pas, le notifier de manière à ce que, dans l'avenir, vous laissiez moins la mémoire d'un criminel que celle d'un héros. »

60. Le débat est ouvert en l'an III par Soemmering dont l'essai *Sur le supplice de la guillotine* est présenté aux lecteurs du *Magazine encyclopédique* par Œlsner ; favorable à l'idée de la survie, il est appuyé en l'an IV par le chirurgien Sue (*op. cit.*). Dès l'an IV, la réfutation est abondante : outre les deux opuscules précités de Cabanis et de Gastellier, paraissent en effet la *Dissertation physiologique* de Léveillé, chirurgien

à l'Hôtel-Dieu de Paris, et les *Réflexions historiques et physiologiques sur le supplice de la guillotine* de Sédillot le Jeune, docteur en médecine.

61. Œlsner, *op. cit.*, p. 2 : « Notre esprit mesure le temps sur le nombre et le genre des sensations qu'on éprouve. »

62. Soemmering, *op. cit.*, p. 7.

63. Sue, *op. cit.*, p. 7. On conçoit en effet que La Pommerais ait hésité à démontrer cette horreur et qu'il ait, un instant, compté sur la « discrétion » du docteur Velpeau pour « laisser [sa] tête saigner tranquillement ses dernières vitalités dans le seau d'étain qui la recevra ».

64. Soemmering, *op. cit.*, p. 9.

65. Camille Desmoulins, *Œuvres complètes*, Paris, 1906, II, p. 382.

66. Soemmering, *op. cit.*, p. 10.

67. *Ibid.*, p.11.

68. Les opuscules de Cabanis, Gastellier, Léveillé et Sédillot développent des argumentations relativement proches et je n'évoquerai ici le détail médical qu'en tant qu'il permet de dégager les enjeux imaginaires que ce débat articule.

69. Sédillot, *op. cit.*, p. 4.

70. Pour Gastellier, la cause est entendue et il conclut en une formule où apparaît le terme de *masque,* dont on verra plus loin tout ce qu'il emporte avec lui : « Ces têtes conservent le masque qu'elles avaient au moment du supplice et [...] les muscles de la face restent tels qu'ils étaient. Un malheureux patient couché sur la fatale planche, attendant le cruel instrument qui va couper le fil de ses jours, peut grincer des dents ou avoir telles autres convulsions qui restent les mêmes après la séparation de la tête d'avec le corps », *op. cit.*, p. 15.

71. *Ibid.*

72. Sue, *op. cit.*, p. 14 : « La vie intellectuelle dans la tête, et l'œil en est alors le foyer ; la vie morale dans la poitrine, et le cœur en est alors le centre ; la vie animale qui est une espèce de végétation s'étend jusqu'aux organes de la reproduction, qui alors doivent être considérés comme les foyers ou le centre de cette vie. »

73. Cabanis, *op. cit.*, p. 173-174 : « Les découvertes microscopiques ont appris que la vie est partout ; que par conséquent il y a partout plaisir et douleur, et, dans l'organisation même de nos fibres, il peut exister des causes innombrables de vies particulières, dont la correspondance et l'harmonie avec le système entier, par le moyen des nerfs, constituent le *moi*. Il ne résulte de là rien de ce que prétend le citoyen Sue ; car le *moi* n'existe que dans la vie générale. »

74. « Rendez-vous de la plupart des sensations vives » (Cabanis, *op. cit.*, p. 178), elle est un « organe essentiel à la vie » (Gastellier, *op. cit.*, p. 18), elle assure l'unité du système des nerfs, « seuls organes du sentiment » (Léveillé, *op. cit.*, p. 463).

75. Léveillé, *op. cit.*, p. 462.

76. Sédillot, *op. cit.*, p. 22.

77. Auberive, *op. cit.*, p. 18.

78. Auberive condamne la « philosophie moderne » qui, « sous prétexte de nous affranchir du joug de la superstition [...] ne s'élevant jamais jusqu'à la région intellectuelle, ne peut connaître la chaîne qui unit tous les êtres, et moins encore cette âme qui imprime le mouvement à la matière, qui règle le cours des sphères célestes, et maintient l'ordre, la beauté, l'harmonie dans toutes les parties de ce vaste univers. La question la plus simple sur l'âme humaine ne peut être résolue que d'après les principes de la vraie philosophie », *ibid.*, p. 29.

79. Villiers de L'Isle-Adam, *op. cit.*, p. 40.

80. Cabanis, *op. cit.*, p. 179-180.

81. Ce sentiment que les *Rêveries du promeneur solitaire* de Rousseau avaient particulièrement contribué à diffuser et à exalter ; cf. par exemple l'exclamation célèbre de la *Cinquième Promenade* : « De quoi jouit-on dans une pareille situation ? De rien d'extérieur à soi, de rien sinon de

soi-même ; tant que cet état dure, on se suffit à soi-même, comme Dieu » ; cf. *Œuvres complètes*, Paris, 1959, I, p. 1047.

82. Auberive, *op. cit.*, p. 17.

83. Robespierre, *Œuvres complètes*, X, p. 354.

84. Cabanis, *Œuvres complètes*, III, p. 188 : « On n'a pas encore bien établi en quoi consiste l'intégrité du cerveau, de la moelle épinière, du système nerveux en général. Il est certain qu'on peut retrancher des portions considérables de ce système sans léser les fonctions sensitives de ce qui reste intact, sans porter de désordre apparent dans les opérations intellectuelles. »

85. Cabanis, *Lettre sur les causes premières*, dans *Œuvres complètes*, V, p. 64-65.

86. Sue, *op. cit.*, p. 14 : « Le visage peut être regardé comme le sommaire de ces trois sensations ; le front jusqu'aux sourcils est le miroir de l'intelligence ; le nez et les joues sont le miroir de la vie sensible et morale ; la bouche et le menton, le miroir de la vie animale. Nous pouvons donc résumer que la vie intellectuelle est le sanctuaire de l'âme : car c'est d'elle que jaillit l'éclair de la pensée. »

87. Cf. R. Démoris, « Le corps royal et l'imaginaire au XVIIᵉ siècle : Le portrait du Roy par Félibien », dans *Revue des sciences humaines de l'université de Lille III*, 1978, 4, p. 23 : « Si le roi est l'Etat et l'Etat un corps, il apparaît que le roi est le lieu où cet Etat se pense et a le privilège de saisir le sens de ce qui y survient, sens qu'il produit lui-même. Ce qui renvoie à une image du roi comme âme du Corps-Etat ; ou, si l'on reste dans le domaine du figurable, comme tête [...] de ce corps. »

88. C'est un ami de Pinel qui assiste avec lui aux essais de Bicêtre pour la guillotine et qui « libère » les folles de la Salpêtrière en un acte d'« indignation démocratique » ; cf. G. Didi-Huberman, *Invention de l'hystérie*, Paris, 1982, p. 10.

89. De ce point de vue, ses *Quelques considérations sur l'organisation sociale en général* et ses plus célèbres *Mémoires sur les rapports du physique et du moral de l'homme* sont à lire conjointement. De même que la réaction à la Terreur et à ses fournées revalorise une unité localisée du *moi* que la médecine de la guillotine avait contribué à disperser philosophiquement, de même la pensée politique revalorise l'idée d'un exécutif fort, *un*.

90. Cabanis, *Quelques considérations...*, dans *Œuvres philosophiques*, Paris, 1956, II, p. 475 : « Tout se fait pour le peuple et au nom du peuple ; rien ne se fait par lui ni sous sa dictée irréfléchie ; et tandis que sa force colossale anime toutes les parties de l'organisation publique [...], il vit tranquille sous la protection des lois [...]. Il jouit en un mot des doux fruits d'une véritable liberté, garantie par un gouvernement assez fort pour être toujours protecteur. »

91. *Ibid.*, p. 471.

92. *Ibid.*, p. 466-467. Cabanis est ici très proche de la pensée de Robespierre ou de Saint-Just et de leur hostilité à toute forme de démocratie directe. Saint-Just considère en effet « comme le principe fondamental de notre République que la représentation nationale y doit être élue par le peuple en corps » (*Discours sur la Constitution à donner à la France*, 24 avril 1793, dans *Œuvres complètes*, Paris, 1908, I, p. 431). Dans son *Rapport sur les principes de morale politique qui doivent guider la Convention* (5 février 1794, dans *Œuvres complètes*, X, p. 352-353), Robespierre pose nettement son hostilité à la démocratie directe : « La démocratie n'est pas un état où le peuple continuellement assemblé règle par lui-même toutes les affaires publiques, encore moins où cent mille fractions du peuple, par des mesures isolées, précipitées et contradictoires, décideraient du sort de la société entière ; un tel gouvernement n'a jamais existé, et il ne pourrait exister que pour ramener le peuple au despotisme [...]. La démocratie est un état où le

peuple souverain, guidé par des lois qui sont son ouvrage, fait par lui-même tout ce qu'il peut bien faire, et par ses délégués tout ce qu'il ne peut faire lui-même. » Pour Cabanis, la Terreur a constitué une « commotion » subie par le corps social ; pourtant son remède ne consiste pas à affaiblir le pouvoir de l'exécutif ; au contraire, en des termes qui évoquent à nouveau Robespierre, Cabanis prêche la reconstitution d'un exécutif « fort », c'est-à-dire « un », capable de gouverner tout en échappant aux séditions particulières.

93. Cabanis, *op. cit.*, p. 477-478 : « [...] un doit avoir en résultat les moyens de terminer les discussions, de ramener tout au même esprit, de fixer par sa voix prépondérante les incertitudes que l'égalité numérique des oppositions pourraient faire naître [...]. Il faut toujours que l'unité de pensée et d'action régularise la force centrale d'où partent tous les mouvements. » Ce point suffit à montrer d'ailleurs ce que cette pensée politique doit encore à Montesquieu : « La puissance exécutrice doit être entre les mains d'un monarque, parce que cette partie du gouvernement qui a presque toujours besoin d'une action momentanée est mieux administrée par un que par plusieurs » (*Esprit des lois*, dans *Œuvres complètes*, Paris, 1951, II, XI, 6, p. 401-402).

94. Cité par Mathiez, *La Révolution française*, Paris, 1927, III, p. 4.

95. Cabanis, *Mémoire...*, *op. cit.*, IV, p. 279 : « Toutes les parties de ce système communiquent entre elles par l'entremise de la moelle épinière et du cerveau [...]. Le centre commun, les centres partiels et les extrémités sont liés entre eux par de constantes et mutuelles relations [...]. [C'est au] centre commun [que] se rendent en foule, de toutes les parties du corps [...], les sensations dont résultent les jugements [...]. [C'est du] centre commun [que] partent, pour les organes soumis à la volonté, les réactions motrices que ces mêmes jugements déterminent. »

96. Démoris, *op. cit.*

97. Cabanis, *op. cit.*, IV, p. 408.

98. Cabanis, *Adresse au peuple français*, dans *Œuvres philosophiques*, *op. cit.*, p. 458.

99. Chateaubriand, *Essais historiques*, p. 323. Cette « orgie noire » annonce en effet *René* : « Que de fois [cette soif vague de quelque chose] m'a contraint de sortir des spectacles de nos cités, pour aller voir le soleil se coucher au loin sur quelque site sauvage ! Que de fois, échappé à la société des hommes, je me suis tenu immobile sur une grève solitaire, à contempler durant des heures, avec cette même inquiétude, le tableau philosophique de la mer ! Elle m'a fait suivre autour de leurs palais, dans leurs chasses pompeuses, ces rois qui laissent après eux une longue renommée ; et j'ai aimé, avec elle encore, à m'asseoir en silence à la porte de la hutte hospitalière, près du Sauvage qui passe inconnu dans la vie, comme les fleuves sans nom de ses déserts. »

100. Le texte de cette description de Lamartine fait problème car il ne correspond guère au fonctionnement réel de la guillotine. Non seulement les « deux poids attachés sous l'échafaud » n'ont jamais existé, mais l'idée d'un « mouvement à la fois horizontal et perpendiculaire » du couteau laisse rêveur... Faut-il en conclure que Lamartine n'a jamais vu une guillotine ? Ou qu'il fonde sa description sur une gravure d'origine étrangère, comme il en a très vite circulé et où le mécanisme d'une machine que l'on n'a jamais vue peut être à l'origine des fantaisies les plus inattendues, par exemple un couteau coupant horizontalement le cou de la victime ? Cf. D. Arasse et V. Rousseau-Lagarde, *op. cit.*, et voir illustration.

101. Lamartine, *Histoire des Girondins*, Paris, 1884, II, p. 548-549.

102. Albert Sorel, *L'Europe et la Révolution française*, Paris, 1908, III, p. 267.

103. Robespierre, *Opinion sur le Jugement de Louis*, 3 décembre 1792, dans *Œuvres complètes*, IX, p. 128.

104. Sur la tradition théologico-politique du corps royal, cf.
E.H. Kantorowicz, *The King's Two Bodies, A Study in Medieval Political
Theology*, Princeton, 1957. Cette conception semble très affaiblie au
XVIIIᵉ siècle, mais elle demeure prête à ressurgir en cas de crise, on va
le voir.
    105. De Sèze, *Défense de Louis*, Paris, éd. A. Sevin, 1936, p. 10.
    106. Grégoire, cité par Lamartine, *Histoire des Girondins, op. cit.*,
II, p. 297.
    107. M.-E. Blanchard, *Saint-Just & Cᵒ. La Révolution et les mots*,
Paris, 1980, p. 37.
    108. Saint-Just, *Discours sur le jugement de Louis XVI*, 13 novembre
1792, dans *Œuvres complètes*, I, p. 367.
    109. Robespierre, *Discours sur l'inviolabilité royale*, 14 juillet 1791,
dans *Œuvres complètes*, VII, p. 555.
    110. Saint-Just, *op. cit.*, p. 87-88.
    111. Robespierre, *Discours sur le jugement de Louis XVI*, 3 décembre
1792, dans *Œuvres complètes*, IX, p. 121.
    112. *Ibid.*
    113. *Ibid.*, p. 123 : « Lorsqu'une nation a été forcée de recourir au
droit de l'insurrection, elle rentre dans l'état de nature à l'égard du
tyran. Comment celui-ci pourrait-il invoquer le pacte social ? Il l'a
anéanti [...]. Quelles sont les lois qui le remplacent [la Constitution] ?
Celles de la nature, celle qui est la base de la société même : le salut
du peuple. Le droit de punir le tyran, et celui de le détrôner, c'est la
même chose [...]. Le procès du tyran, c'est l'insurrection ; son jugement,
c'est la chute de sa puissance ; sa peine, celle qu'exige la liberté du
peuple. »
    114. *Ibid.*, p. 122 et 129-130. Robespierre avait plaidé l'abolition de
la peine capitale ; il s'appuie sur le fait qu'elle a été maintenue par
l'Assemblée pour refuser une exception en faveur de « celui-là seul qui
peut la légitimer ».
    115. *Ibid.*, p. 129 : « Vous avez proclamé la République, mais nous
l'avez-vous donnée ?... La République ! et Louis vit encore ! Et vous
placez encore la personne du roi entre nous et la liberté ! »
    116. *Ibid.*, p. 122 et 186.
    117. *Ibid.*, p. 123 : « Les peuples ne jugent pas comme les cours
judiciaires ; ils ne rendent point de sentence, ils lancent la foudre ; ils
ne condamnent pas les rois, ils les replongent dans le néant : et cette
justice vaut bien celle des tribunaux. »
    118. Robespierre, *5ᵉ lettre à ses Commettants*, dans *Œuvres complètes*,
V, p. 60.
    119. Robespierre, *Œuvres complètes*, IX, p. 184.
    120. Saint-Just, *Discours sur la Constitution à donner à la France*,
24 avril 1793, dans *Œuvres complètes*, I, p. 423-424 : « Notre corruption
dans la monarchie fut dans le cœur de tous ses rois : la corruption n'est
point naturelle au peuple [...]. La tyrannie déprave l'homme [...]. [Elle]
est intéressée à la mollesse du peuple [...]. C'est elle qui corrompt les
cœurs et les déprave sous le joug. Elle endort l'âme humaine [...] Les
anciens Francs, les anciens Germains n'avaient presque point de magistrats : le peuple était prince et souverain ; mais quand les peuples
perdirent le goût des assemblées pour négocier et conquérir, le prince
se sépara du souverain, et le devint lui-même par usurpation. »
    121. Saint-Just, *Discours sur le jugement de Louis XVI, op. cit.*,
p. 370 : « Je ne conçois pas par quel oubli des principes et des institutions
sociales un tribunal serait juge entre un roi et le souverain [...].
Comment la volonté générale serait citée devant un tribunal ! »
    122. Cf. R. Démoris, *op. cit.*, p. 17.
    123. *Ibid.*
    124. Robespierre, *Œuvres complètes*, IX, p. 256.
    125. Robespierre, *ibid.*, p. 130 (3 décembre 1792). C'est la même

idée qu'affirme Legendre au club des Jacobins, le 13 janvier 1793, dans une image plus brutale, correspondant mieux au lieu où le discours est tenu : « Nous voulons la tête du tyran [...]. C'est en vain qu'on plantera l'arbre de la liberté dans les quatre-vingt-quatre départements ; il ne supportera jamais de fruits, si le tronc du tyran n'en fume pas les racines. » A nouveau, la rhétorique révolutionnaire reprend, en l'inversant, le thème monarchique « mourir pour la patrie », cf. E.H. Kantorowicz, *op. cit.*, p. 239 *sq.*, et *Mourir pour la patrie*, Paris, 1984, p. 105 *sq.*

126. Robespierre, *Œuvres complètes*, IX, p. 256.

127. « Il monta à l'échafaud avec cet air religieux et majestueux d'un prêtre vénérable qui monte à l'autel pour célébrer la messe. Ce sont les propres expressions d'un témoin oculaire dont le poste était précisément auprès de l'échafaud », *Annales de la République française*, 23 janvier 1793, cité par Beaucourt, *Captivité et derniers moments de Louis XVI*, Paris, 1892, I, p. 355. L'image est exaltée par Ballanche : « C'était le père de la patrie qui venait, avec une résignation religieuse, déposer sur un échafaud les derniers lambeaux de sa triste couronne ; qui venait prier, à son heure suprême, le Maître souverain des peuples et des rois, le Régulateur éternel des destinées sociales, d'agréer le sacrifice de sa vie en expiation du parricide [...]. C'était la royauté elle-même qui, restée pure et sans tache, se glorifiait de son inévitable résurrection », *L'Homme sans nom*, dans *Œuvres*, Paris, 1833, III, p. 224 ; cf. aussi p. 264 : « Le roi a racheté la France comme Jésus-Christ a racheté le genre humain. »

128. Cf. *Acta quibus ecclesiae catholicae calamitatibus in Gallia consultum est*, Rome, 1871, II, p. 34 : « *O dies Ludovico triumphalis ! cui Deus dedit et in persecutione tolerantiam, et in passione victoriam. Caducam coronam regiam, ac brevi evanescentia lilia, cum perenni alia corona ex immortalibus angelorum liliis contexte feliciter illum commutasse confidimus.* » On reconnaît ici une articulation proprement romaine et pontificale de la thématique des « deux couronnes » longuement élaborée par les théoriciens du droit divin de la monarchie ; cf. Kantorowicz, *op. cit.*, p. 336 *sq.*

129. Mme de Staël, *Considérations sur les principaux événements de la Révolution française*, Paris, 1818, II, p. 52-53.

130. Sur le sens toujours précis de ces déplacements, voir plus loin.

131. Joseph de Maistre, *Les Soirées de Saint-Pétersbourg*, Paris, s.d, I, p. 32.

132. Goncourt, *Histoire de la société française...*, *op. cit.*, p. 439.

133. On pourrait ici, multiplier les citations. Je n'en donnerai que quatre, plus particulièrement révélatrices : « J'étouffe en moi le gémissement de la nature pour n'écouter que la voix de la justice et celle des victimes immolées à la rage du tyran. Comme la loi doit être égale pour tous, comme il importe de donner un grand exemple [...] je vote pour la peine de mort » (Pierre Lombard-Lachaux, pasteur protestant) ; « Quelle peine doit-il subir ? La même que ceux de ses complices qui sont déjà tombés sous la hache de la justice nationale [...]. L'homme libre ne connaît que les principes » (Louis Louchet, professeur) ; « J'ouvre le livre de la nature, le guide le plus certain, j'y vois que la loi doit être égale pour tous ; j'ouvre le Code pénal, j'y vois la peine des conspirateurs ; j'entends la voix de la liberté, la voix des victimes du tyran, dont le sang arrose les plaines de tous nos départements frontières : toutes me demandent justice, je la leur dois : je vote pour la mort » (Jean-François-Marie Goupilleau, notaire) ; « La loi doit être égale pour tous, je vote la mort » (Claude Siblot), dans *Dictionnaire historique et biographique de la Révolution et de l'Empire*, Paris, s.d.

134. Cf. Beaucourt, *op. cit.*, I, p. 357-358.

135. Mercier, cité par G. Maugras, *Journal d'un étudiant pendant la Révolution*, Paris, 1910, p. 315 ; Ballanche, *op. cit.*, p. 226-227.

136. Quoique cette « objectivité » soit suspecte, au vu des péripéties dont il enrichit le « dernier instant » de Louis XVI ; voir plus loin et Beaucourt, *op. cit.*, I, p. 355-356. Mais, précisément, l'objectivité est ici question de ton, de *mode* du récit.

137. Beaucourt, *op. cit.*, II, p. 308.

138. *Ibid.*, I, p. 390.

139. Cité par Chateaubriand, *Essais historiques..., op. cit.*, p. 95.

140. C'est le bruit que consacre Balzac avec son *Episode sous la Terreur*.

141. Cité par Chateaubriand, *Essais historiques...*, p. 97.

142. *Annales de la République française*, 22 janvier : « Paris est plongé dans la stupeur ; la douleur muette se promène dans les rues et la terreur, qui enchaîne l'expression de tous les sentiments, se lit gravée sur le front des citoyens » (Beaucourt, I, p. 353).

143. *Détails authentiques sur les derniers moments de Louis XVI*, cité par Beaucourt, I, p. 393.

144. « J'ai vu défiler tout le peuple se tenant sous le bras, riant, causant familièrement, comme lorsqu'on revient d'une fête. Aucune altération n'était sur les visages. Le jour du supplice ne fit aucune impression. Les spectacles s'ouvrirent comme de coutume ; les cabarets du côté de la place ensanglantée vidèrent leurs brocs comme à l'ordinaire ; on cria les gâteaux et les petits pâtés autour du corps décapité [...] », Mercier, cité par Maugras, *op. cit.*, p. 316 ; « La mort du roi s'est passée à Paris comme le bannissement des Tarquins à Rome. Le peuple a déployé un calme et une majesté qui feraient honneur aux plus beaux jours de la République romaine », *Journal d'une bourgeoise*, cité par Maugras, *op. cit.*, p. 315.

145. Cf. Beaucourt, *op. cit.*, I, p. 367-368.

146. Robespierre l'avait d'ailleurs pressenti en rejetant l'appel au peuple proposé pour le jugement de Louis : le peuple travailleur n'aurait pas participé aux assemblées devant lesquelles cet appel aurait été entendu et cette absence aurait permis aux « intrigants de la République » de se jouer de cette « majorité de la nation qu'on appelle ignoblement le peuple et [...] [de] traiter les amis fidèles de la liberté de cannibales », 28 décembre 1792, dans *Œuvres complètes*, IX, p. 189.

147. C. Desmoulins, *Histoire secrète de la révolution*, dans *Œuvres*, I, p. 347.

148. *Le Véridique ou l'antidote des journaux*, février 1793, dans Beaucourt, I, p. 373.

149. Beaucourt, I, p. 399 : « Après un foutu procès de Normandie qui a duré quatre mois et qui a mis les ministres de la Convention à chien et à chat, justice enfin vient d'être faite [...] le Pape va en faire un nouveau saint ; déjà les prêtres achètent ses dépouilles et en font des reliques ; déjà les vieilles dévotes racontent des miracles de ce nouveau saint. »

150. *Annales de la République française*, 22 janvier (Beaucourt, I, p. 353) : « Nombre de personnes s'empressèrent de se procurer de ses cheveux, d'autres imbibèrent du papier et même leurs mouchoirs de son sang. Quelle que fût leur intention, il est certain que plusieurs achetèrent de ses cheveux, et qu'on leur voyait tendre les mains en criant : *A moi pour cinq livres ; à moi pour dix livres !...* » ; *Journal de Perlet*, 22 janvier (Beaucourt, I, p. 342) : « Beaucoup de personnes ont paru curieuses de se partager ses vêtements. Du sang qui avait coulé sur la place a été recueilli avec du papier, avec des mouchoirs blancs, par des personnes qui avaient l'air de n'y attacher aucune superstition politique. »

151. *La Révolution de 92*, 22 janvier (Beaucourt, I, p. 351) : « Des volontaires ont aussitôt teint leurs piques, d'autres leurs mouchoirs, enfin, leurs mains dans le sang de Louis XVI. » *Annales de la République française*, 28 janvier (Beaucourt, I, p. 357) : « L'exécuteur, étonné de l'empressement de plusieurs à tremper leur sabre ou leur épée dans le

sang de Louis, s'écria : " Attendez donc, je vais vous donner un baquet où vous pourrez les tremper plus aisément. " »

152. *Lettre historique sur la mort sublime de Louis XVI* (Beaucourt, I, p. 396) : « Des morceaux de papier trempés dans son sang servent de jouet à ces forcenés, tandis que des hommes vertueux se procurent une partie de ses cheveux, comme les précieux restes d'un martyr. »

153. *Les Souvenirs de l'histoire ou le Diurnal de la Révolution de France pour l'an de grâce 1797*, cité par Beaucourt, I, p. 398.

154. *Journal de Perlet*, 22 janvier (Beaucourt, I, p. 343). Cf. *Annales de la République française*, 25 janvier (Beaucourt, I, p. 356) : « On a remarqué un jeune étranger, bien mis, deux autres jeunes gens bien mis, dont l'un, qui paraissait étranger, a donné quinze livres pour tremper son mouchoir blanc dans les traces du sang ; l'autre a semblé attacher une grande importance à se procurer des cheveux, qu'il a payés un louis. »

155. Une tentative n'est pas retenue : elle consistait à voir dans l'événement la marque du sens bien connu du peuple pour le concret : « Son sang coule, c'est à qui y trempera le bout de son doigt, une plume, un morceau de papier ; l'un le goûte et dit : " Il est bougrement salé " » (Mercier, cité par Maugras, *op. cit.*, p. 316).

156. Beaucourt, I, p. 366-367.

157. « La poésie veut quelque chose d'énorme, de barbare et de sauvage. C'est lorsque la fureur de la guerre civile ou du fanatisme arme les hommes de poignards, et que le sang coule à grands flots sur la terre, que le laurier d'Apollon s'agite et verdit. Il en veut être arrosé », Diderot, *De la poésie dramatique*, dans *Œuvres complètes*, Paris, 1875, VII, p. 371-372.

158. Beaucourt, I, p. 365-366.

159. S'il préfère la pendaison à la guillotine, c'est « qu'il n'en résulte pas d'effusion du sang. L'habitude de voir du sang rend l'œil féroce et le cœur dur », cité par Goncourt, *Histoire de la société française...*, *op. cit.*, p. 436.

160. Un texte, non publié par son auteur, montre jusqu'où peut aller la répulsion du spectacle que donnait le public assistant à ces exécutions. Dans un égarement d'ironie sanglante – comme il la qualifie lui-même –, le doux abbé Morellet, ci-devant académicien français, rédige un *Nouveau Moyen de subsistance pour la nation*, proposé au Comité de salut public en messidor de l'an II : « Je propose aux patriotes qui font une boucherie de leurs semblables de manger la chair de leurs victimes et, dans la disette à laquelle ils ont réduit la France, de nourrir ceux qu'ils laissent vivre des corps de ceux qu'ils tuent. Je propose même l'établissement d'une *boucherie nationale* sur les plans du grand artiste et du grand patriote David, et une loi qui oblige tous les citoyens à s'y pourvoir au moins une fois chaque semaine, sous peine d'être emprisonnés, déportés, égorgés comme suspects, et [je] demande que dans toute fête patriotique il y ait un plat de ce genre, qui serait la vraie communion des patriotes, l'eucharistie des Jacobins » ; cité par Goncourt, *op. cit.*, p. 447-448.

161. *Le Républicain, journal des hommes libres de tous les pays*, 22 janvier : « [...] Il n'a proféré que ces paroles : " Je pardonne à mes ennemis "[...] » (Beaucourt, I, p. 340) ; *Le Moniteur universel*, 23 janvier (Beaucourt, I, p. 345-346) : « Il a dit d'une voix assez ferme : " Français, je meurs innocent. Je pardonne à tous mes ennemis, et je souhaite que ma mort soit utile au peuple. " Il paraissait vouloir parler encore [...]. »

162. Mercier, *Mémoires inédits*, cités par Beaucourt, I, p. 355-356.

163. Cf. Beaucourt, I, p. 355 : « Nous avons dit qu'il ne voulut pas se laisser lier les mains derrière le dos ; la vérité est qu'on les lui lia avant qu'il montât sur l'échafaud ; et tandis qu'on les lui liait, il tressaillit ; il tressaillit de même quand l'exécuteur lui coupa les cheveux ; mais, reprenant soudain son courage stoïque, il monta à l'échafaud avec

cet air religieux et majestueux d'un prêtre vénérable qui monte à l'autel
pour célébrer la messe [...]. Lorsqu'il fut attaché à la planche fatale, il
leva un moment les yeux au ciel et s'abaissa ensuite sous la hache. »

164. « Mémoire écrit par Marie-Thérèse Charlotte de France », dans
Journal de ce qui s'est passé à la Tour du Temple, par Cléry, Paris,
1968, p. 145. Cette formule illustre clairement la permanence, dans
l'esprit de la famille royale tout au moins, de la conception politico-
mystique du corps royal (Cf. Kantorowicz, *op. cit.*, p. 314 *sq.*). Cette
survivance s'exprime par ailleurs, chez les partisans de la monarchie,
par le concept de continuité dynastique, immédiatement affirmé après la
mort du roi ; dès février 1793, *Le Véridique...* affiche une tranquille
confiance : « [...]. La mort de Louis XVI a fait un Saint de plus et un
Roi nouveau. Nous nous occuperons un jour à venir du Saint, allons
au plus pressé, à un Roi. Suivant notre comput, ce Roi est le fils de
Louis XVI, il n'est besoin que de lui chercher une régence [...] »
(Beaucourt, I, p. 374).

165. *La Révolution de 92*, 22 janvier (Beaucourt, I, p. 350-351) : « Il
est arrivé à dix heures dix minutes à la place de la Révolution. Il s'est
déshabillé et est monté à l'échafaud avec la plus grande fermeté. Il
a voulu haranguer le peuple ; mais l'exécuteur des jugements criminels, d'après les ordres du général Santerre, l'a mis en devoir de subir
son jugement. La tête de Louis est tombée ; elle a été montrée au
peuple [...]. »

166. « [Il] descendit de la voiture avec calme, quitta sa redingote,
ôta sa cravate, ouvrit sa chemise pour découvrir son col et ses épaules,
et se mit à genoux pour recevoir la dernière bénédiction de son
confesseur. Aussitôt il se releva et monta seul à l'échafaud. Ce fut
dans cet instant d'horreur que son confesseur, comme inspiré par le
courage sublime et la vertu héroïque du Roi, se jeta lui-même sur ses
genoux, et élevant les yeux vers lui, lui dit d'une voix empruntée au
ciel : " Allez, fils de saint Louis, montez aux cieux. " Le Roi demanda
à parler au peuple ; les trois soudards qui s'étaient chargés de l'exécution
lui répondirent qu'il fallait avant tout lui lier les mains et lui couper
les cheveux. " Lier mes mains ! " reprit le Roi un peu brusquement,
et, se remettant aussitôt, il leur dit : " Faites tout ce qu'il vous plaira,
c'est le dernier sacrifice. " Lorsque ses mains furent liées et ses cheveux
coupés, le Roi dit : " J'espère qu'à présent on me permettra de parler " ;
et aussitôt il s'avança sur le côté gauche de l'échafaud, fit signe aux
tambours de cesser, et dit d'une voix haute et ferme : " Je meurs
parfaitement innocent des prétendus crimes dont on m'a chargé. Je
pardonne à ceux qui sont la cause de mes infortunes. J'espère même
que l'effusion de mon sang contribuera au bonheur de la France, et
vous, peuple infortuné... " Ici le féroce brasseur, à qui ses exploits ont
mérité le grade de général de la garde de Paris, l'interrompit et lui
dit : " Je vous ai amené ici non pour haranguer, mais pour mourir. "
Aussitôt les tambours couvrirent toutes les voix et les trois misérables
saisirent leur victime, l'attachèrent sur le fatal instrument, et la tête du
monarque tomba » (Beaucourt, I, p. 371-372).

167. Beaucourt, I, p. 374. Ce détail du récit confirme que l'auteur
du *Véridique* n'a pas vu la scène. Pour décrire le mécanisme de la
guillotine, redevenue par la grâce d'une métaphore une « hache », il
s'est sans doute inspiré d'une gravure, probablement celle qui avait été
publiée dès la proposition de Guillotin .

168. L'idée de cette mise en scène est due à Louis Claude Bigot de
Sainte-Croix, ministre des Affaires étrangères du roi, démis de ses
fonctions après la journée du 10 août et sagement parti aussitôt pour
l'Angleterre ; elle est en effet publiée, antidatée du 21 janvier, en
appendice de son *Histoire de la conspiration du 10 août,* parue à Londres
en 1793 (cf. Beaucourt, I, p. 392-393).

169. « Les marches qui conduisaient à l'échafaud étaient extrêmement

raides à monter. Le Roi fut obligé de s'appuyer sur mon bras ; et, à la peine qu'il semblait prendre, je craignis un moment que son courage ne commençât à fléchir. Mais quel fut mon étonnement lorsque, parvenu à la dernière marche, je le vis s'échapper pour ainsi dire de mes mains [...] » (Beaucourt, I, p. 335). L'incertitude de ce récit concernant la position exacte du confesseur dans l'instant de l'exécution est mise à profit dans une version enrichie du rôle d'Edgeworth sur l'échafaud : « L'abbé Edgeworth, qui s'était tenu à genoux sur l'échafaud pendant le temps de l'exécution et qui se trouvait encore dans la même posture, aurait été couvert de sang, si un mouvement involontaire que depuis il a regretté, ne l'eût fait retomber quand ce monstre [le " jeune cannibale " qui montre la tête au peuple] approcha de lui » (Beaucourt, I, p. 337).

170. Beaucourt, I, p. 381. Voir appendice V.

171. Cf. Jean Adhémar, « L'exécution de Louis XVI ? Un dessin davidien », dans *Gazette des Beaux-Arts,* mai-juin 1983, p. 203 *sq.*

172. Alexis de Tocqueville, *L'Ancien Régime et la Révolution française,* Paris, s.d., p. 16.

173. C. Desmoulins, *Le Vieux Cordelier, n° 6,* dans *Œuvres complètes,* II, p. 240.

174. Ainsi, après l'assassinat de Lepelletier de Saint-Fargeau, Robespierre déclare à l'Assemblée, le 23 janvier 1793 : « Citoyens, Amis de la Liberté et de l'Egalité, c'est à nous qu'il appartient d'honorer la mémoire des martyrs de cette religion vraiment divine dont nous sommes les missionnaires », dans *Œuvres complètes,* IX, p. 257.

175. Cité par Lamartine, *Histoire des Girondins,* (XLV, 29), éd. cit., III, p. 382.

176. Cité par Walter, *Actes...,* op. cit., p. 392.

177. Cité par H. Fleischmann, *op. cit.,* p. 255.

178. *Ibid.,* p. 223.

179. Cf. Delarue, *op. cit.,* p. 160 et 258.

180. Cité par Walter, *op. cit.,* p. XIV.

181. C'est sans doute la résonance la plus révélatrice de la chanson *Les Forges républicaines.* « Des mines nous donnent du fer, / Les forgerons ont de l'ouvrage, / Qu'on fasse partout feu d'enfer ; / Français redoublons de courage [...] / A tour de bras que l'on s'anime / D'un courage républicain, / Sous les ordres du dieu Vulcain. / Travaillez, travaillez bons forgerons, / Par votre courage nous vaincrons. [refrain] / Malgré les traîtres du dedans, / Et la tyrannie étrangère, / Nous voulons vaincre les tyrans, / Ou nous ferons toujours la guerre. / La guillotine va son train, / Forgez le fer, fondez l'airain. / Travaillez, etc. »

182. Desmoulins, *Histoire secrète de la Révolution, op. cit.,* p. 350.

183. Desmoulins, *Le Vieux Cordelier, op. cit.,* p. 225.

184. Mme de Staël, *op. cit.,* II, p. 139-140.

185. B. Constant, *Des effets de la Terreur,* Paris, an V (texte écrit contre les idées développées dans une brochure intitulée *Des causes de la Révolution et de ses résultats*) : « Il fallait que l'Etat pérît ou que le gouvernement devînt atroce. Ce fut la Terreur qui consolida la République. Elle rétablit l'obéissance au-dedans, et la discipline au-dehors [...]. Les succès mêmes qui n'eurent lieu qu'après la Terreur furent néanmoins l'effet de l'impression qu'elle avait produite » (p. 9).

186. Saint-Just, *Œuvres, op. cit.,* II, p. 379 (15 avril 1794).

187. Goncourt, *op. cit.,* p. 434.

188. Saint-Just, *op. cit.,* p. 83-84. Ce que traduit Lord Stanhope en appréciant la crainte positive que cette disposition inspire aux ministres : « En France, les ministres parlent, écrivent, agissent toujours en présence de la guillotine », cité par Desmoulins, *Le Vieux Cordelier,* n° 7, *op. cit.,* p. 257.

189. Cité par Delarue, *op. cit.,* p. 165.

190. Cité par Guy Thuillier, *Témoins de l'administration,* Paris, 1967, p. 41. Et, pour Camille Desmoulins, avant qu'il ne songe à son (funeste)

« Comité de clémence », il convenait de ne pas être trop clément car « un si grand mouvement imprimé à la machine du gouvernement en sens contraire à sa première impulsion pourrait en briser les ressorts », *Le Vieux Cordelier*, n° 4, *op. cit.*, p. 189.

191. Cf. en particulier « La machine dans l'imaginaire, 1650-1800 », *Revue des sciences humaines de l'université de Lille III*, 1982-1983.

192. L'expression est de Desmoulins, cf. ci-dessus note 190.

193. « Ils arrivèrent au pied de l'horrible échafaud [...]. L'orateur s'agenouilla, se releva, et puis, retourné vers nous, il remercia, il *panégyrisa* la guillotine au nom de la liberté, avec un choix d'expressions si gracieusement effrayantes, avec un *anacréontisme* si désespérant que je sentis une sueur froide ruisseler sur mon front et baigner mes paupières. Je voudrais oublier tout ce qu'il y a de triste dans mes souvenirs ; mais j'écris mes *souvenirs*, et je n'ai pu l'oublier encore, cette procession fanatique de la Propagande qui avait le bourreau pour pontife, et la guillotine pour reposoir ! » Nodier, *Souvenirs et portraits de la Révolution*, Paris, 1841, p. 23-24.

194. Saint-Just, *Œuvres complètes*, II, p. 76. Et, le 26 février 1794, il précise l'image : « Notre but est de créer un ordre de choses tel qu'une pente universelle vers le bien s'établisse, tel que les factions se trouvent tout à coup lancées sur l'échafaud », dans *Œuvres*, II, p. 235.

195. Desmoulins, *Histoire secrète...*, *op. cit.*, p. 347-349.

196. Cité par Walter, *op. cit.*, p. 395.

197. Il s'indigne contre ceux qui calomnient le peuple et le blasphèment « en le représentant sans cesse [...] méchant, barbare, corrompu [...] » : « On veut diviser la nation en deux classes dont l'une ne semblerait armée que pour contenir l'autre [...] et la première renfermerait tous les tyrans, tous les oppresseurs, toutes les sangsues publiques ; et l'autre le peuple ! », dans *Œuvres*, *op. cit.*, VI, p. 625.

198. Cf. Delarue, *op. cit.*, p. 156-157.

199. *Op. cit.*, p. 29.

200. Saint-Just, 15 avril 1794, *Œuvres complètes*, II, p. 377.

201. 16 février : « Au sujet de la guillotine, le peuple observe que ça va, mais pas encore assez vite. Il est étonnant, dit le peuple, que la quantité n'effraie pas les autres » ; 26 février : « Un citoyen dans un groupe disait qu'il voudrait voir cinquante personnes guillotinées par jour, jusqu'à ce qu'il n'y ait plus de conspirateur [...]. Il faut, disait-il, dans un gouvernement révolutionnaire, agir révolutionnaire », dans Caron, *op. cit.*, III, p. 158 et 357.

202. Cf. Delarue, *op. cit.*, p. 168. Après Thermidor, la propagande antirobespierriste utilise évidemment les faits : « Le fer de la guillotine n'allait point assez vite à son gré. On lui parla d'un glaive qui frapperait neuf têtes à la fois ; cette idée lui plut [...] », dans Galart de Montjoye, *Histoire de la conjuration de Maximilien Robespierre*, cité par Fleischmann, *op. cit.*, p. 257.

203. Cf. Delarue, *op. cit.*, p. 168.

204. Robespierre, *Œuvres complètes*, X, p. 353 (5 février 1794). La représentation nationale, la Convention, est le « sanctuaire de la vérité » dans la mesure où elle ne permet pas qu'« aucun intérêt particulier et caché puisse usurper l'ascendant de la volonté générale de l'assemblée et la puissance indestructible de la raison », *ibid.*, p. 345.

205. Robespierre, 1er décembre 1790, dans *Œuvres*, VI, p. 619.

206. Robespierre, *Œuvres complètes*, X, p. 356 (5 février 1794).

207. Tocqueville décrit cette structure de la société d'Ancien Régime en des termes qui s'articulent remarquablement à la pensée de Robespierre. Alors en effet que « les hommes étaient devenus les plus semblables entre eux », « au milieu de cette foule uniforme s'élèvent une multitude prodigieuse de petites barrières qui la divisent en un grand nombre de parties, et dans chacune de ces petites enceintes apparaît comme une société particulière qui ne s'occupe que de ses intérêts

propres, sans prendre part à la vie de tous » ; la législation royale a beau travailler à devenir générale et uniforme, « partout la même, la même pour tous », « la barrière qui séparait la noblesse de France des autres classes, quoique très facilement franchissable, était toujours fixe et visible, toujours reconnaissable à des signes éclatants et odieux à qui restait dehors », *L'Ancien Régime et la Révolution, op. cit.*, p. 115 et 133. Dès 1818, Mme de Staël avait formulé le même diagnostic : « L'orgueil mettait partout des barrières et nulle part des limites. Dans aucun pays les gentilshommes n'ont été aussi étrangers au reste de la nation », *Considérations...*, II, p. 116.

208. Saint-Just, *Discours pour la défense de Robespierre*, dans *Œuvres complètes*, II, p. 483-484 : « L'orgueil enfante les factions [...]. Les factions sont le poison le plus terrible de l'ordre social [...]. Les factions, en divisant un peuple, mettent la fureur de parti à la place de la liberté [...]. Si vous voulez que les factions s'éteignent, et que personne n'entreprenne de s'élever sur les débris de la liberté publique par les lieux communs de Machiavel, rendez la politique impuissante en réduisant tout à la règle froide de la justice. »

209. Robespierre, *Œuvres complètes*, X, p. 354 (5 février 1794).

210. Cité par Walter, *Actes..., op. cit.*, p. 23. Son *Adresse aux Français*, écrite le second jour de son arrivée à Paris, commence en des termes également significatifs : « Jusqu'à quand, ô malheureux Français, vous plairez-vous dans le trouble et les divisions ? Assez et trop longtemps des factieux, des scélérats ont mis l'intérêt de leur ambition à la place de l'intérêt général [...] », cf. Walter, *ibid.*, p. 28.

211. Desmoulins, *Œuvres...*, II, p. 262.

212. *Ibid.*, II, p. 251 : « Dès que [...] la France est devenue une république, il faut s'attendre à des partis, ou plutôt à des coteries et à des intrigues sans cesse renaissantes. La liberté ne va point sans cette suite de cabales, surtout dans notre pays où le génie national et le caractère indigène ont été, de toute antiquité, factieux et turbulents. »

213. *Ibid.*, II, p. 252.

214. Robespierre, *Œuvres complètes*, X, p. 277 (25 décembre 1793).

215. « Nos pères n'avaient pas le mot d'individualisme, que nous avons formé pour notre usage, parce que, de leur temps, il n'y avait pas en effet d'individu qui n'appartînt à un groupe et qui pût se considérer absolument seul ; mais chacun des mille petits groupes dont la société française se composait ne songeait qu'à lui-même. C'était, si je puis m'exprimer ainsi, une sorte d'individualisme collectif, qui préparait les âmes au véritable individualisme que nous connaissons », Tocqueville, *L'Ancien Régime..., op. cit.*, p. 143.

216. Saint-Just, *Œuvres..., op. cit.*, II, p. 508.

217. *Ibid.*, II, p. 76 (10 octobre 1793).

218. Cette mise en évidence de la particularité de chaque cas à l'intérieur de la série est confirmée par la presse spécialisée qui rend compte des exécutions. La plus célèbre est celle de Tisset, dont le titre indique avec autant de prolixité que de clarté cette volonté de souligner la singularité de chacun de ces décapités qui se sont mis hors du corps commun : *Compte rendu aux sans-culottes de la République française, par très puissante et très expéditive Dame Guillotine, dame du Carrousel, de la place de la Révolution, de la Grève et autres lieux, contenant les noms, prénoms, qualités de ceux et celles à qui elle a accordé des passeports pour l'autre monde ; le lieu de leur naissance, leur âge, le jour de leur jugement, depuis son établissement au mois de juillet [sic] 1792 jusqu'à ce jour...*, cf. Delarue, *op. cit.*, p. 161. Plus court, le titre d'une brochure concurrente est tout aussi révélateur car il annonce une « galerie révolutionnaire » suggérant l'image d'une galerie de portraits à parcourir où est *effigié* chacun des parasites du peuple : *Le Glaive vengeur de la République française ou Galerie révolutionnaire, par un ami de la Révolution, des mœurs et de la Justice.* Sur la valeur de cette

notion de « portrait » appliquée à la tête de guillotiné, voir la conclusion. En 1796 enfin, Prudhomme dresse la liste récapitulative de ces individualités passées à l'échafaud et, de manière révélatrice, il le fait sous forme d'un « dictionnaire d'individus » : *Dictionnaire des individus envoyés à la mort pendant la Révolution et sous le règne de la Convention Nationale.*

219. Saint-Just, *Œuvres..., op. cit.*, II, p. 428.

220. Quand le condamné est particulièrement illustre, il demeure parfois solitaire. C'est le cas pour Marie-Antoinette ; sa mort est d'ailleurs entourée de précautions rappelant celles qui avaient accompagné Louis XVI à l'échafaud. Mais les progrès de la sérialisation depuis le 21 janvier 1793 laissent cependant leur trace sur l'exécution : alors que le roi est allé à la guillotine dans une voiture fermée, les mains libres, les cheveux intacts, la reine va sur la place dans la tenue commune : cheveux coupés, mains liées derrière le dos et, surtout, dans la banale charrette...

221. Walter, *op. cit.*, p. 255. Cf. aussi Delarue, *op. cit.*, p. 177 : « A Paris, l'art de guillotiner a acquis la dernière perfection. Sanson et ses élèves guillotinent avec tant de prestesse qu'on croirait qu'ils ont pris des leçons de Comus à la manière dont ils escamotent leur homme. Ils en ont expédié douze en treize minutes » ; Comus était le nom que s'était donné un prestidigitateur célèbre du moment.

222. Cf. Walter, *op. cit.*, p. 396.

223. Cette indifférence à prendre en compte les raisons particulières d'une condamnation culmine sans doute à propos d'Hébert. Alors que Camille Desmoulins, guillotiné pour « indulgence », le présente comme un *misérable* qui « a besoin de se procurer une ivresse plus forte que celle du vin et de lécher sans cesse le sang au pied de la guillotine » (*Vieux Cordelier*, n° 5, *op. cit.*, II, p. 225), trois semaines seulement après son exécution et dix jours à peine après celle de Desmoulins, Saint-Just présente Hébert comme le « chef de la faction des indulgents sous des apparences violentes » (15 avril). Ce n'est pas négligence : Saint-Just confirme l'effet niveleur de la guillotine en confondant *a posteriori* les factions des *ultra* et des *citra* dont tout le monde avait en mémoire le conflit furieux.

224. Cf. Walter, *op. cit.*, p. 396-397.

225. Cité par Lenotre, *Le Tribunal révolutionnaire*, Paris, 1908, p. 197.

226. *Ibid.*, p. 206.

227. Chateaubriand, *Essais historiques..., op. cit.*, p. 59.

228. Cf. F. Furet, *Penser la Révolution française*, Paris, 1978, p. 230.

229. Mme de Staël, *Considérations..., op. cit.*, II, p. 142.

230. Robespierre, *Œuvres complètes*, X, p. 554. Son dernier discours ne vise qu'à réfuter l'*odieuse calomnie* selon laquelle il aurait voulu, à son tour, s'approprier l'Etat, devenir tyran ; il ne peut léguer que « la vérité terrible et la mort » : « Que suis-je ? Un esclave de la patrie, un martyr vivant de la République », *ibid.*, p. 555.

231. Goncourt, *Histoire de la société française..., op. cit.*, p. 442.

232. Cité par Walter, *op. cit.*, p. 445.

233. Desmoulins, *Œuvres, op. cit.*, p. 185.

234. *Ibid.*

235. *Ibid.* : « A côté du tranchant de la guillotine, sous lequel tombaient les têtes couronnées, et sur la même place, on guillotinait aussi Polichinelle qui partageait l'attention. »

236. *Journal des spectacles*, 16 juillet 1793 : « On prépare deux nouvelles pantomimes au théâtre du Lycée, dont les titres sont *Adèle de Sacy* et *La Guillotine d'amour*. Nous ignorons quels sont les sujets de l'une et de l'autre ; mais le titre horriblement singulier de la seconde est bien capable de piquer sans doute la curiosité publique. »

237. Lenotre, *La Guillotine..., op. cit.*, p. 310-311.

238. Cf. Foucault, *op. cit.*, p. 37-38.

239. *Ibid.*, p. 39.

240. Descente de la charrette, déshabillage, coupe des cheveux, adieux au confesseur, ascension de l'échafaud, installation sur la planche, décollation : pour Louis XVI, ces sept séquences prennent deux minutes ; il s'agit d'une extension temporelle toute royale. La suppression de l'intervalle entre la descente de la charrette et la montée à l'échafaud (les condamnés arrivant déjà « préparés ») permet en tout état de cause un resserrement satisfaisant du rythme final.

241. Lenotre, *op. cit.*, p. 309.

242. Desmoulins, *Histoire secrète...*, *op. cit.*, p. 349.

243. Robespierre, *Discours et rapports...*, *op. cit.*, p. 327 *sq.* La « sublimité même de [l']objet » de la Révolution fait sa force et sa faiblesse ; la révolution est un « drame sublime » qui exige de ses acteurs le « sentiment sublime » qui fait préférer « l'intérêt public à tous les intérêts privés ». C'est pour cela même que la fête de l'Etre suprême a constitué la « réunion sublime du premier peuple du monde ».

244. E. Burke, *Recherches philosophiques sur l'origine de nos idées du sublime et du beau*, trad. publiée à Paris en 1803, p. 69 et 102.

245. Tel est en tout cas le sentiment exprimé le 22 janvier 1794 par le député Bourbon de L'Oise. La veille, l'Assemblée en corps, accompagnée des Jacobins, s'était rendue sur la place de la Révolution pour y célébrer l'anniversaire de la mort du roi en brûlant symboliquement quelques effigies de la monarque ; mais les membres de la Convention durent du même coup assister à l'exécution de quatre condamnés. Loin de se satisfaire de cette heureuse rencontre, les représentants du peuple réagissent avec indignation : « Pourquoi donc quatre malheureux ont-ils été amenés en même temps que nous sur la place de la Révolution pour nous souiller de leur sang ? C'est un système ourdi par les malveillants pour faire dire que la représentation nationale est composée de cannibales [...]. Nous allions célébrer la mort d'un roi, le châtiment d'un mangeur d'hommes, mais nous ne voulions pas souiller nos regards d'un aussi dégoûtant et hideux spectacle » (Delarue, *op. cit.*, p. 166). La délicatesse du Conventionnel frappe d'autant plus qu'elle s'oppose à la barbarie d'un roi anthropophage ... Mais le roi n'est mangeur d'hommes que par image ; sur la place, le maniement de la guillotine traite d'hommes réels et, si son théâtre ne réussit pas toujours à rester dans les limites convenables du sublime, c'est précisément parce qu'il prétend faire coïncider les deux royaumes de l'image et de la réalité.

246. Verninac de Saint-Maur, *op. cit.* (Goncourt, *op. cit.*, p. 436).

247. Une femme s'était évanouie au passage du convoi.

248. Cité par Fleischmann, *op. cit.*, p. 279.

249. Cf. Delarue, *op. cit.*, p. 267-268.

250. Baron de Frémilly, *Souvenirs*, publiés par A. Chuquet, Paris, 1908, p. 182. On reviendra sur cette « lecture des expressions » qui est une des fonctions théâtrales essentielles du parcours. Chaque témoin y fait sa propre lecture ; ainsi, pour Des Essarts, Hérault « portait la tête haute sans aucune affectation » et « rien n'annonçait la moindre agitation dans son âme » (*ibid.*).

251. Cf. Walter, *op. cit.*, p. 382.

252. *Ibid.*

253. *Ibid.*, p. 383-384.

254. Cf. Delarue, *op. cit.*, p. 109-111. Le texte de la lettre qu'écrit l'artiste-député Sergent au président du tribunal criminel extraordinaire à propos de l'affaire Corday témoigne explicitement de l'image philosophique qui doit alors orienter la conscience publique : « La Philosophie, l'humanité [...] a dit que celui qui par la perte de sa vie allait donner à la société un grand exemple du respect dû aux lois devenait alors un être malheureusement sacré. Le Peuple de Paris *qu'on calomnie tant* a [...] ce caractère et si un sentiment quelconque l'attire aux tribunaux ou sur le passage des criminels, ou au pied de l'échafaud, un silence

majestueux qui n'est interrompu que par le cri de *Vive la République*, à l'instant où il voit tomber la tête d'un conspirateur, annonce bien qu'il sait respecter l'être que la loi va frapper. Conservons-lui cette sensibilité qui l'honore ; car c'est pour la ménager que les législateurs ont aboli la torture et les supplices affreux de la Roue et des Bûchers », cité par Cabanès, *Le Cabinet secret de l'histoire entr'ouvert par un médecin*, Paris, 1875, II, p. 408-409.

255. Beaucourt, *op. cit.*, I, p. 379. La version royaliste de ce même sublime est donnée, par exemple, dans un témoignage anglais, rédigé pour accompagner les diverses versions d'une estampe représentant *The Massacre of the French King* : « Le trot et les hennissements des chevaux, le son perçant de la trompette et le battement continuel des tambours transperçaient les oreilles de chaque spectateur et accroissaient la terreur qu'inspirait cette scène effrayante » (*the terrory of the awful scene.*)

256. Cf. E. et J. de Goncourt, *Histoire de Marie-Antoinette*, Paris, 1925, p. 399 ; G. Lenotre, *La Guillotine...*, *op. cit.*, p. 266.

257. Cf. Delarue, *op. cit.*, p. 170.

258. Cf. Walter, *op. cit.*, p. 297.

259. « De toutes parts on se récrie contre ceux qui insultent journellement et les patients, lorsqu'on les conduit au supplice, et ceux mêmes qui ne sont que des prévenus de conspiration ; c'est, dit-on, vouloir avilir la nation française aux yeux des autres peuples, et il ne faut rien de moins pour faire cesser ce scandale affreux qu'un décret qui punisse rigoureusement ces individus qui ne semblent respirer que le sang et le carnage », 24 janvier 1794, cité par Caron, *op. cit.*, III, p. 128.

260. *La Chronique de Paris* reçoit une lettre édifiante : « On n'interroge plus les accusés sur la sellette ; on devrait encore supprimer la charrette dans laquelle on conduit les condamnés au supplice. Contraints au malheur nécessaire de les frapper du glaive de la loi, nous devrions du moins faire disparaître tout ce qui peut ajouter à l'horreur de leur situation. Ne serait-il pas plus humain de les mener à l'échafaud dans un carrosse découvert, ayant seulement avec eux le ministre du culte qu'ils auraient demandé, et même un ami, s'ils en avaient un assez constant et assez courageux pour leur donner cette dernière et pénible marque de son attachement ? Les condamnés ne devraient avoir les mains liées derrière le dos qu'au moment du supplice. La garde qui les environne suffit pour répondre d'eux, et l'exécuteur placé dans une voiture de suite ne devrait s'offrir à leurs yeux qu'à l'instant de remplir son cruel ministère ; cette recherche d'humanité donnerait un caractère plus auguste à la peine capitale, et le peuple verrait qu'il faut que la mort d'un supplicié soit bien nécessaire à la patrie, puisqu'elle consent à laisser périr sur l'échafaud un homme qu'elle traite avec tant d'intérêt », dans Lenotre, *La Guillotine...*, *op. cit.*, p. 251-252.

261. A. Ubersfeld, *Lire le théâtre*, Paris, 1978, p. 157.

262. Cf. *Le Père Duchesne*, n° 199 : « Je voudrais, foutre, pouvoir vous exprimer la satisfaction des sans-culottes quand l'architigresse a traversé Paris dans la voiture à trente-six portières. Ses beaux chevaux blancs si bien panachés, si bien enharnachés, ne la conduisaient pas, mais deux rossinantes étaient attelées au vis-à-vis de maître Sanson », cité par Walter, *op. cit.*, p. 138. Hébert fera lui-même l'expérience à ses dépens de cette joie publique : « Je n'ai jamais vu guillotiner personne, mais ceux-ci je les irai voir avec plaisir, surtout Hébert et Chaumette [...] » (Walter, *op. cit.*, p. 378).

263. Walter, *op. cit.*, p. 382-383.

264. Rapport de police du 5 février 1794 : « Un des cinq criminels criait, en allant au supplice : " Je suis innocent ! Nous mourons innocents. " Les trois autres [*sic*] conservaient un visage serein et aussi tranquille que s'ils eussent été au coin de leur feu ; les spectateurs en

étaient étonnés et disaient qu'ils étaient d'autant plus sensibles que les patients montraient plus de fermeté », Caron, *op. cit.*, IV, p. 106.

265. « Pour nous quel triomphe éclatant. / Martyrs de la liberté sainte, / L'immortalité nous attend, / Dignes d'un destin si brillant, / A l'échafaud marchons sans crainte, / L'immortalité nous attend. / Mourir pour la patrie (*bis*) / C'est le sort le plus beau, le plus digne d'envie », cf. Lenotre, *La Guillotine..., op. cit.*, p. 269.

266. Lettre à Barbaroux, citée par Walter, *op. cit.*, p. 25. On retrouve les mêmes accents romains dans la lettre à son père, explicitement inspirée par Corneille : « Pardonnez-moi, mon cher papa, d'avoir disposé de mon existence sans votre permission. J'ai vengé bien d'innocentes victimes [...]. Adieu, mon cher papa, je vous prie de m'oublier ou plutôt de vous réjouir de mon sort, la cause en est belle [...]. N'oubliez pas ce vers de Corneille : " Le crime fait la honte, et non pas l'échafaud. " C'est demain à huit heures qu'on me juge. Ce 16 juillet », *ibid.*, p. 25-26.

267. « Ce calme imperturbable et cette entière abnégation de soi-même qui n'annoncent aucun remords, et pour ainsi dire en présence de la mort même, ce calme et cette abnégation, sublimes sous un rapport, ne sont pas dans la nature ; ils ne peuvent s'expliquer que par l'exaltation du fanatisme politique qui lui a mis le poignard à la main », cité par Walter, *op. cit.*, p. 27.

268. « Le peuple avait vu passer, avait conduit cette femme jusqu'à l'échafaud, sans insulter à ses derniers moments [...]. Plus son indignation contre cette malheureuse était légitime et forte, plus son attitude, sa contenance tranquille la rendaient fier et généreux », député Sergent, cité par Cabanès, *op. cit.*, *loc. cit.*. Il est vrai que d'autres versions du parcours opposent la dignité de Charlotte Corday aux hurlements « barbares » de la foule...

269. Cf. Walter, *op. cit.*, p. 279.

270. *Ibid.*, p. 280.

271. Des Essarts, cité par Walter, p. 279.

272. Marat, *L'Ami du peuple*, 7 juillet 1792, cité par Walter, *op. cit.*, p. 8.

273 Le cas de Bailly est exemplaire. L'ancien maire de Paris, jugé responsable de la fusillade du Champ-de-Mars (17 juillet 1791), fait preuve d'une grandeur toute romaine ; il subit pourtant un parcours particulièrement violent où l'intervention physique du public redouble l'humiliation prévue (insultes, jets de pierre, bousculades...). Bailly a eu deux mots d'inspiration stoïcienne ; le premier explique au comte Beugnot, venu lui « donner un dernier adieu », pourquoi il a pris du café à l'eau sur du chocolat : « [...] Comme j'ai un voyage assez difficile à faire et que je me défie de mon tempérament, j'ai mis par-dessus du café [...]. Avec cet ordinaire, j'espère que j'arriverai jusqu'au bout », Walter, *op. cit.*, p. 296 ; par ailleurs, alors que Sanson proteste contre la foule qui leur jette des pierres, on donne la gloire à l'ancien maire de Paris d'avoir eu cette maxime toute stoïcienne : « Il serait fâcheux d'avoir appris à vivre avec honneur pendant cinquante-sept ans, et de ne pas savoir mourir avec courage pendant un quart d'heure », Walter, *op. cit.*, p. 298.

274. « [...] Le spectacle d'une reine conduite au supplice au milieu de la satisfaction silencieuse d'un grand peuple ! Et l'on aurait joui, sans la sotte pétulance, sans l'imbécile consigne donnée par je ne sais quel despote, d'empêcher les hommes d'être à leurs croisées, avec leurs femmes et leurs enfants. Cette sottise prolongée a tout troublé ; la majesté du peuple a été éclipsée par ce bruit bête et insolent : *à bas ! à bas !* Il y avait même de ces *machines à consigne* qui obligeaient les citoyens à ôter leurs chapeaux », Walter, *op. cit.*, p. 139.

275. Cité par Fleischmann, *op. cit.*, p. 216.

276. Walter, *op. cit.*, p. 138.

277. Cette visée explique aussi la présence indiquée par plusieurs
textes d'une véritable claque officielle incitant le peuple à manifester sa
colère révolutionnaire et confirmant toute la distance qui peut exister
entre le discours idéologique (exaltant la jouissance sublime) et la
pratique réelle du pouvoir, incitant à la colère révolutionnaire.

278. Cité par Fleischmann, *op. cit.*, p. 281.

279. Caron, *op. cit.*, II, p. 142-143. Cf. *ibid.*, p. 323 : « Le maire de
Montpellier étant dans la charrette de l'exécuteur, prêt à supporter la
peine de ses forfaits sur la place de la Révolution, il se mit à rire en
disant : Adieu, mes frères ! Les spectateurs lui répondaient : A la
guillotine ! Il continuait de rire. »

280. Cf. Delarue, *op. cit.*, p. 252, et Lenotre, *La Guillotine...*, p. 303.

281. Delarue, *op. cit.*, p. 267-268.

282. Cf. le rapport (officiel, il est vrai) du 26 août 1792 : « Tout s'y
est passé dans le plus grand ordre et aux vives acclamations du peuple
qui a protégé la marche de la gendarmerie », cité par Delarue, *op. cit.*,
p. 157.

283. Delarue, *op. cit.*, p. 156.

284. *Ibid.*

285. Cf. Walter, *op. cit.*, p. 294.

286. Cf. ci-dessus, note 245.

287. On comprend ainsi immédiatement la valeur que prend la
substitution, place Saint-Antoine, de la guillotine à la Bastille et le nom
que la Révolution donne à la « ci-devant » Barrière du Trône suffit
aussi à dire la portée de l'installation de la machine en cet endroit...

288. Robespierre, *Œuvres complètes*, X, p. 561 : « O jour à jamais
fortuné, où le Peuple français tout entier s'éleva pour rendre à l'auteur
de la Nature le seul hommage digne de lui ! Quel touchant assemblage
de tous les objets qui peuvent enchanter les regards et le cœur des
hommes ! O vieillesse honorée ! O généreuse ardeur des enfants de la
patrie ! O joie naïve et pure des jeunes citoyens ! O larmes délicieuses
des mères attendries ! O charme divin de l'innocence et de la beauté !
O majesté d'un grand peuple heureux par le seul sentiment de sa force,
de sa gloire et de sa vertu ! Etre des êtres ! Le jour où l'univers sortit
de tes mains toutes-puissantes brillait-il d'une lumière plus agréable à
tes yeux que ce jour où, brisant le joug du crime et de l'erreur, il
parut devant toi, digne de tes regards et de ses destinées ? »

289. *Ibid.* : « Mais quand le peuple, en présence duquel tous les
vices privés disparaissent, est rentré dans ses foyers, les intrigants
reparaissent et le rôle des charlatans recommence. »

290. Cf. Walter, *op. cit.*, p. XXVIII-XXXI.

291. Marat, *L'Ami du peuple*, 18 décembre 1790, cité par Walter,
op. cit., p. 6.

292. Desmoulins, *Œuvres, op. cit.*, p. 139.

293. Saint-Just, *Œuvres complètes, op. cit.*, II, p. 508.

294. Ce risque d'indifférence devant un nombre excessif d'exécutions
avait été signalé par Collot le 7 novembre 1793 dans un rapport sur la
situation à Lyon où les fusillades et guillotinades faisaient rage pour
respecter le décret de la Convention « Lyon n'est plus » ; selon Collot
en personne : « Les exécutions mêmes ne font pas tout l'effet qu'on en
devait attendre [...]. Hier un spectateur revenant d'une exécution disait :
Cela n'est pas trop dur, que ferais-je bien pour être guillotiné ? Insulter
les représentants ? », cité par Mathiez, *op. cit.*, p. 455.

295. Delarue, *op. cit.*, p. 325. Le terme de « cabotinisme » suffit à
confirmer combien la guillotine peut être toujours vue comme un lieu
théâtral. Le souhait de cacher la guillotine a été renforcé par une
plaisanterie trop irrespectueuse de la victime ; en sortant de la prison,
le 1er février 1899, Peugnez avait crié : « Portez armes ! » et les soldats
de la haie contenant le public avaient machinalement présenté les armes.
Peugnez mourait avec les honneurs.

296. Foucault, *op. cit.*, p. 20.

297. F. Furet, *op. cit.*, p. 231.

298. Cette crainte est confirmée par les dispositions prises à l'échafaud de la Barrière du Trône renversé : « Il a été pratiqué un trou destiné à recevoir le sang des suppliciés. Quand l'exécution est terminée, on se borne à couvrir le trou avec des planches, ce qui est insuffisant pour renfermer l'odeur résultant du sang corrompu et qui s'y trouve en assez grande quantité [...]. Pour supprimer toute espèce d'exhalaison meurtrière dans la saison actuelle, il serait convenable d'établir sur une petite brouette à deux roues un coffre doublé d'une feuille de plomb dans lequel tomberait le sang des suppliciés, qui serait ensuite versé dans la fosse de Picpus. Le département des Travaux publics s'empressera, sans doute, d'adopter cette dernière mesure, et je l'y exhorte d'autant mieux que, le lieu du supplice et celui de la fosse n'étant pas très éloignés l'un de l'autre, il serait possible que ces exhalaisons s'attirassent entre elles et vinssent à produire un foyer de méphitisme d'autant plus dangereux que, dans cette hypothèse, elles ne laisseraient pas d'embrasser une grande partie de l'atmosphère », cité par Lenotre, *La Guillotine...*, *op. cit.*, p. 287.

299. Cf. Dauban, *La Démagogie en 1793*, Paris, 1870.

300. Cf. Lenotre, *La Guillotine...*, p. 284-285.

301. Verninac de Saint-Maur, *op. cit.*, voir note 40.

302. « Un autre reproche à faire à ce supplice, c'est que, s'il épargne la douleur au condamné, il ne dérobe pas assez aux spectateurs la vue du sang ; on le voit couler du tranchant de la guillotine et arroser en abondance le pavé où se trouve l'échafaud ; ce spectacle repoussant ne devrait point être offert aux yeux du peuple, et il serait très aisé de parer à cet inconvénient, plus grave qu'on ne pense, puisqu'il familiarise avec l'idée de meurtre, commis, il est vrai, au nom de la loi, mais avec un sang-froid qui mène à la férocité réfléchie. N'entend-on pas déjà la multitude dire que ce supplice est beaucoup trop doux pour les scélérats qu'on a exécutés jusqu'à présent et dont plusieurs, en effet, ont eu l'air de braver la mort. Le peuple se dégrade en paraissant vouloir se venger, au lieu de se borner à vouloir faire justice », *Révolutions de Paris*, 27 avril 1793, cité par Lenotre, *La Guillotine...*, p. 259.

303. Cf. G. Lenotre, *Le Tribunal révolutionnaire*, Paris, 1947, p. 250-251.

304. Fleischmann, *op. cit.*, p. 185.

305. *Ibid.*, p. 292. Rapport du 25 mars 1794.

306. C'est ce qu'évoquent quelques lignes des *Mémoires* de Lamartine, confirmées par le récit pathétique d'un abbé venu donner l'absolution au plus près de l'instant final : « Mes plus anciens souvenirs me reportent à un père emprisonné, à une mère captive [...], aux chants de *La Marseillaise* et du *Ça ira* dans les rues [...], aux coups sourds de l'instrument du supplice sur nos places publiques [...] » (*Mémoires inédits*, Paris, 1870, p. 5) ; « Le sacrifice va commencer. La joie bruyante, les affreux quolibets des spectateurs redoublent et accroissent le supplice doux en lui-même, mais atroce par les trois coups qu'on entend l'un après l'autre et la vue de tant de sang versé », cité par Lenotre, *La Guillotine...*, *op. cit.*, p. 174.

307. « Je vis les condamnés, non pas monter mais paraître tour à tour sur le fatal théâtre, pour disparaître aussitôt par l'effet du mouvement que leur imprimait la planche ou le lit sur lequel allait commencer pour eux l'éternel repos. Le reste de l'opération était masqué pour moi par les agents qui la dirigeaient. La chute accélérée du fer m'annonçait seule qu'elle se consommait, qu'elle était consommée », Arnault, *Souvenirs d'un sexagénaire*, dans Walter, *op. cit.*, p. 444-445.

308. Cf. Walter, *op. cit.*, p. 384.

309. *Ibid.*, p. 262.

310. Selon A. Robert, dans *Dictionnaire historique et biographique de la Révolution et de l'Empire*, 1789-1815, Paris, s.d., II, p. 78-79.

311. Walter, *op. cit.*

312. Saint-Just, *Œuvres complètes, op. cit.*, II, p. 87. Tous les témoins seront d'ailleurs frappés de ce que, à l'extrême laconisme de la guillotine, l'interprétation sublime du « rôle de la victime » que propose Saint-Just réponde, en son point culminant, par un silence absolu et comme indifférent.

313. Voir plus haut, p. 95-96.

314. Madelin, *Les hommes de la Révolution*, Paris, 1929, p. 225.

315. Ce coup de théâtre final dévoile le vrai visage du traître, démasqué en son masque mortuaire. Voir plus loin.

316. Lettre citée par Cabanès, *op. cit.*, p. 408.

317. Lafont d'Aussonne, *Mémoires secrets et universels des malheurs et de la mort de la Reine de France,* Paris, 1836, cité par Fleischmann, *op. cit.*, p. 218.

318. Cité par Walter, *op. cit.*, p. 136. De ce même détail, les *Mémoires de Sanson* inventent une variation touchante : « En arrivant sur la place de la Révolution, la charrette s'arrêta précisément en face de la grande allée des Tuileries ; pendant quelques instants la reine resta abîmée dans une contemplation douloureuse ; elle devint beaucoup plus pâle, ses paupières s'humectèrent et on l'entendit murmurer d'une voix sourde : Ma fille ! mes enfants ! »

319. « La charrette s'étant arrêtée devant l'échafaud, elle est descendue avec légèreté et promptitude, sans avoir besoin d'être soutenue, quoique ses mains fussent toujours liées [...] », *Le Magicien républicain*, cité par Walter, *op. cit.*, p. 135-136.

320. Cité par C.A. Dauban, *Madame Roland et son temps,* Paris, 1864, CCXLIII.

321. Cité par Walter, *op. cit.*, p. 386-387.

322. *Ibid.*, p. 383.

323. Cité par Lenotre, *La Guillotine..., op. cit.*, p. 174.

324. Joseph de Maistre, *Les Soirées de Saint-Pétersbourg, op. cit.*, I, p. 30-31.

325. « L'exclusion des exécuteurs de la justice n'est point fondée sur un préjugé. Il est dans l'âme de tout homme de bien de frémir à la vue de celui qui assassine de sang-froid son semblable. On dit que la loi exige cette action, mais la loi ordonne-t-elle à un homme d'être un bourreau ? », cité par Delarue, *op. cit.*, p. 50.

326. « Quelques vieillards de la ville de Rennes se souviennent encore avec attendrissement des vertus de Jacques Ganier, mort depuis environ trente ans, après y avoir exercé l'office d'exécuteur pendant une longue série d'années. Cet homme humain ne mit jamais à mort un criminel sans avoir été préalablement communier, pour expier en quelque sorte l'action qu'il allait commettre. Les magistrats du Parlement venaient jouer à la boule devant sa maison [...] et, quoiqu'il ne fût pas de leurs parties, ils ne lui témoignaient pas moins la plus grande estime et le prenaient pour juge dans tous les différends qu'occasionnait le jeu. Il donnait aux pauvres tout l'excédent de son strict nécessaire. Sa mort fut pour eux une calamité publique ; ils fondaient en larmes et parcouraient les rues en criant avec l'accent de la plus vive douleur : " Nous avons perdu un père ! " Pendant plusieurs années, le peuple fréquenta son tombeau comme celui d'un saint », cité par Lenotre, *La Guillotine..., op. cit.*, p. 333.

327. Cf. Delarue, *op. cit.*, p. 49.

328. Lenotre, *op. cit.*, p. 174.

329. Delarue, *op. cit.*, p. 188-189.

330. C. Desmoulins, *Révolutions de France et de Brabant*, cité par Lenotre, *La Guillotine..., op. cit.*, p. 132 : « On assure que ce journal est le recueil facétieux des couplets que chantait naguère la table ronde

des aristocrates, à des soupers chez le bourreau de Paris. – Soit rancune contre la lanterne et contre M. Guillotin, soit que la visite de tant de monde lui eût tourné la tête, M. Sanson régalait son monde de son mieux. »

331. Cf. J. de Maistre, *op. cit., loc. cit.*

332. Cf. Delarue, *op. cit.*, p. 307.

333. Ecrite en 1803, une lettre de Desmorets, assistant de Sanson à Paris et expédié à Grenoble, est très explicite : « Citoyen ministre, ma peine est inexprimable, il me faudrait une plume de sang pour l'apprécier. Permettez-moi seulement, cher citoyen, de vous détailler en peu de mots comment mes malheurs se sont succédés depuis près de sept années [...]. Arrivant à Grenoble, je fus placé dans une maison isolée à près d'une lieue de la ville, et comme les exécuteurs de ce pays avant mon installation étaient des criminels que les juges tiraient des cachots pour exercer ces fonctions, je suis regardé comme un triste individu. Ce qui augmente encore à mon égard ce terrible préjugé, c'est qu'arrivant à Grenoble avec ma commission, l'accusateur public venait d'installer deux scélérats, un condamné aux fers et l'autre à la déportation et ils étaient dans la malheureuse maison que j'habite, me voilà donc confondu avec ce qu'il y a de plus vil, et depuis ce temps insulté, méprisé et sans cesse menacé, je suis continuellement dans la crainte et mes pleurs arrosent ma nourriture [...] », cité par Delarue, p. 198-199. Consulté à cet effet, Sanson avait d'ailleurs, en 1798, indiqué qu'il conviendrait de respecter le lien traditionnel entre un bon bourreau et « sa » population : « Il ne reste plus que les places aux environs de Paris, environ 60 lieues où il sera possible de résister. Si encore on y nomme d'honnêtes gens. Car ces places sont sans préjugés parce que ce sont les anciens exécuteurs qui y sont restés. Il ne faut qu'un individu malhonnête pour ramener le préjugé et faire abandonner la place aux honnêtes gens », cité par Delarue, p. 200.

334. Cf. la lettre du ministre de la Justice Duport à l'Assemblée du 3 mars 1792 : « Il est peu de villes considérables où il ne se trouve encore un homme enchaîné à ces tristes fonctions, et séparé du reste des citoyens par l'invincible horreur que la nature inspire pour celui qui, même au nom de la justice et de la société, se dévoue à devenir un instrument de mort [...]. Je ne doute pas cependant que l'Assemblée nationale ne croie de sa justice d'assurer la subsistance à des infortunés à qui la Constitution a déjà rendu le titre de citoyen, mais qui, ayant déjà renoncé, pour ainsi dire, à la qualité d'homme pour exercer leur rigoureux ministère, trouveront longtemps encore dans un préjugé qu'on peut difficilement combattre, parce qu'il tient au sentiment, un éloignement pour leurs personnes qui ne leur permettrait de se procurer aucune ressource pour subvenir à leurs besoins », cité par Lenotre, *op. cit.*, p. 26-27.

335. Lettre de l'exécuteur Bourcier à la Convention, cf. Lenotre, *op. cit.*, p. 341.

336. Comme le répond Schmidt aux critiques qui lui sont faites, ce n'est pas la qualité de la machine qui en est responsable, mais un manque de « précaution de la part de l'exécuteur, qui n'a pas eu l'attention de réunir les deux bouts de la corde qui soutient le mouton, et de les tenir de manière à ce qu'elles ne puissent entraver son mouvement », cf. Delarue, *op. cit.*, p. 369.

337. *Lettre écrite le 27 mai 1806 par le Procureur général de Sa Majesté l'Empereur à Son Excellence le Grand Juge Ministre de la Justice*, Archives nationales, BB³ 212.

338. Cf. Foucault, *op. cit.*, p. 63 *sq.*

339. Cf. Delarue, *op. cit.*, p. 173-174.

340. Arrêté de Cales, représentant dans le département de la Côte-d'Or : « Instruit dans l'instant que l'instrument du supplice qui ne doit être exposé aux yeux du peuple que quand l'exécution de la loi l'exige,

et qui dans toute autre circonstance ne peut que révolter les âmes sensibles et qu'atténuer les sentiments d'humanité qui doivent caractériser un peuple libre, existe en permanence dans une des places de Dijon. Arrête qu'à la réception du présent, cet instrument sera enlevé à la diligence de l'agent national de la commune [...]. Il ne pourra être [exposé] qu'une heure avant l'exécution et sera enlevé immédiatement et sans délai après l'exécution », cité par Delarue, *op. cit.*, p. 170-171. Lettre du préfet des Landes au ministre de la Justice : « Monseigneur. On avait autrefois senti la nécessité de distinguer dans la société les hommes qui se livraient à la profession d'exécuteurs des condamnations criminelles [...]. Dans quelques provinces, on avait adopté comme le meilleur moyen un uniforme marquant qui ne laissait aucune part à la méprise et rassurait les honnêtes gens. Plus que jamais il est utile de faire revivre ces anciens usages [...] », 21 mars 1806, cité par Delarue, *op. cit.*, p. 43.

341. L'épisode de la gifle donnée à la tête de Charlotte Corday – par l'un des assistants du bourreau, le charpentier François Legros – est l'exemple le plus célèbre et le plus immédiatement condamné de ces excès. Mais on verra plus loin que l'enthousiasme du « montreur de têtes » l'entraîne, une fois, à tomber de l'échafaud et à se tuer, la tête à la main...

342. Cité par Lenotre, *op. cit.*, p. 172.

343. Marquise de La Tour du Pin, *Journal d'une femme de cinquante ans (1778-1815)*, Paris, 1913, p. 312-313. Cet épisode inspire sans doute un enrichissement narratif à Galart de Montjoye dont le seul intérêt est de montrer que la cruauté et la barbarie ne sont pas mises au compte du bourreau, mais de celui qui donne l'ordre, bien sûr un « satellite de Robespierre » : « Un troisième [satellite] ordonnait qu'on attachât un enfant à chacun des angles de la guillotine. Le plus âgé des enfants avait seize ans et, pendant qu'ils étaient ainsi attachés, le sang de leur père et de leur mère coulait sur l'échafaud et dégouttait sur leur tête. »

344. « Un des fils de l'exécuteur, qui montrait au peuple une des têtes sans regarder à ses pieds, est tombé de l'échafaud et s'est brisé la cervelle à terre. Son père a témoigné la douleur la plus vive », *Chronique de Paris*, cité par Lenotre, *op. cit.*, p. 250.

345. « Cet horrible spectacle fit sur Sanson une si vive impression qu'il tomba malade et cessa d'exercer son cruel métier jusqu'à sa mort, qui eut lieu six mois après », cf. Lenotre, *op. cit.*, p. 147.

346. *Ibid.*, p. 348.

347. Joubert, *Carnets*, Paris, 1938, p. 460. Je remercie le professeur A. Pizzorusso qui m'a signalé cet éloquent fragment.

348. Cité par Lenotre, *op. cit.*, p. 1-3.

349. F. Furet, *op. cit.*, p. 224.

350. Cf. Lenotre, *Le Tribunal révolutionnaire*, op. cit., p. 348.

351. Cf. Lenotre, *La Guillotine...*, *op. cit.*, p. 206.

352. *Ibid.*, p. 208.

353. *Journal officiel de la Commune*, cité par Delarue, *op. cit.*, p. 295.

354. Cité par Delarue, *op. cit.*, p. 378.

355. *Ibid.*

356. *Ibid.*, p. 283.

357. J'emploie ici les termes de *motif* et de *thème* au sens que l'histoire de la peinture leur donne, cf. E. Panofsky, *Essais d'iconologie*, Oxford, 1939 (Paris, 1967), p. 17 *sq.*

358. Cf. De Manet, *op. cit.*, p. 359-361.

359. Ce terme, bien connu, est donné dans un des traités fondateurs de la théorie « humaniste » de la peinture, le *De Pictura* de Leon Battista Alberti, 1435 (éd. C. Grayson, Bari, 1975, p. 44).

360. Fénelon, *De l'éducation des filles*, cité par R. Démoris, « Original absent et création de valeur : Du Bos et quelques autres », dans *Revue des sciences humaines de l'université de Lille III*, 1975-1, p. 67.

361. Cf. en particulier abbé J. Pernetti, *Lettres philosophiques sur les physionomies,* La Haye, 1768, un des textes sans doute les plus révélateurs sur l'actualité de ce thème au XVIII⁰ siècle.

362. Cf. J. Adhémar, « Les musées de cire en France, Curtius, le " banquet royal ", les têtes coupées », dans *Gazette des Beaux-Arts,* décembre 1978, p. 203-214.

363. R. de La Sizeranne, *Les masques et les visages à Florence et au musée du Louvre,* Paris, s.d., (1914 ?), p. II.

364. Italo Calvino, cité par R. Barthes, *La Chambre claire,* Paris, 1980, p. 61.

365. R. Barthes, *ibid.*

366. Robespierre, 5 février 1794 : « Si tous les cœurs ne sont pas changés, combien de visages sont masqués ! Combien de traîtres ne se mêlent de nos affaires que pour les ruiner ! », dans *Œuvres complètes,* X, p. 361.

367. Cf. Delarue, *op. cit.,* p. 321.

368. R. Barthes, *op. cit.,* p. 122-123.

369. *Ibid.,* p. 120.

370. G. Didi-Huberman, *Invention de l'hystérie,* Paris, 1982, p. 51.

371. R. Barthes, *op. cit.,* p. 27.

372. « Puisque j'ai encore quelques instants à vivre, pourrais-je espérer, citoyens, que vous me permettrez de me faire peindre ? Je voudrais laisser cette marque de mon souvenir à mes amis. D'ailleurs, comme on chérit l'image des bons citoyens, la curiosité fait quelquefois rechercher celle des grands criminels, ce qui sert à perpétuer l'horreur de leurs crimes », cité par Walter, *op. cit.,* p. 30.

373. R. Barthes, *op. cit.,* p. 153.

APPENDICES

Rapport de Charles Henri Sanson au ministre de la Justice sur le mode de décapitation.

Pour que l'exécution puisse se terminer selon les intentions de la loi, il faut que, sans aucun obstacle de la part du condamné, l'exécuteur se trouve encore être très adroit, le condamné très ferme, sans quoi l'on ne parviendra jamais à terminer cette exécution avec l'épée sans qu'il arrive des scènes dangereuses.

A chaque exécution, l'épée n'est plus en état d'en faire une autre. Etant sujette à s'ébrécher, il est absolument nécessaire qu'elle soit repassée et affilée à nouveau ; s'il se trouve plusieurs condamnés à exécuter en même temps, il faudra donc avoir un nombre suffisant d'épées et toutes prêtes. Il est à remarquer encore que, très souvent, les épées ont été cassées en pareilles exécutions. L'exécuteur de Paris n'en possède que deux, lesquelles lui ont été données par le ci-devant Parlement de Paris. Elles ont coûté six cents livres pièce.

Il est à examiner que, lorsqu'il y aura plusieurs condamnés qui seront exécutés en même temps, la terreur que présente cette exécution, par l'immensité du sang qu'elle produit et qui se trouve répandu, portera l'effroi et la faiblesse dans l'âme des plus intrépides de ceux qui seront à exécuter. Ces faiblesses produiront un obstacle invincible à l'exécution, le sujet ne pouvant plus se soutenir. Si l'on veut passer outre, l'exécution deviendra une lutte et un massacre. Il paraît cependant que l'Assemblée nationale n'avait décidé ce genre d'exécution que pour éviter les longueurs que les anciennes exécutions présentaient.

A en juger par les exécutions d'un autre genre qui n'apportent pas, à beaucoup près, les précisions que celle-ci demande, on a vu les condamnés se trouver mal à l'aspect de leurs complices suppliciés, avoir au moins des faiblesses, la peur ; tout cela s'oppose à l'exécution de la tête tranchée avec l'épée. En effet, comment supporter le coup d'œil de l'exécution la plus sanguinaire sans faiblesse ? Dans les autres genres d'exécution, il était très facile de dérober ces faiblesses au public, parce que l'on avait pas besoin pour la terminer, qu'un condamné reste ferme et sans terreur ; mais, dans celle-ci, si le condamné fléchit, l'exécution sera manquée. Peut-on être le maître d'un homme qui ne voudra ou ne pourra plus se tenir ?

C'est en conséquence de ces vues d'humanité que j'ai l'honneur de prévenir sur tous les accidents que cette exécution produira si on la fait exécuter avec l'épée. Il serait trop tard, je crois, de porter le remède à ces accidents s'ils n'étaient connus que par leur malheureux usage. Il est donc indispensable, pour remplir les vues de l'humanité que l'Assemblée nationale s'est proposée, de trouver un moyen qui puisse fixer le condamné au point que l'exécution ne puisse devenir douteuse, et par ces moyens éviter les longueurs et en fixer l'incertitude.

Par là, on remplira l'intention du législateur et on se mettra à couvert de l'effervescence publique.

Cité par Jules Taschereau, dans *Revue rétrospective*, Paris, 1835.

APPENDICE II

Docteur Louis, *Avis motivé sur le mode de décollation*.

Le comité de Législation m'a fait l'honneur de me consulter sur deux lettres écrites à l'Assemblée nationale concernant l'article 3 du titre 1er du Code pénal, qui porte que tout condamné à la peine de mort aura la tête tranchée. Par ces lettres, M. le ministre de la Justice et le directeur du département de Paris, d'après les représentations qui leur ont été faites, jugent qu'il est de nécessité instante de déterminer avec précision la manière de procéder à l'exécution de la loi dans la crainte que si, par défectuosité du moyen ou faute d'expérience, ou par maladresse, le supplice devenant horrible pour le patient et pour les spectateurs, le peuple, par humanité, n'eût occasion d'être injuste et cruel envers l'exécuteur, ce qu'il est important de prévenir.

J'estime que les représentations sont justes et les craintes bien fondées. L'expérience et la raison démontrent également que le mode en usage par le passé pour trancher la tête à un criminel l'expose à un supplice plus affreux que la simple privation de la vie, qui est le vœu formel de la loi ; pour la remplir, il faut que l'exécution soit faite en un instant et d'un seul coup. Les exemples prouvent combien il est difficile d'y parvenir.

On doit rappeler ici ce qui a été observé à la décapitation de Lally. Il était à genoux, les yeux bandés. L'exécuteur l'a frappé à la nuque. Le coup n'a point séparé la tête et ne pouvait le faire. Le corps, à la chute duquel rien ne s'opposait, a été renversé en devant, et c'est par trois ou quatre coups de sabre que la tête a été enfin séparée du tronc. On a vu avec horreur cette hacherie, s'il est permis de créer ce terme.

En Allemagne, les exécuteurs sont plus expérimentés par la fréquence de ces sortes d'expéditions, principalement parce que les personnes du sexe féminin, de quelque condition qu'elles soient, ne subissent point d'autre supplice. Cependant la parfaite exécution manque souvent, malgré la précaution, en certains lieux, de fixer le patient assis dans un fauteuil.

En Danemark, il y a deux positions et deux instruments pour décapiter. L'exécution qu'on pourrait appeler honorifique se fait avec le sabre. Le criminel à genoux a un bandeau sur les yeux et ses mains sont libres. Si le suplice doit être infamant, le patient, lié, est couché sur le ventre et on lui coupe la tête avec une hache.

Personne n'ignore que les instruments tranchants n'ont que peu ou point d'effet lorsqu'ils frappent perpendiculairement. En les examinant au microscope, on voit qu'ils ne sont que des scies plus ou moins fines qu'il faut faire agir en glissant sur le corps à diviser. On ne réussirait pas à décapiter d'un seul coup avec une hache ou couperet dont le tranchant serait en ligne droite ; mais avec un tranchant convexe, comme aux anciennes haches d'armes, le coup asséné n'agit perpendiculairement qu'au milieu de la portion du cercle ; mais l'instrument, en pénétrant dans la continuité des parties qu'il divise, a sur ses côtés une action oblique en glissant, et atteint sûrement son but.

En considérant la structure du cou, dont la colonne vertébrale est le centre, composé de plusieurs os dont la connexion forme des enchevauchures de manière qu'il n'y a pas de joint à chercher, il n'est pas possible d'être assuré d'une prompte et parfaite séparation en la confiant à un agent susceptible de varier en adresse par des causes morales et physiques ; il faut nécessairement, pour la certitude du procédé, qu'il dépende de moyens mécaniques invariables dont on puisse également déterminer la force et l'effet. C'est le parti qu'on a pris en Angleterre ; le corps du criminel est couché sur le ventre entre deux poteaux barrés par le haut par une traverse, d'où l'on fait tomber sur le cou la hache convexe au moyen d'une déclique. Le dos de l'instrument doit être assez fort et assez lourd pour agir efficacement comme le mouton qui sert à enfoncer des pilotis ; on sait que sa force augmente en raison de la hauteur d'où il tombe.

Il est aisé de faire construire une pareille machine, dont l'effet est immanquable ; la décapitation sera faite en un instant suivant l'esprit et le vœu de la nouvelle loi ; il sera facile d'en faire l'épreuve sur des cadaves et même sur un mouton vivant. On verra s'il ne serait pas nécessaire de fixer la tête du patient par un croissant qui embrasserait le cou au niveau de la base du crâne. Les cornes ou prolongements de ce croissant pourraient être arrêtées par des clavettes sous l'échafaud ; cet appareil, s'il paraît nécessaire, ne ferait aucune sensation et serait à peine aperçu.

Consulté à Paris, le 7 mars 1792.

Publié par Ludovic Pichon, *Code de la guillotine*, Paris, 1910.

APPENDICE III

Plaintes de l'exécuteur de la Haute Justice contre ceux qui ont exercé sa profession, sans être reçus maîtres.

... Sauveurs de la Patrie, ne souffrez plus qu'on précipite la mort des coupables qui pourront vous tomber encore entre les mains ; représentez bien aux patriotes extravagants que ce n'est pas servir leurs concitoyens que d'anéantir, par un zèle précipité, les moyens de remonter à la source des désastres qu'on préparait ; représentez-leur qu'ils me doivent une indemnité pour les exécutions dont ils m'ont privé. Chacune des têtes des quatre scélérats mis à bas par mon glaive m'aurait valu vingt écus pièce ; représentez-leur aussi que l'ouvrage aurait été fait bien plus proprement et qu'un grand nombre de spectateurs aurait joui du spectacle du sacrifice de ces victimes infâmes, si la tragédie eût été jouée sur mon théâtre.

Ceux des amateurs de ces scènes sanglantes qui auraient désiré qu'on prolongeât le supplice des coupables pour l'amusement de leur férocité n'avaient qu'à me faire connaître leur goût, et si notre question ordinaire et extraordinaire ne leur eussent pas paru des moyens assez efficaces pour forcer la discrétion des coupables, et leur arracher des délations et des aveux utiles, j'aurais écrit aux Révérends Pères du Saint-Office, tant à Madrid qu'à Lisbonne, de vouloir bien me prêter tous ces brimborions ingénieux qu'a inventés leur sainte atrocité pour forcer des innocents à se déclarer coupables des crimes qu'ils n'ont pas commis.

Si le supplice de la corde, celui de la roue, celui de la décollation ne leur paraissent pas assez énergiques pour inspirer l'horreur des forfaits, j'écrirai, à leur sollicitation, à mon collègue de Londres ; je le conjurerai de passer la mer, et de venir me montrer à éventrer un homme le plus proprement possible, à lui arracher le cœur et les entrailles, à en battre les joues du cadavre ; car c'est ainsi qu'on traite sur les bords de la Tamise, les criminels de lèse-nation. Si ce supplice leur paraît trop doux, trop insignifiant, j'appellerai mon confrère d'Avignon ; j'apprendrai de lui comment on massole, j'apprendrai de lui à assommer un patient avec une masse de fer, à lui ouvrir le ventre, à lui arracher les entrailles, à le trancher en quatre quartiers, à les disposer sur les quatre angles de mon théâtre, comme un boucher fait un bœuf, un charcutier un cochon, un rôtisseur un agneau, le tout pour apprendre à vivre à ceux qui se sentiraient du penchant à ressembler aux quatre scélérats que les usurpateurs de mes fonctions ont si mal proprement expédiés. Qu'ils réfléchissent, ces usurpateurs, qu'ils méritent bien plus que moi l'opprobre dont je suis entaché ; car enfin ce n'est pas moi qui tue les coupables qui périssent sous mes coups ; c'est la Justice qui les immole, c'est elle qui me fait le vengeur de la société. Ce titre, loin de m'avilir, ne devrait-il pas m'exalter ? Serait-il donc vrai qu'on eût plus de bons sens en Afrique qu'en Europe, et la philosophie ne parviendra-t-elle pas à glorifier ma profession ?...

Paris, 1789.

APPENDICE IV

... Qu'on nous pardonne donc, si nous traçons ici une esquisse déchirante des crimes inouïs qui ont été commis de nos jours avec cette machine sur tant d'infortunés : de tels forfaits méritent bien quelques larmes expiatoires.

La guillotine ne fut pas plutôt connue que son effroyable aspect porta l'épouvante de ville en ville, de bourgade en bourgade, et que la France entière fut hérissée d'échafauds. Alors, traînés, entassés sur de nombreuses charrettes à côté de leurs bourreaux, la tête nue, les cheveux hideusement coupés, les mains liées derrière le dos, des hommes, des femmes, des enfants, des vieillards étaient vus de toute part, à toute heure, traversant lentement la foule des cannibales affidés aux tyrans qui, par des menaces, des blasphèmes, des cris féroces, insultaient à l'humanité, à l'honneur, à la vertu, au malheur, à la vieillesse. Arrivés à la place toujours baignée de sang, les victimes étaient présentées à l'échafaud encore fumant du carnage des victimes qui les avaient précédées. Là souvent, par un raffinement de cruauté dont les annales de l'histoire des peuples les plus corrompus ne fournissent point d'exemples, de malheureux parents avant leur supplice subissaient mille fois la mort, lorsqu'au milieu des cris de joie d'une horde de brigands lâchement barbares, ils voyaient tomber sous le fer assassin de la guillotine ceux pour qui leurs entrailles avaient si souvent palpité. Après cette horrible tragédie, tous les cadavres ainsi mutilés étaient jetés pêle-mêle dans des tombereaux, comme de vils animaux ; de là portés dans une fosse commune, où privés des honneurs

de la sépulture, un peu de terre les couvrait à peine et laissait
l'infection se répandre au loin...

Sédillot le jeune, docteur en médecine de la ci-devant Académie
de chirurgie de Paris, membre du Lycée des Arts, *Réflexions
historiques et physiologiques sur le supplice de la guillotine*, Paris,
an IV de la République française, p. 24-25.

APPENDICE V

Dans son ouvrage sur *La démagogie en 1793* (Paris, 1870),
Dauban cite le texte de Rouy et, pour réfuter les doutes que
pourrait susciter son caractère exceptionnel, il cite un dessin
qu'il attribue à un disciple de David, Peyron, et qui représente
effectivement la scène de la danse devant l'échafaud. La convergence du texte et du dessin lui semble confirmer la réalité
de l'événement. Il est cependant permis de penser que le dessin
a pu s'inspirer du récit, y trouver, comme dit la théorie classique
de la peinture son *programme,* son *invention.* Mais il est
également possible que l'inverse se soit produit : Rouy a pu se
servir des épisodes figurés dans le dessin pour enrichir sa propre
description. Car, à y bien réfléchir, dans la représentation
graphique, la danse était la gestuelle la plus simple et la plus
efficace pour faire voir une joie que le récit a la possibilité de
dire. Il est, en tout état de cause, intéressant de citer le texte
de Dauban lui-même : il se fait prendre au piège de l'image et
sa description du dessin – qui constitue par elle-même une
excellente *ekphrasis* – produit une ultime variation narrative du
thème – sur un mode inévitablement républicain alors que son
auteur est peu susceptible de sympathie pour 1793 : « Cette
scène renferme tous les commentaires que les montagnards et
les exaltés tiraient de la mort du roi... Ce jour-là les esclaves
ont conquis la dignité de l'homme libre, ils jurent sur le fût du
canon de défendre la liberté contre les hordes étrangères ; le
citoyen et le soldat en s'embrassant répètent le même serment ;
à droite, deux jeunes gens épouvantés se jettent dans les bras
d'un vieillard au visage sévère et triste qui déclare nécessaire
au salut de la patrie ce cruel acte national ; à gauche du
spectateur, un montagnard coiffé du bonnet rouge, montre à
des citoyennes l'instrument du supplice. Ainsi meurent les tyrans !
Ces groupes, leur langage que l'on entend par leur attitude,
forment comme l'apologue du tableau, la mortalité tirée par le
peintre de l'événement. A côté figure la part de l'histoire, le
fait lui-même : la guillotine, le bourreau agitant la tête coupée ;
ces hommes haletant de la soif du sang, debout autour de
l'échafaud, le jarret tendu, le corps dressé sur la pointe du

pied, s'efforçant d'atteindre jusqu'à ces mains souillées, ces furieux ivres de joie qui dansent devant Sanson… Voilà l'histoire telle que l'analyste Rouy l'Aîné l'a vue et écrite ce jour-là ».

Il serait vain de chercher lequel, du dessin ou du texte, est matrice de l'autre. Si l'image peut être traditionnellement élaborée en fonction du récit historique, la relation peut tout aussi bien s'inverser dans la mesure où le récit historique s'apparente en définitive à la pratique de l'ekphrasis : décrire le spectacle dont on est supposé être le témoin, s'en faire l'historien pour convaincre, par les ressources d'une belle rhétorique, l'auditeur de la moralité de l'événement…

TABLE DES MATIÈRES

ACHEVÉ D'IMPRIMER
SUR LES PRESSES DE
L'IMPRIMERIE CHIRAT
42540 ST-JUST-LA-PENDUE
EN JANVIER 1987
DÉPÔT LÉGAL 1987 N° 1251
N° D'ÉDITEUR 11149

IMPRIMÉ EN FRANCE